Roland Fletcher 1969
te Utrecht

SPIEGEL VAN DE
NEDERLANDSE POËZIE 2

MEULENHOFF EDITIE E 76

VICTOR E. VAN VRIESLAND

SPIEGEL VAN DE NEDERLANDSE POËZIE

2

VAN JACOBUS BELLAMY
TOT EN MET ALEX GUTTELING

J.M. MEULENHOFF

AMSTERDAM

eerste druk 1939
tweede druk 1947
derde druk 1955
vierde druk 1963
vijfde druk 1965

Omslagontwerp:
Jan Vermeulen en Peter Struycken

VOORBERICHT

Het eerste deel van de *Spiegel van de Nederlandse poëzie door alle eeuwen* is bij deze vijfde uitgave in twee banden gesplitst. *Deel 1* wordt nu afgesloten met Bilderdijk; dit *Deel 2* begint met Bellamy aan wiens werk het eerste gedicht van deze bundel hier is toegevoegd. Voor het overige is, behoudens de uitvoering van de *Corrigenda*, ook deze uitgave vrijwel onveranderd.

In de nieuwe uitgave volgen nu nog een derde en een vierde deel, vroeger resp. *Deel II* en *Deel III*.

Verder moge ik volstaan met te verwijzen naar de *Inleiding* en *Voorberichten* van *Deel 1*, welke dus òok op dit tweede betrekking hebben.

V.E.v.V.

JACOBUS BELLAMY

DE DOOD

Gelijk een man, die van verlangen gloeit,
  om bij zijn' vriend te zijn,
Die op het land, aan de and're zij des meirs,
  zijn stille woonplaats heeft;
op 't zien der zee, die hevig bruischt en woedt,
  Een koude sidd'ring voelt;
zijn angstig oog ziet staarend op het schip,
  dat sling'rend rijst en daalt;
De stormwind giert en snort door 't hooge tuig
  en beukt het dond'rend zeil;
De stuurman wenkt – de man verwint zijn schrik,
  Hij denkt aan zijnen vriend,
en stapt gerust in 't worstelende schip,
  En steekt naar de and're zij!

Zoo zal ik ook, wanneer de koude hand
  des doods, mijn' boezem drukt,
een ligte schrik gevoelen in mijn ziel;
  doch, die verdwijnen zal,
zoo dra ik denk aan mijn onsterflijkheid,
  En Jezus onzen vriend.

AAN GOD

Ik heb mijn lier, voor u, besnaard,
  En 'k nader bevend voor uwe oogen,
  Daar gij, door 't ruim der hemelboogen
Op vleugels van uw almagt, vaart! –
  Voor u, die, in het eeuwig licht,
  Uw' trotschen zetel hebt gestigt,
Een' troon, ontsaglijk als uw wezen!
  Voor u, die immer liefde zijt! –
Maar hun, die uwe magt niet vreezen,
  Een schriklijk wreeker zijt!

o God! wie is de sterveling,
  Die 't onnaarvolgbaar lied mag hooren
  Der eeuwig-zingende englen-chooren? –

Dat hij van uwe grootheid zing'!
  Mijn ziel verliest zich in haar zelf!
  Mijn oog verdwaalt, aan 't hoog gewelf,
Waar duizend, duizend, zonnen blinken,
  Die eens uw stem ten voorschijn riep!
Hier moet al 't eindige verzinken,
  In 't nimmer peilbre diep!

Gij had den weg nog niet gemaakt,
  Waarlangs de vlugge tijd zou loopen;
  Maar 't plan lag voor uw wijsheid open -
Der dingen werking afgebaakt:
  Toen zaagt gij, hoe der boozen list,
  Door haat en wrevel, aangehitst,
Langs duizend onbekende wegen,
  De leidsvrouw is tot waar geluk;
Hoe vaak de wenschelijkste zegen
  Zijn bron heeft in den druk!

Toen zaagt gij ook, geduchte God,
  In al die wondre wisselingen,
  Dien kronkelloop der aardsche dingen,
Den aart, de gangen van mijn lot.
  Toen had ik, op dit groot toonneel
  Der wondre waereld, ook mijn deel,
Door uwe wijsheid, reeds ontvangen.
  Ja! hoe gering mijn werking schijn',
Gij deedt mij toch de gunst erlangen,
  Een stip, in 't plan, te zijn!

Hoe dan, op dezen wanklen bol,
  Uw hand mij ginds en herwaards voere,
  De snoodheid op mijn onschuld loere –
Mijn hart blijft steeds gerustheid-vol!
  Mijn God! hoe troost mij dit gevoel!
  Gij schiept mij ook, om 't groote doel,
Uw godlijk oogmerk te bereiken!
  Ik voere ook uw bevelen uit!
Bij u zijn eeuwen-levende eiken
  Niet meer dan 't kleenste kruid!

Verhef u dan, mijn traage geest!
  Doorstreef die nimmer meetbre kringen,
  Tot hem, den vader aller dingen,
Wiens liefde uw wording is geweest!
  Verhef u! stijg in 't hemelhof! –
  Maar neen – verneder u in 't stof!

Die luister zou uw oog verblinden!
  Gij smolt voor dat ontsaglijk vuur!
o Neen! gij kunt de Godheid vinden,
  Op 't aanzigt der Natuur!

Ja! op dat glansrijk aangezigt
  Is God, in elken trek, te leezen!
  Gij zijt, o groot, o eeuwig wezen,
De luister van dat aangezigt!
  't Geruisch der grootsche waterval,
  De zagte stilte, in 't vrugtbaar dal,
Het golvend graan – 't geklots der baaren,
  Der vog'len zang, die 't hart verblijdt;
't Doet alles onzer ziel ervaaren,
  Dat gij de schepper zijt!

Maar – wat ons ook uw magt vertoon'
  In visschen, vogels, zeeën, landen;
  Van al de werken uwer handen
Vertoont de mensch het edelst schoon:
  De vorm van zijn welschapen leên,
  Die lagchende bevalligheên,
Zijn slegts de ruwste en flaauwste trekken;
  Zijn ziel, zoo mild door u bedeeld,
Heeft meerder glans en grootscher trekken
  Van uw onstoflijk beeld!

o Wijsheid! – onbeperkte magt!
  'k Verlies mij in uw' grootschen luister!
  Mijn oog bezwijmt – 't is alles duister!
Waar ben ik, in deez' donkren nagt? –
  o Eeuwig wezen! laat het licht
  Van uwe wijsheid, mijn gezigt,
Het toppunt uwer grootheid wijzen!
  Maar hoe! zou 't eindige vernuft
Dan ooit, tot deze hoogten, rijzen,
  Daar 't op den drempel suft!

Genoeg, zoo ik een staamlend lied,
  Mijn God, van uwen roem, mag zingen!
  Bij 't hooge lied der hemellingen,
Verägt gij toch mijn zangen niet!
  Schenk mij een vonkje van dien gloed,
  Die 't vuur van uwe zangers voedt!
Dan zing ik waardiger gezangen
  Van uw gedugte majesteit,

Wier toon ik grootscher zal vervangen,
In 't choor der eeuwigheid!

DE LIEFDE

De teêrste hartstogt, die 't genoegen
Der stervelingen 't meest vergroot,
Staat immer voor het nijpend wroegen
Der redelooze kwelling bloot.

Vrees, moeite en agterdogt bespringen,
Met felle woede, 't minnend hart.
Al vaak zijn kleene beuzelingen
De bronnen van de grootste smart.

Soms zwijgt de spreekendste bewustheid,
Wanneer de vrees heur stem verheft.
Daar 't hart, gefoold door ongerustheid,
Zijn eigen toestand niet beseft.

De Liefde, tuk op veinzerijen,
Die zij zich zelf te ontveinzen tragt,
Heeft zich al menigwerf in lijën,
Door schuldelooze list, gebragt.

ô! Mogt ik iets den hemel smeeken!
Ik vroeg niet dwaas om rang of schat;
Maar, om een min, die voor het steeken
Der kwelling niets te vreezen hadt.

JAN VAN WALRÉ

EEN VERGETEN BORGER

Wie, uit een' braven stam en deftig huis gesproten,
Door geen Geboorte of Rang afhankelijk van zijn' kring,
Voorouderlijken schat tot zijn bestaan ontving
Of, door een eerlijk doen, zijn renten kan vergrooten;

Zijn' eigen vruchtbren grond of akker mag bepoten,
Door eerzucht niet gelokt tot Kussen, Ster of Kling;
Te groot tot laagheid en tot schittren te gering;
Door armoê opgezocht, voorbijgezien door Grooten:

Wie, van geen' Dief belaagd, van Jagers niet gestoord, *J. van Walré*
Geen' last van Krijgers heeft; van Oorlog naauwlijks hoort;
Geen Regtsgedingen kent, noch Pleit, noch Pleitbezorger;

Als Mensch en Onderdaan zijn pligten stil betracht,
Door dwaasheid wordt bespot, door wijsheid hoog geacht,
Smaakt al de kalmte en rust van een' *vergeten borger.*

AAN DEN OPPER-DICHTER, MR. WILLEM BILDERDIJK

Van jongs af, Dichter-Vorst! eerde ik uw' Zwane-stander:
  Eens bragt *Mécénas* ons, reeds graauw van kruin, bijëen;
Als ijzer en magneet trok ons gevoel elkander,
  En 't eerste ontmoetings-uur leî vriendschaps eersten steen:
Hoe groot ook de afstand was in onzer gaven waarde,
  Ons blaakte 't zelfde vuur; wij hielden de eigen vlugt;
Gij, door den éther-stroom; ik, langs het vlak der aarde,
  Op vrije wieken toch – en voor geen' val beducht;
Nogtans de zwaluw strijkt; de Rijn-zwaan blijft nog stijgen:
  Mijn Grenspaal predikt *rust*; uw Grijsheid kent geen perk!...
Blik vriendlijk neder op dees dorrende offer-twijgen;
  Uw Naam verfrissch' het tuiltje en kleur' mijn avond-werk!

J. P. KLEYN

MORGENOFFER

Welkom, lieve Morgen! – met uwe lichtstraal,
Stroomt ge in aller boezem verjongde krachten,
Aarde, lucht en zeën herschept ge en geeft hun
    't Leven hernieuwd weêr.

Ziet aan de oosterkimmen het uchtendkrieken,
Zijne komst vermelden, en purpren kleuren
Van den top der bergen in onze dalen
    Lagchende strooijen.

Als de neveldampen in ligte rookstof
Over kleine golfjes de zee bewandlen;
En van lieverlede de frissche dagwind
    Lugtiger voortsnelt;

Als het dartel Vischje de zon verwelkomt,
En met kronkelsprongen den zilvren stroom krult,
Dan de paereldropjes, die om hem glinst'ren,
    Spelende na zwemt.

Als de Rietbewoner, met scherpe toonen,
Ons de diepe stilte aan den oever wegzingt, –
Neen! de kalmte en rust van een rein geweten
In zijn gezang maalt.

Ziet de zuiderkoeltjes de Velden wekken, –
Hoort de wouden ruischen, de Kreupelbosschen
Lisplen! hoe in alles de stem der vreugde
Psalmen des danks zingt.

Welkom, lieve Morgen uw straal vervulle
Aller hart met liefde tot God en menschen,
Aller ziel met offers den Schepper ten wel –
– riekenden geure.

Halelujah! looft hem, die d'aarde grondvest, –
Die met zijnen vinger den hemel uitspant, –
Die het nietig stof, dat als kaf daar heen stuift,
Menschen – zijn gunst schenkt.

Liefderijke Jesus! dat uw genade,
Onzen geest verlichte en uw hand ons leide;
Dan herschept de morgen in ons het leven,
Waarop geen dood volgt. –

WILLEM ANTHONIJ OCKERSE

OP DEN DOOD VAN LEENTJE,

een uur na hare geboorte, met hare moeder overleden

Leentje, ontwaakt van 't lange slapen,
Wierp een blikjen om zich heen,
Zag, dat hier niets was te rapen,
Dan ellende en droef geween.
Leentje sloot haar schuldlooze oogen;
't Sterven was voor haar gewin,
Ze is toen juichende gevlogen,
Moeder na, ten hemel in.

A. LOOSJES

DE NAAM OP DE DUIVENTIL

Philas, door de min bestreeden,
Hadt de naam van *Amaril*,

Met zijn' naam, wel diep gesneeden
  Op den rand der Duiventil.
'k Zie haar na heur Duifjes treeden,
  Die ze als anders voêren wil.
't Meisje vindt haar naam geschreeven
  Bij zijn' naam, zij bloost, zij lacht:
Wat zij dacht, is ons om 't even.
  Maar wie hadt het ooit verwacht,
Dat haar Duifjes hongrig bleeven,
  Daar zij om geen voêren dacht.

AAN GALATHÉ

Een stille éénstemmigheid
Is door 't Heeläl verspreid,
  Welk onderwijzer,
Hoe groot, hoe schrander weet,
Wat vriendschap den magneet
  Verbindt aan 't ijzer.

Jaa om den lindenbast
Hegt zich de klimöp vast,
  Terwijl de wingerd
Zich om den Olmenstam,
Als blaakend door de vlam
  Der Liefde, slingert.

Ei zie, dit Duivenpaar,
Dien wondren trek elkaêr,
  Verrukt, ontdekken.
Wat kirren ze aangenaam,
Hun bekjes kleeven t'zaam,
  Zij trekkebekken.

Dat wonderbrandend Vuur
Heeft ook de goê Natuur
  Den mensch geschonken.
Dat vuur, mijn *Galathé*,
Kon onzen boezem meê,
  In min ontvonken.

Wel smaaken wij dat zoet,
En trachten wij dien gloed,
  Niet uit te blusschen.
Dat men dien trek voldoe,

Steek mij uw mondje toe.
'k Dorst na uw kusschen.

DE VREESACHTIGE MINNAAR

Phileet een hupsche Herdersgast
Was met het liefdesjuk belast:
De zon was in de kim gedooken:
Hij ziet bij 't zagte licht der maan
Zijn *Cloe* aan de stulpdeur staan;
Nu wordt zijn liefde op nieuw ontstoken.

„Wel zucht hij, in zijn kloppend hart,
„Ik folter mij door dwaaze smart,
„Die ik van dag tot dag voel steig'ren,
„Welaan! 'k zal nu na *Cloe* gaan:
„Staat haar mijn voorslag thans niet aan,
„Wat kan zij meerder doen dan weigren."

Hij treedt zijn stulp nog éénmaal in,
En tooit zich op ter eer der Min,
Gelijk toch meest de minnaars handlen;
Daar gaat hij heen – „Zagt, denkt hij zagt!
„De zaak dient rijplijk overdacht:
„'k Zal deeze laan nog om gaan wandlen.

„*Philetas*, foei! al weêr bevreesd,
„Gelijk gij altoos zijt geweest!
Dus gaat hij voort „wat zotte dingen!
„Misschien verhoort zij wel mijn wensch!
„Een meisje is immers maar een mensch.
„Straks wordt mijn zuchten veelligt zingen."

Dus komt hij aan het eind der laan,
En ziet zijn lieve *Cloe* staan:
Nog staat de knaap een poos te kijken:
„Kom, zegt hij, 't moet' er nu meê door!
„Veelligt verleent zij mij gehoor...!
„Dat alle droeve zorgen wijken!"

Hij nadert. Schoon hij vrolijk ziet,
Beeft hem het hart, gelijk een riet.
Welaan! beluistren wij zijn minnen:
„Goed' avond *Cloe*! 't is mooi weêr!"
Dit zegt hij staamlend, en niets meer.
Hij schijnt betoverd in zijn zinnen.

„'t Is heerlijk weêr mijn goede knecht!"
Dit is 't, dat *Cloe* tot hem zegt.
„Maar 'k vind het koel en zou schier meenen,
„Dat de avondkost wordt opgebragt;
„Ik gaa; *Philetas*! goeden nacht!"
Zij sluit haar deur, en is verdweenen.

Ha! zegt gij, jongling, die dit leest,
Doch nimmer zijt verliefd geweest;
Dees was de lafste knaap der knaapen.
Ei zwijg! want ligt, in laatren tijd,
Als gij uw hart der liefde wijdt,
Wordt ge in *Philetas* zelv' herschapen.

ANTOINETTE KLEIJN-OCKERSE

DE DOOD

Ik vrees hem niet! –
Zoo veel verdriet,
En moeite, en angstig zorgen,
Wordt, in zijn' schoot, geborgen!

Bij hem, is rust: –
In slaap gesust,
Verëenen zich de braaven
In broederlijke graven.

De grashalm groeij';
Het roosjen bloeij';
De morgen wieg' zijn' knopjens
In zilv'ren avond-dropjens; –

Het onweêr broeij';
De stormwind loeij';
De wolken mogen breeken,
En 's hemels donders spreeken! –

De doode rust,
Van niets bewust; –
Een klagt, hoe zwaar – hoe teder,
Dringt, in zijn graf, niet neder!

De worm alléén
Waakt, om hem heen,
En knaagt het koude harte,
Weléer, doorgloeid van smarte! –

Een ziel vol leet;
De borst bezweet
Van arbeid en van kommer; –
Geen' beek, noch eenig lommer,

Waar, afgemat,
Op 't dorstig pad,
Hij 't hoofd, na zoo veel zwerven,
Kon neigen, om te sterven;

Daar naamt ge, ô dood!
Hem in uw' schoot;
Gaaft, onder lijk-cypressen,
Hem zijnen dorst te lesschen;

En wischte, aan 't graf,
Zijn' traanen af;
En bliest den vreede in 't harte, –
Te lang, een' prooi der smarte!

Getrouwe dood!
Gij blijft, in nood,
Als allen zijn geweeken –
Van 't uur der redding spreeken:

Dan breekt uw hand
Den levens-band: –
Hoe zacht ligt men dan neder!
Keert nooit, tot moeite, weder! –

Zoo vrees ik niets:
Hoe veel verdriets,
ô Dood! wordt, met mijn' zorgen,
Ook eens, bij u, geborgen?

Dan dreig' de storm;
Dan knaag' de worm;
Niets kan mijn' rust ontwijden,
Of mij, van Jesus, scheiden! –

MIJNE KEUZE

Langs diepe spooren
Van moeite en kruis,
Is mij beschooren
De weg naar huis:

Antoinette Kleijn-Ockerse

Door wildernissen,
  Waar in mijn voet
Den weg kan missen
  Of struik'len moet;

Waar distels groeijen
  Van angst en leet;
En traanen vloeijen
  Van bloedig zweet:

Dáár boven, wolken,
  Van onweêr zwaar,
Hier, onder, kolken
  Vol doods-gevaar!

Om 's daags te schuilen,
  Geen boom; – geen hut,
Die, 's nachts, voor 't huilen
  Des storms, beschut!

Langs diepe spooren
  Van moeite en kruis,
Is mij beschooren
  Mijn weg naar huis:

Of, op de baaren
  Der holle zee,
Rondöm bevaaren
  Met angst en wéé! –

En echter derwaart,
  Hoe moeilijk, ligt
De landstreek, werwaart
  Mijn pad zich rigt. –

Mijn dwaalweg loope
  Woestijnen door;
Het oog der hoope
  Wijst mij het spoor:

Waar Jesus, bloedig,
  Is heen gegaan,
Zou 'k daar, mismoedig,
  Van verre staan?

En hem niet volgen? –
  Hij vormt de zee,

Hoe ook verbolgen,
Ten veil'ge reê.

De rotsen vloeijen; –
De wildernis
Moet weelig bloeijen,
Wáár Jesus is!

Dáár steekt de prikkel
Des doods niet meer, –
Noch maait zijn sikkel
De bloemen neêr!

Ik zal steeds hoopen
In moeite en kruis;
En moedig loopen
Den weg naar huis.

Ik laat 't gewemel
Der zorg beneên,
En kies den hemel
En 't pad daar heen!

—

NATUUR, zoo zacht, zoo wars van schijn,
Laat in uw spoor mijn voetstap zijn,
Gelei mij door 't oneffen land
Gelijk een kind aan 's moeders hand.

Als ik vermoeid van struiklen keer,
Dan zink ik aan uw' boezen weêr;
Dan lescht aan uwe moederborst
Uw hemelnekter mijnen dorst.

Hoe rust ik dan in uwen arm!
Gij dekt mij in de koude warm.
O! lei mij door 't oneffen land
Gelijk een kind aan 's moeders hand?

JOHANNES KINKER

DE JONGE KLOË

Kloë, zestien jaren oud,
Sprak: ik zal de min ontvlugten:
Want als men het wel beschouwt,

Doen de minnaars niets dan zuchten.
't Is of elk zijn' tijd besteed
In 't gevoelen van zijn leed.

Waar ik slechts mijne oogen wend' –
Nergens vind ik twee gelieven
Die niet zuchten. Wat ellend'
Mag hun teedre boezems grieven?
Waarom staag de vreugde ontvlugt
Door hun eindeloos gezucht? –

Neen, nooit zal de liefde mij
In haar nare kluisters binden:
In die teedre slavernij
Kan ik zoo veel heils niet vinden.
Heeft de min er anders geen? –
Liever blijf ik dan alleen.

Laatst vroeg *Lykas* om een' zoen...
('k Moet nog lagchen om dat vragen.)
'k Riep: Och, *Lykas*, neen! – En toen
Zuchtte hij, en sloeg aan 't klagen.
ô Wat is het minnen dwaas!
Al zijn antwoord was – helaas!

Gistren zag ik *Lykas* weêr.
'k Dacht: 't is best zijn oog te ontvlugten;
Wijl ik ligt zijn smart vermeêr:
Want hij weende en scheen te zuchten.
'k Vlood zeer schielijk van die plaats:
Alles riep mij daar – helaas!

Zoo zong *Kloë*. – maar de Min
Hoorde het vermetel zingen
Van die jonge herderin. –
„'k Zal die stoute schoone dwingen!"
Sprak hij. – Kloë maak vrij staat,
Dat hij 't bij geen zeggen laat.

Eensklaps vloog hij naar beneên.
Kloë dacht: „Zou *hij* mij dwingen! –
'k Blijf gerust met hem alleen."
Lagchend ging zij voort met zingen:
„'t Is of elk zijn' tijd besteedt,
„In 't gevoelen van zijn leed."

Hij nam 't meisje bij de hand,
Wees haar lagchend twee gelieven.
Houd u wat aan dezen kant
„*Kloë*! (sprak hij) 't mogt hen grieven.
„Veilig moogt gij hen bespiên,
„Zoo gij maar niet wordt gezien."

Och! hoe gretig hoorde zij
Toen het zuchtend, teeder hijgen,
Dat, in dees liefkozerij,
Kloë toeriep, onder 't zwijgen:
„Zie hoe men den tijd besteed,
„In de liefde zonder leed."

Toen *Cupido* haar verliet,
Gloeiden hare lieve wangen:
En de gulle vreugd verliet
Kloë's hart voor 't zoet verlangen.
Sedert heeft zij het gezucht
Van haar' *Lykas* nooit ontvlugt.

PIETER NIEUWLAND

ORION

Wie heft, met statelijke pracht,
Bij de achtbre stilte van den nacht,
Uit d'oceaan het hoofd naar boven?
Wie blijft in 't aanzien van Diaan',
Die vruchtloos poogt dien gloed te doven,
Met onverzwakten luister staan?

Zijt gij 't, Orion! voor wiens licht
Der kleiner zonnen flikkring zwicht
Als 't licht der maan voor Febus glansen?
Rijs, grote Orion! rijs omhoog!
Zijt welkom, held! aan onze transen!
Verruk, verruk ons starend oog!

Wat sterreglans, die eerbied baart,
Praalt op uw' gordel, knods en zwaard,
Bezaaid met tintelende vieren!
'k Zie Betelgeuzes roden gloed
Uw' schouder, naast Bellatrix, sieren,
En Rigel flonkren op uw' voet.

Ik zie, daar u de stier ontvlugt,
Voor de opgeheven vuist beducht,
Den Noordschen beer van verre grimmen.
De bloedige Aldebaran zelf
Ontwijkt uw' knods, bij 't statig klimmen,
En ruimt u plaats aan 't stergewelf.

Zo drijft ge, in 't schoon Elysisch woud,
Daar zich der helden schare onthoudt,
Voor u de woeste dieren henen!
Zo hebt ge, in 's waerelds morgenstond,
Met al uw' luister vroeg verschenen,
Auroras teder hart gewond.

Dit zag de wreevle Jagtgodin;
Haar wrok ontvlamde om deze min,
Zij deed u door haar schichten sneven.
Jupijn verijdelde dien nijd,
Door hem aan hoger' trans verheven,
Blinkt gij daar eeuwig, haar ten spijt.

Rondom u schittren zon bij zon,
Daar Sirius en Procyon
Met diep ontzag uw schreên verzellen.
Wie noemt in klanken, zwak van toon,
Die heiren, door geen oog te tellen?
Wie schetst hun godlijk, eeuwig schoon?

ô Gij, geleister van mijn held,
Die, als gij onze zon verzelt,
Uw' naam verleent aan onze dagen!
ô Heldre hondster! zou uw licht
De voorboô zijn van felle plagen?
Ons siddren doen op uw gezicht?

Neen! 't bijgeloof verzon dien waan.
Mij lacht uw glans beminlijk aan,
Vorstin der hoge sterrenchoren!
'k Voel, daar mijn eerbied op u staart,
Gedachten in mijn ziel geboren,
Wiêr vlugt mij opvoert boven de aard.

Is elk dier lichten, die gij ziet,
Zelf 't kleenste, dat uw oog ontvliedt,
ô Stervling! slechts voor u in wezen?
Is, bij 't gezicht van 't stergewelf,

Pieter Nieuwland

Geen denkbeeld ooit in u gerezen
Dan 't nietig denkbeeld van u zelv'?

Vermeetle! draait voor u alleen
De gansche schepping om u heen?
Is ze u alleen ten dienst gegeven?
U, die, uit nietig stof geteeld,
Het broosch genot van 't vlugtig leven
Met vlieg en mier en made deelt!

Zijt gij op de aarde zo gering;
Die aarde, trotsche sterveling,
Is een dier duizendduizend bollen
Die om de zelfde grote zon
In afgeperkte baanen rollen,
Licht scheppen uit de zelfde bron.

Elk, elk gevoelt haar heerschappij.
Die streeft bestendig haar op zij,
Daar deze uit afgelegen streken
Haar eens in vijftig eeuwen groet,
Of ligt, haar wijd gebied ontweken,
Slechts eens bestraald wordt door haar' gloed.

Elk lichtjen, dat gij tintlen ziet,
Zelf 't kleenste, dat uw oog ontvliedt,
Is zulk een bron van licht, omgeven
Van waerelden, die zonder tal
Als stofkens door elkander zweven,
En veilig zijn voor schok en val!

Verbeelding! is u niets te hoog,
Zo leer mij gindschen heldren boog,
Den goddelijken Melkweg, kennen.
Voer, langs dat breed en glansrijk spoor,
Mijn' tragen geest, op vlugge pennen,
Den wijden kreits der schepping door.

Die baan, wier zacht en lieflijk licht
Slechts wolkjens vormt voor 't scherpst gezicht,
Is een gestel van sterrenheemlen,
Wier eindloos flaauwe tinteling
Van verre schijnt dooreen te weemlen,
Zich samensmelt tot éénen kring.

Hebt gij de grenspaal nu ontdekt?
Weet gij, hoe ver de schepping strekt,

ô Stervling, eindig van vermogen?
  Zo sla nog eens, uit dat verschiet,
Op held Orions beeld uwe oogen,
  En zink, verzink dan in uw niet!

  Orion! uw volmaakte glans
  Voert mij omhoog van trans in trans,
Ontrukt mijn' geest aan 't aardsche duister!
  Mijn oog beschouwt u uuren lang,
En telkens vindt het nieuwen luister,
  En nieuwe wondren voor mijn' zang!

  Is 't waar? of faalt mijn zwak gezicht,
  Dat ginds een kring van bleker licht
Meent in uw prachtig zwaard te ontdekken?
  Een dunne vlek, wier flaauwe schijn
Zich telkens poogt aan 't oog te onttrekken?
  Wat mag dat glinstrend wolkjen zijn?

  Dat glinstrend wolkjen, sterveling!
  Is ook een melkweg, in wiens kring
Ontelbre sterrenstelsels weemlen,
  Den uwen ligt in glans gelijk!...
Verbeelding! daal! verlaat die heemlen,
  Eer mijn geschapen geest bezwijk'.

DE MORGENSTOND

Hoe lacht ons met vernieuwde glansen
  De zon, die 't al met vreugd vervult,
  Terwijl zij de Oosterkimm' verguldt,
Weêr vrolijk toe van 's Hemels transen.

  Aurore ontsluit, in 't geel gewaad,
Met ving'ren, juist van verwe als rozen,
Terwijl haar zachte kaken blozen,
  De poorten van den dageraad.

Nu schijnt het veld op nieuw herboren,
  Daar 't pluimgedierte, dat in 't woud,
  In stille vrijheid zich onthoudt,
Ons reeds zijn schelle stem laat horen.

  Hoe wordt ons hart verkwikt, verheugd,
Daar duizend zangrige orgelkelen

Hunn' onbedwongen veldzang kwelen,
En delen mede in onze vreugd.

De Landman, thans verfrischt van leden,
Verlaat, door 't rijzend licht gewekt,
De stulp, die hem ter woning strekt,
En gaat naar 't veld met rasse schreden.

Hij melkt, blijgeestig opgestaan,
Zijn kudde, vrij van wrange zorgen,
En voert, al zingende, elken morgen
Het grazig zuivel steêwaart aan.

Hoe ligt de daauw, bij zilvren droppen,
Verspreid op bladers, plant en kruid.
Zie, hoe zich elke bloem ontsluit:
De morgenstond ontluikt hun knoppen.

Thans rijst de zon voor elks gezicht,
Zij droogt de liefelijke rozen,
Zij doet de heuveltoppen blozen,
En stelt het hoog gebergte in 't licht.

Terwijl in de altoos vruchtbre streken,
In 't loofrijk boschjen, op 't eenzaam land,
Langs bogtige oevers, dicht beplant,
Het zacht geruisch der zilvren beken,

En 't veldmuzijk onze oren streelt.
Gij houdt ons hart als opgetogen,
Door al uw gaêd'loos schoon bewogen,
Natuur, met zo veel glans bedeeld!

Gij kunt ons oog, ons harte wekken
Tot vreugd, zo dra het kriekend licht
Zich zelve ontdekt voor elks gezicht,
Terwijl we alom Gods gunst ontdekken.

Zo heuglijk is het veld, wanneer
De zon, gehuld met goud en glansen,
Den morgen maakt aan de oostertransen;
Dus blinkt Gods goedheid keer op keer.

De zon, vast meer en meer aan 't klimmen,
Bestraalt het aardrijk met haar gloed,
En, daar ze onze ogen scheemren doet,
Verlaat zij spoedig de oosterkimmen.

Zij rijst, terwijl ze alom natuur
Verheugt, verkwikt met heldre stralen:
Zij koestert de aarde uit 's hemels zalen
In een doordringend zonnevuur.

Pieter Nieuwland

TER GEDACHTENISSE VAN MIJNE ECHTGENOTE

Anna Hartwigina Pruijssenaar
geboren 27 Julij 1770, gehuwd 24 Julij 1791, gestorven aan de kinderziekte 29 Maart 1792
en van onze dochter
geboren 29 Maart 1792, gestorven 31 Maart 1792, begraven met hare moeder 2 April 1792

o Teêrgeliefde en vroegverloren Vrouw!
Om wier bezit ik alles gaarne geven,
En willig goud en glorie offren zou,
Kon ik u slechts herroepen in dit leven!
Ontvang van mij, die ook in 't zwijgend graf
U minne en ere en uw volmaaktheên huldig,
Dees laatsten pligt!... Ik leg dien wenende af.
'k Ben dit uw trouw en mijner liefde schuldig.
Ook gij, lief Wicht! dat moeders schoot verliet,
Om in den schoot des grafs met haar te slapen,
Gij eischt geween, geen vrolijk welkomlied!
Hoe ras, o God! wordt vreugd in wee herschapen!
Of is 't een droom, een zwevend schaduwbeeld,
Dat 's nachts den geest benaauwt met nare zorgen,
Doch dat, ter vlugt in 't bijster brein geteeld,
Ter vlugt ook wijkt bij 't nadren van den morgen?
Neen! 't is geen droom!... 'k Ontwaak, en tast in 't rond,
Maar vind geen vrouw aan mijn verlaten zijde,
En voel geen' kusch van haren lieven mond,
En hoor geen stem, wier klank mijn ziel verblijdde.
Die lieve mond is bleek en koud, en zwijgt.
Stijf is de hand, die teder mij omärmde.
Nu klopt geen hart, geen boezem zwelt en hijgt,
Waaräan welëer haar liefde mij verwarmde.
Nacht dekt het oog, den spiegel, daar haar ziel
Steeds groot en goed, en telkens toch verscheiden,
Zo hemelsch blonk, en altoos elk geviel,
En niemand wilde en niemand kon misleiden.
o Gij, die bouwt op schoonheid, jeugd, en kracht!
Was zij niet jong en schoon als lentebloemen?
Wie kon, als zij, van 't maagdelijk geslacht,
Op mannekracht bij vrouwezachtheid roemen?
Maar 't doodlijk gif van een' verborgen worm
Vernielt in 't veld de schoonste roos van allen;
Het woest geweld van enen maartschen storm

Pieter Nieuwland

Doet ook in 't woud de kloekste stammen vallen.
  O Edle roos! o knopjen, jong en teêr!
De zelfde storm heeft beide fel verslagen.
  Ik ben geen Gade, ik ben geen Vader meer!
De winter heerscht reeds in mijn lentedagen.
  Mijn heil, mijn vreugd, mijn wellust was een droom,
En als een droom is 't al voorbijgevlogen!
  Nu voortäan kruipt mijn leven, doodsch en loom,
Zijn baan ten einde en gaat naar 't graf gebogen.
  Waar snelt gij heen, tonelen van geluk!
Geliefd verschiet van aardsche zaligheden!
  Doch ja! verdwijn! uw beeld verzwaart mijn' druk.
Wat heb ik meer te hopen hier beneden?
  Vergeefs mijn ziel gestemd voor zacht gevoel;
De snaar, die klonk als mijne, hangt gebroken.
  Wat is uw gloed, o Vriendschap! dof en koel
Bij 't hemelsch vuur, door kuische liefde ontstoken!
  Ik dank u voor den balsem van uw troost:
Maar kunt ge mij de stille vreugd van 't leven,
  't Verfijnd genot, de hoop op bloeiend kroost,
't Geen ik verloor, kunt gij 't mij wedergeven?
  De felste wond wordt door den tijd geheeld,
Doch laat in 't vleesch haar diepgeprente groeven.
  o Gij, wiens hand dees wrangen kelk mij deelt!
Ik drink hem wel, maar blijf toch 't bitter proeven.
  Dan, is 't uw wil, mijn Vader! dat mijn baan
Vol doornen zij en hobblig en verlaten,
  Weläan, geleid me, ik zal gewillig gaan;
Wat zou uw kind het stout weêrstreven baten?
  Zo hier of daar ene enkle bloem nog groeit,
Ik zal die niet versmadelijk vertreden,
  Al werd die bloem, die 't lieflijkst heeft gebloeid,
Mij 't meest bekoorde, ontijdig afgesneden.
  Doch neen! zij is in beter hof verplant,
Voor zomerzon en herfstörkaan beveiligd.
  Mijn *Anna*! gij waart rijp voor hoger' stand;
Wij worden hier door lijden nog geheiligd.
  Uw ziel was rein als verschgevallen sneeuw,
Bestraald met glans van meer dan aardsche klaarheid;
  Geen damp van waan, verspreid op volk of eeuw,
Benevelde bij u het licht der waarheid.
  De weelde, die den stam des levens knakt,
De welvaart moordt, en zeden tart en wetten,
  't Gevoel verdooft, den edlen geest verzwakt,
Had nimmer u bezoedeld met haar smetten.
  Gij zongt en sprongt en lachte schuldeloos,
En hadt dat zoet nog gaarne lang genoten!

Maar kende ge ook dees waereld, valsch en boos?
En 's levens gal, met honig overgoten?
Lach nu gerust, in 't zalig oord gevoerd,
Waar nooit een traan de lachjens zal vervangen,
Geen laster mikt, en geen verleiding loert,
Maar alles juicht in rijen en gezangen.
Mijne Engel! ja! gij voelt en denkt en leeft!
Dat zie ik zelf nu klarer dan voorhenen.
't Is deze hoop, die kracht en troost mij geeft.
Wij zullen vroeg of laat ons weêr verënen.
De vlam, voor u in mijne ziel gevoed,
Is niet gedoofd bij 't zielverscheurend scheiden:
Die vlam zal nu, met enen zachter' gloed,
Zich over mensch en vriend en oudren spreiden.
Ik zal op 't graf, dat uw' gebeent' bevat,
Nog menig traan in stille stonden plengen:
En, win ik ooit een duurzaam lauwerblad,
Die lauwren zelfs aan u ten offer brengen.
Wie *Nieuwlands* naam, na menig vlugtig jaar,
Herdenkt of hoort, zal dit ook tevens weten:
„Hij werd bemind door *Anna Pruyssenaar*,
„Verloor haar vroeg, en heeft haar nooit vergeten".
Met dezen moed hervat ik pligt en post;
'k Zal rustig staan, al wordt het heet in 't strijden:
Eens komt ook 't uur, dat ik word afgelost,
En rust erlang van werken en van lijden.
'k Ontmoet u dan, uw Dochter naast uw zij':
Gij roept haar toe, bij 't vrolijk tegenzweven:
„Mijn kind! zie daar uw' Vader! vlieg met mij
„In zijnen arm! wij zullen met hem leven!"

CORNELIS LOOTS

OOGSTLIED AAN ST. JACOB

Sint Jacob reikt ons, blij te moê,
Den overrijpen graanhalm toe,
Als weldaad uit den hoogen.
Op, Landvolk! op, 't is meer dan tijd,
Dat gij de zwellende aren snijdt,
Van zwaarte neêrgebogen.

Het veld, zoo arm en nu zoo rijk,
Het lagchend veld, aan goud gelijk,
Schijnt u om hulp te vragen;
't Land schreeuwt van onder d'overvloed,

Dat gij zijn' last verligten moet,
  Te moeilijk om te dragen.

Zoo komt de koe, met d'uijer vol,
Die van de vette klaver zwol,
  Van zelv' den melker tegen,
En biedt aan hem de milde borst,
Die ze als onnutten last slechts torscht,
  Hem tot een' rijken zegen.

Nu met een juichend vreugdgeschrei,
Dat over akker rolt en hei,
  En klinkt tot in de steden,
De zeissen langs den grond gezwaaid,
En wat zoo zorglijk werd gezaaid,
  Al dartlende afgesneden.

Nu, daar van heldren hemeltrans,
Gods gunst lacht in den zonneglans,
  De schoven zaamgebonden;
En, zweeft de jeugd er dansende om,
Het danklied van den ouderdom
  Wordt stil om hoog gezonden.

Nu, nu met de armen, forsch gespierd,
Den vlegel boven 't hoofd gezwierd,
  Dien beurtlings neêr doen komen
Op 't graan; elk kloek, elk even rad,
Om hoog, om laag, den slag hervat:
  Zoo moet de koornzee stroomen.

Fluks, knaap! de wagenas gesmeerd,
Den dissel stadwaarts heen gekeerd,
  De paarden ingespannen.
Land op: al kraakt het hellend rad;
Draaf, hol naar de uitgevaste stad;
  De honger zij verbannen!

Elk steekt het hoofd ten venster uit,
En juicht, als ware een vette buit
  Den vijand afgenomen;
Slechts hij schuilt weg met gram gemoed,
Die, uit der armen tranenvloed,
  Zijn' goudoogst op zag komen.

Hij bad in 't heiligdom tot God,
Daar hij met eigen bede spot,

Voor alles milden zegen;
En 't oog, dat stil in 't ronde sloop,
Lachte, als van vocht het kerkglas droop,
En de oogst verdronk in regen.

Bij 't raatlen van den donderslag
Viert hij zijn' blijdsten zomerdag;
De hagel werp' de planten,
En vrucht en 's landmans hoop ter neêr,
De hoop des rijkaards klimt te meer:
Het hagelt diamanten.

Hoe dat de graankorl meerder zwelt,
Hoe meer hij 't hart zich voelt bekneld;
En, als in Simsons dagen,
Zou hij met lust een' vossendrom
Door 't koorn, dat boven wenschen klom,
Met gloênde fakkels jagen.

Sint Jacob! wien ge ook geeft gehoor,
Leen nimmer aan zijn bede 't oor,
Neen, schut, als Neêrlands Koning,
Voor bangen kommer de arme schaar:
De dank op ieder kerkaltaar,
O Sanct! zij uw belooning.

Sint Jacob! die, in onzen tijd,
U Ceres eerdienst ziet gewijd,
Wil ons in gunst bejeegnen;
Stroomt Margarethe in regens neêr,
Breng gij den glans der zon ons weêr,
Wil voorspoed op ons reegnen!

C. VAN MARLE

DE KOZAK EN ZIJN MEISJE

Olis

Minka! ach! wij moeten scheiden;
Hoor het krijgsklaroen mij beiden,
Zie, op gindsche vale heiden,
Reeds mijn' drom geschaard.
Treurig zal nu 't licht mij stralen,
Weenend zal ik eenzaam dwalen,
En zoo lang uw' naam herhalen,
Als mij 't krijgslot spaart.

Nooit zal ik van U mij wenden:
Midden zelfs in 's vijands benden,
Zal ik groeten tot U zenden,
  Als mijn speerspits woedt.
Men'ge maan nog zal verbleeken,
Eer ik keere uit verre streken.
ô Verhoor mijn jongste smeeken:
  Blijf mij trouw en goed!

Minka

Gij, mijn Olis! mij verlaten!
Ach! geen troost meer zal mij baten;
Elke vreugde zal ik haten,
  Die zich lagchend biedt.
Lange nachten, droeve dagen,
Zal ik mijnen kommer klagen;
Alle koeltjens zal ik vragen:
  „Zaagt gij Olis niet?"
Mijn gezang, weleer zoo teeder,
Zwijgt; mijn oog zinkt treurig neder,
Doch zie ik U eenmaal weder,
  Dan zal 't anders zijn.
Schoon ook al de frissche verwen
Op uw bruine wangen sterven,
Wonden U het voorhoofd kerven,
  Eeuwig zijt ge mijn!

J. F. HELMERS

AAN MIJNEN VRIEND GERRIT JOAN MEIJER

Bij al 't plondren, bij 't vernielen,
  Bij het weiden van het zwaard,
Bij de duizenden die vielen
  Door den dwingeland der aard',
  Wiens gevloekte vuist niets spaart –

In dees hartverpletbre dagen,
  Waar geen bloemtje bloost aan 't blad,
En, in plaats der rozenvlagen,
  Weemlend langs het bruiloftspad,
  Merg en bloed den weg bespat –

Voegen zich bij éénen stander,
  In deez' algemeenen brand,
Alle braven bij elkander,

Vloekende d'uitheemschen band
Op het puin van 't vaderland.

Die eenstemmigheid van denken
Hecht de zielen aan elkaâr;
Kan in 't wee ons wellust schenken,
En verbindt een vriendenschaar
In den afgrond van 't gevaar.

Hechter wordt die band gesloten,
Als der wetenschappen gloed
Ombruischt door 't ontvlamd gemoed,
Brave land- en kunstgenooten
Met dezelfde zielspijs voedt:
o! Die band verbindt als 't bloed!

Dierbre Meijer! deze banden
Strenglen zich om onze ziel;
Want gij brengt uwe offerhanden
(Wat 's lands dwingland ook verniel')
Aan den God, voor wien ik kniel.

Mogt ge, als ik niet meer zal wezen,
't Stille graf mijne asch bewaart,
Eenmaal nog dees lettren lezen,
Zeggen: „Druk hem zacht, o aard'!
„Helmers was mijn vriendschap waard'!"

A. C. W. STARING

HET VERSCHIJNSEL

Ibant obscuri, sola sub nocte, per umbram
VIRGILIUS

't Werd nacht; de kim betrok; geen vogel zong aan 't pad
Waar langs een Reizend Man het wijde woud doortrad.
Holrommlend komt het oost het westen tegenrukken;
Een bui schijnt, zaamgepakt, der eiken top te drukken;
Zij scheurt; het luchtruim brandt; en, onder stormgeluid,
Berst gure regen over dal en heuvlen uit.
Waar zal de Wandelaar, waar zal hij redding vinden!
De hemel gloeit alleen, om hem nog meer te blinden!
Verbijsterd tast hij rond, naar zijn verloren baan;
Dan spoort de hoop zijn treên, dan houdt hem wanhoop staan;
Zie daar op eens een lamp, die in de diepte flikkert,
En, over zwalpend nat, met breeder stralen blikkert!

Omringd van puinval schraagt een toren, bij den vloed,
De kluis der needrigheid, het hutjen aan zijn voet.
Hier kwam de helle glans verrassend uitgeschenen.

Hoe moedig worstelt nu, door kreupelruig en steenen,
De vreemdling naar de stulp, als naar een haven, voort!
Doch hij bereikt ze naauw, of ziet zijn vreugd verstoord!
Hij vindt het klein gezin, met doodsverw op de kaken,
Een muurhol ingevlugt, het dwarlend licht bewaken;
De schaamle rietkap aan 't geknakte bint ontroofd,
En de overstelpte vlam der haardstede uitgedoofd.

O al te harde keus uit even bange nooden!
't Gevaar hier binnen grimt hem toe, gelijk 't ontvloden!
Of zal hij, ligt te stout! niet luistren naar 't vermaan
Van huiswaard en waardin, en wagen 't op te gaan,
Langs de enge kronkeltrap; vernachten in den toren;
In 't zwarte slaapvertrek, waar 't Spooksel zich laat hooren?

Het leger staat bereid, wijl 't vaak hun heer gelust,
Dat hij den burg bezoekt, en daar van 't jagen rust;
Maar 't strekt bij dag alleen; het duister doet hem vlugten;
Dan krijgt de Geest hier magt! Men hoort een treurig zuchten;
Een vreemd gestommel, dat onrustig gaat en komt,
En eindigt met een galm, die onder de aarde bromt,
Als rouwgelui. Een steen, vol schrift uit vroeger dagen,
Draagt heugnis van een Gast, in 't oud kasteel verslagen;
Meldt, hoe zijn gouden pronk de roofzucht had bekoord;
En noemt den burgheer zelv' als dader van den moord.
De nacht verborg het feit; de helle dag zou 't wreken!
Hij rees! de stroom zwol bruizend aan; de dammen weken;
Het land vloot weg, en 't slot, dat om den toren stond,
Begroef den overlaat, die 't heilig gastregt schond!

Zoo spreekt het grijze paar, en laat, in 't eerlijk wezen,
Den angst voor 't spookrumoer, ten borg der waarheid, lezen.

De vreemdling, na 't verhaal, peinst lang, en blijkt ontzet.
Doch nooddrang werkt als moed: hij zoekt, met rasschen schred,
Het eenzaam leger op; strekt afgemat zijn leden;
En slaapt ten lesten in, bij 't momplen van gebeden.

En, 's middernachts, wordt voor den slaper 't stormgerucht
Grafstil. Doch nu... wat komt – staâg nader! – Zucht op zucht
Komt hartdoorsnijdend uit den zwarten muur gevaren,
Waaraan het lamplicht blaauwt. Als fluistering van blaâren,
Door herfstwind saamgejaagd, is 't ridslen in den wand.

Hij loert er angstig heen, en eene ontvleeschde hand
Breekt uit den steen, en wenkt, met opgestoken vinger.
Zij wenkt nog eens; nog eens! Daar zwiert, met wild geslinger,
De lamp ter aarde, en straalt op bloed, aan 't bed geplengd!
Een Doodsrif staat er bij! „Rijs, dien mij 't noodlot brengt,
Om aan mijn dor gebeent', vermoeid van om te zweven,
Een beter grafplaats in gewijden grond te geven!
Eens lag ik daar, als gij; maar een verrader hield
Meêdoogloos staal bereid; 'k sliep in, en was ontzield!
Dit bloed, op de aard gestort, zal, voor ik rust, niet droogen.
Rijs op! mijn stonde vliedt!" Hier grijpt met alvermogen
Het spook den hoorder aan, en laat niet los, en dwingt
Hem dreigend naar den muur, die voor hen open springt.
Hij volgt, onmagtig om de beenderhand te ontsnappen,
Zijn leidster in den nacht, van trappen voort tot trappen,
Den sluipweg af, dien 't lest de Moordenaar, alleen
Met zijn geweten, ging. Een akelig gesteen
Steent uit de diepten op, waarin zij nederdalen.
't Wordt klank! 't zijn galmen, met geen woorden af te malen!
't Is 't rouwgelui, de schrik van dit verlaten oord,
Dat, om hen zwoegend, door het sombre donker boort.

Doch eindlijk heeft het Paar, 't gedreun der burgt ontronnen,
Langs afgestorte bres, het open veld gewonnen.
De vloed rolt achter hen zijn nevel tusschen 't riet.
Het perk der akkers is doorloopen, het gebied
Der wouden ingetreên. De braambosch dringt de reten
Eens hoogen steenwands uit. De schuifuil knert, gezeten
In 't riekend groen. Nu daalt de smalle holweg af,
Naar laagten, die 't geruisch der popels leven gaf.
Met eenmaal klimt hij weêr, door nederhangend loover,
De steile schuinte van een heuvel glibbrig over.

Zoo voert hen 't wisslend pad tot aan 't geheime dal,
Waar, midden op een beemd, hun loopbaan einden zal.
Intusschen klaarde 't zwerk; de maan verving het duister;
En 't hol geraamt houdt stand, doorschenen van haar luister.

„Hier is 't! Ga heen, en slaap. Maar, als de morgen licht,
Gedenk mijn langen nood, en uwen duren pligt!"
Dus spreekt het, en verzinkt. Met wildgerezen haren,
Blijft nog zijn Togtgezel op 't effen grasveld staren:
„Hoe teekent hij den plek, voor 't hem bevolen werk?
't Ontberelijkst gewaad verstrekk' hem tot een merk!"
Hij legt het af; met een is ook zijn *droom* geweken;
Het grasveld wordt de vloer; 't gevallen dek zijn teeken.

AAN DE EENVOUDIGHEID

Breng mij, zachte Eenvoudigheid,
Waar de stulp uw schreden beidt,
Die de wijnstok half omvangt;
Daar de bloeitak over hangt.

Leid mij tot uw klein gezin,
Als een trouwen jonger, in;
Doe mij, luistrend naar uw mond,
Waarheids echte leering kond.

Dat mijn oor geen woest geschal
Boven eedlen zang gevall',
Noch mijn oog een bont vertoon,
Meer dan oudheids zedig schoon.

Waag ik eens de lier te slaan;
Spoort mij pligt tot handlen aan;
Schoone Nimf! ontsta mij niet:
Tooi mijn Leven en mijn Lied.

NA EENE ZWARE KRANKTE

Daar stond een teedre Bloem,
Van God op de aard' geplant,
Om tot zijne eer te bloeijen
De vruchtbre morgendaauw
Droop mildlijk op haar neêr,
En deed haar welig groeijen.

De wandlaar, die haar zag;
Die hare scheuten zag;
Gaf dikmaal haar zijn zegen:
„Groei" sprak hij „Bloemtjen, groei;
Voor zeis en storm bevrijd;
Gedrenkt met milden regen."

Doch ijlings kwam een bui
In 't huilend noorden op,
Met schrikbaar ijs geladen;
De losgeborsten wolk
Hing donker boven haar,
En kletterde op heur bladen.

Hier viel het jeugdig loof,
Van haar gebogen steng
Wreedaardig afgereten!
Daar lag haar groene knop,
Die vrolijk zich verhief,
In 't stuivend zand gesmeten!

Maar Hij, die 't waakzaam oog
Op haar verdelging hield,
Gebood den storm te wijken;
De blijde zon kwam weêr;
Zij stond, gelijk voorheen,
Met loof en knop te prijken.

Nu stijge dankbre geur
Uit haren kelk omhoog,
Om Gode roem te geven!
Het zwerk toog saam; 't werd nacht!
Der bergen ceder viel!
Een Bloemtjen hield het leven!

HERDENKING

Wij schuilden onder dropplend loover,
Gedoken aan den plas;
De zwaluw glipte 't weivlak over,
En speelde om 't zilvren gras;
Een koeltjen blies, met geur belaân,
Het leven door de wilgenblaân.

't Werd stiller; 't groen liet af van droppen;
Geen vogel zwierf meer om;
De daauw trok langs de heuveltoppen,
Waar achter 't westen glom;
Daar zong de Mei zijn avendlied!
Wij hoorden 't, en wij spraken niet.

Ik zag haar aan, en, diep bewogen,
Smolt ziel met ziel in een.
O tooverblik dier minlijke oogen,
Wier flonkring op mij scheen!
O zoet gelispel van dien mond,
Wiens adem de eerste kus verslond!

Ons dekte vreedzaam wilgenloover;
De scheemring was voorbij;

Het duister toog de velden over;
En dralend rezen wij.
Leef lang in blij herdenken voort,
Gewijde stond! geheiligd oord!

DE ISRAELITISCHE LOOVERHUT

Wie smalend tot Uw Hutje kwam –
Niet ik gij Kind van Abraham!
Ik schenk, uit een opregt gemoed,
Den drempel mijnen vredegroet!

Gij viert uw Feest, en zit getroost,
Te midden van uw talrijk kroost,
In schaduw van uw loovertent,
Als Mozes u heeft ingeprent.
Judea's wijnstok groent hier niet;
Olijf, noch vijg teelt ons gebied;
Gij gaardet hier, in raauwer lucht,
Min weeldrig blad, min zoete vrucht;
En toch, gij zit, uw lot getroost,
Te midden van uw talrijk kroost;
Uw Feesthut staat bij ons geplant,
Als eens in 't Palestijnsche Land.
Drieduizend malen kwam de zon
Terug, waar zij uw jaar begon,
En nog bouwt gij uw loovertent,
Als Mozes u heeft ingeprent.

Jeruzalem ligt diep verneêrd;
Des Tempels grondslag omgekeerd;
Verduisterd blijft die gloriedag,
Toen Isrel beider grootheid zag;
Maar eeuwig jong herrijst uw *tent*,
Bij aller volken tal gekend;
Zoo vaak de schaal, aan 's hemels boog,
Der dagen maat weêr effen woog.

Wij – tasten rond, in 't ongewiss';
Op *onze* wieg ligt duisternis;
De stond, dat ons Gods wil hier bragt,
Bleef ongevierd; werd niet gedacht!
Maar u heugt, dertig eeuwen door,
Dat u Jehova uitverkoor;
Dat, als 't geweld u vlugten deed,
Een reddend spoor het diep doorsneed;

Dat, zonder huisdak, levenslang,
Uw schaar zwierf, op haar kronkelgang;
Waar Vuur- en Rookzuil voor haar toog,
En 't Man haar spijsde van omhoog.
Gij viert het, tot op dezen tijd,
Dat zoo Gods arm u heeft bevrijd.

Dies breng ik, met opregt gemoed,
Uw Hutje mijnen vredegroet.
Wie smalend tot den drempel kwam;
Niet ik, gij Kind van Abraham!

EEN GELDERSCH LIED

Ik ben uit Geldersch bloed!
Geen vleitoon klinkt mij zoet;
Mijn volksspraak, luttel rond,
Geeft nog den klank terug,
Uit onzer vaadren mond.

Bij de eiken, aan den top
Eens heuvels, wies ik op.
In heiden zonder baan,
Leerde ik, ter jagt geschort,
Mijne eerste treden gaan.

Mijn arm is 't wild geducht:
Den reebok helpt geen vlugt,
Het zwijn geen scherpe tand,
Als, in mijn dreigend roer,
Een snelle dood ontbrandt.

Ik smaâ den lauwer niet,
Dien 't koor des Vredes biedt,
Maar schat een andren meer!
De krans, door 't zwaard verdiend,
Is ook een krans der Eer!

En gesp ik 't harnas aan,
Ik volg geen vreemde daân;
Op Rossems heldenspoor,
Zweeft mij, in stralend licht,
Het beeld der zege voor.

Ik ben uit Geldersch bloed!
Opregt is mijn gemoed;

Aan eenvoud heb ik lust;
Met pracht en weeld komt zorg;
Genoegzaamheid baart rust.

—

Nu baant zich 't Nat
Een heimlijk pad,
En tjilpt en fluistert,
In bloem en blad
Voor 't oog verduisterd.
Nu dartelt vrij,
Op gouden zanden,
De stroom voorbij.
Hij schuurt zijn randen
Allengskens uit,
En sleept den buit
Van kleiner vlieten
Geweldig voort;
En golven schieten,
Van ver gehoord,
Langs 't rotsig boord.
Nu vangt een dal
Den Waterval.
Een glinstrend kleed
Ligt stil verbreed,
In 't nieuwe perk.
Het loofgewemel,
Het bonte zwerk,
De blaauwe hemel,
Zien statig neêr
Op 't effen Meer.

AAN DE MAAN

Toon ons uw luister, o zilveren Maan!
Rijs uit het meer.
Lach den zwervenden scheepling aan.
Straal, op 's wandelaars donkere baan,
In uw lieflijkheid neêr.

Waar zonder hoop de Verlatene smacht,
Schemere uw gloor.
Waar, na troostelooze afscheidsklagt,
Blij hereenen de Minnenden wacht,
Breke uw glinstering door.

Schoon is de Dag, als zijn purpere gloed
Vorstelijk stijgt; –
Als hij *zingend* de ontwaakten groet!
Maar *uw komst* is den *peinzenden* zoet,
Gij, die flonkert – en *zwijgt!*

ZEFIR EN CHLORIS

Zefir lag ontsluimerd neêr,
Bij den gloed der middagstralen;
't Avendlied der nachtegalen
Wekt den slaper weêr.

Zachtkens wiegt de berk haar kruin;
Fluistrend staan de popeldreven,
Als hij vrolijk aan komt zweven,
Langs het scheemrig duin.

O, hoe geurt het van rondom;
Nu zijn vlugt in 't bosch blijft hangen!
Chloris lokt, vol zoet verlangen,
Haren Bruidegom.

Zie, daar zweeft hij 't loover uit!
Door de struiken afgezegen,
Plengt hij dartlend bloesemregen
In den schoot der Bruid.

LENTEZANG

Ferreus est, eheu, quisquis in urbe manet
TIBULLUS

Geen nevelig duister
Bedekt meer het veld;
Geen blinkende kluister,
Die 't beekje meer knelt;
Het stormen is over;
De buijen zijn heen;
Wat ritselt in 't loover,
Is zefir alleen.

Vol bloeisel van boven,
Vol bloemen omlaag,
Staan velden, en hoven,
En telgen, en haag!

De Vrolijkheid dartelt,
  In klaverrijk Gras;
Zij wemelt, zij spartelt,
  In vlieten en plas.

De wouden herhalen
  Hun feestelijk lied;
Ook zwijgt, in de dalen,
  De Leeuwerik niet.
Van Echo vervangen,
  Bij 't rijzen der maan,
Heft *gij* nog uw zangen,
  O Nachtegaal, aan!

Geen nevelig duister
  Bedekt meer het veld;
Geen blinkende kluister,
  Die 't beekje meer knelt!
Ontvlugt nu de steden,
  Wie vreugde begeert!
Ontvlugt ze nog heden –
  De Lente regeert!

OOGSTLIED

Sikkels klinken;
Sikkels blinken;
Ruischend valt het graan.
Zie de bindster gaâren!
Zie, in lange scharen,
Garf bij garven staan!

't Heeter branden
Op de landen
Meldt den middagtijd;
't Windje, moê van 't zweven,
Heeft zich schuil begeven;
En nog zwoegt de vlijt!

Blijde Maaijers;
Nijvre Zaaijers,
Die uw loon ontvingt!
Zit nu rustig neder;
Galm' het mastbosch weder,
Als gij juichend zingt.

Slaat uwe oogen
Naar den hoogen:
Alles kwam van daar!
Zachte regen daalde,
Vriendlijk zonlicht straalde
Mild op halm en aar.

ANTHONY VAN DER WOORDT

Niet om den lauwer, die in erts gestempeld is,
noch om den roem der menigte, klonk ooit mijn lied;
laat andren dezen gretig zaamlen; mij bekoort
der eigendunkelijke rechtren gouden prijs,
noch ook de roem, die ons een dwaze menigt biedt.
Ik zong, als mijne borst, gedrongen door het geen
ik voelde, lucht in liedren zogt, (een' vloed gelijk,
die, sterk geprest, zijn bedding uitstroomt;) het gevoel
mijns harten mijnen vrienden toe: hun oor alëen
verneme mijn gezang: klinkt mijner liedren toon
hun lieflijk, o, dan volgt mij overvloed des roems!
En zo daarbij nog, hier of daar, mijn lied in 't oor
eens van mij ongekenden, egten rechters ook
mogt lieflijk klinken – ja! dan loeg mijn zelf-gevoel
mij zelfs den roem der natijd toe; dien schonen roem,
mij meêr dan eren-goud of marmren zuilen waard.

—

Gij, die van 't goud alëen uwen glans ontleent;
wiens gansche waarde 't blinkende slijk bevat;
die in een trotsch paleis uw dagen
dartlend in zwijmenden wellust doorbrengt!

Dat vrij uw leven lagchend daarhenen glij';
dat al uw paden blinkende vreugde zijn;
dat vrij een stoet van lage vleiërs
u tot een godheid der aard verheffe.

Hoe ook uw lot zij, 'k wil uwe grootheid niet;
de onsterflijkheid zal nooit u ten dele zijn:
met u verdwijnt ook uw gedagtnis,
als eens het donker verblijf des doods roept.

U zingt geen hartvriend treurige liederen:
o! met uw stof vermengt hij zijn tranen niet:
en nimmer wenen droeve magen
d'eenzamen nacht op uw aklig graf door.

A. v. d. Woordt

Ha! dat voor mij geen blijdschap op aarde zij:
dat mijne gangen immer door distels zijn;
zo slegts, wen nacht des doods mijn oog dekt,
niet de gedagtnis mijns naam voorbij ga.

Neen, mijner vrienden sombere treurigheid
zal mijner schim nog eens ten genoegen zijn:
o! op mijn graf zal droefheid wonen:
liederen zullen mijn' naam bewaren.

—

In paleizen aanschouwen zij
't eerst het licht, en in trots worden zij opgevoed.
Zie! van daar der gekroonden macht;
en, in euvelen moed, egter vertrappen zij
gansche landen: zij maken zig
allen volke ten vloek. Vorsten der aard! waarom
doet gij dus? – den geweldenaar
is geen wenschelijk lot; en het bekoort u tog!
Nooit in 't veilig bezit zijns rijks,
vliedt des nachts hem de rust, en het genoegen vlugt
ver van zijne paleizen af.
Immer gaat hij gebukt onder der zorgen last;
angstig zoekt hij geduriglijk
schuilplaats tegen des doods dreigende lagen op:
in verholene zalen is
zijne woning; daarbij, kleedt hij in ijzer zig:
digt omringen zijn wachten hem,
en nog vreest hij, – die held in het gevaar des krijgs!
Ja! daar blinken ze in weidsche pracht;
zijn met hoogheid versierd; wijd om hen heên verbreidt
hunner wapenen klank den schrik
en de ontzetting. Maar wee! pesten der waereld, wee!
Op 't getal der verslagenen
is uw sterkte gevest: schuldeloos menschenbloed
verwt uw vorstelijk gewaad: uw throon
is met menschengebeente, als met ivoor, gesierd.
Ha! der wedwen en wezen klagt
is muziek voor uw oor: lieflijke wijn verkwikt
zo den dorstigen niet, als u
hunne tranen. Maar wee! pesten der waereld, wee!
Eéns, éens buigen de natiën
vuig niet meêr zig in 't stof voor der tirannen trots:
éens – gelijk het verbolgen meir
sterke dijken en duin woedend ter neder werpt –
werpen grimmig de volkeren
uwe thronen ter neêr. Machteloos stort ge dan

van uw hoogheid, en wijd-om-heên
horen landen dien val juichend, en vloeken u!

A. v. d. Woordt

Zie! dit 's 't einde van hun, wien eens
zulke een heilloze macht over de landen was.
Of – beschut hem der slaven arm,...
draagt de dwingland zijn kroon veilig tot aan het graf:
daar tog siert hem geen diadeem;
ha! geen staf des gewelds blinkt dan in zijne vuist:
elks veragting verrot hij daar
onder marmer: geen traan wordt op zijn graf gestort.
't Nakroost rukt zijne wapens eens
smadend af, en vernielt schimpend zijn beeltenis.
Vloekend wordt dan zijn naam gedelgd;
uitgeroeid het geringst spoor zijnes aanzijns zelfs!

—

Die met vasten tred zijnen weg bewandelt;
nimmer, *Serrurier*! zig om gunst der menigt,
noch der trotsche groten bekreunt, zal schaars met
ere versierd zijn.

Met der pharizeën geveinsden ootmoed,
niet gebukt in 't stof voor een' god des toornes,
wordt hij van 't veragtlijk gepeupel tot geen'
heilig' verheven.

Nooit beklimt hij 't blinkend gestoelt der ere;
zijner waarde als mensch te bewust, te groot, dan
dat hij immer kruipend zijn' wierook zwaai den
goden der aarde.

Maar het ga, hoe 't ga; hij vervolgt zijn weg; en,
ver verheven boven den vuigen huichlaar,
wil hij dezes heiligen eerbied, noch de
hoogheid des vleiers.

Hij, vernoegd met de agting van zijne vrienden,
en met het getuigenis zijnes harten
steeds te vreên, bekommert zig niet, of hem de
waereld vergete.

—

Trotsch was nimmer mijn hart: 'k smaadde mijn' broeder nooit,
schoon hem 't grillige lot kaarger dan mij beschonk;
schoon, nog minder dan ik schitterend, hij 't toneel
dezer waereld betreden moest.

A. v. d. Woordt

Maar niet laag ook dit hart: 't buigt voor geen' sterfling zig,
schoon hem 't grillige lot ook millioenen schonk';
schoon hij groot in gezag, machtig in heerlijkheid,
schoon hij erve enes konings zij.

Warsch van laagheid; doch ook warsch van regenten-trots;
zij mijn eeuwige leus: *heerscher noch onderdaan*!
en eens stervende zelfs spreek' nog mijn bleke mond:
„*waarheid, vrijheid en billijkheid*!"

Waarheid verheft den geest; vrijheid den zin des mans:
streng richt billijkheid ons eigen bedrijf; maar zagt,
edelmoedig de daên anderer sterflingen
richtend, leert zij ons liefde en deugd.

Liefde, en edel en groot; liefde voor 't menschdom, rein
als de hemel, wiens telg ze is: gene liefde, die
wijfsch de zeden des mans maakt, en zijn' geest ontnerft,
maar die manlijk gevoel ons geeft.

Deugd, die kunsteloos, schoon, vast, als haar grondslag, is;
die niet, walende, noch vuig, als de huichlarij
enes priesters, den geest schandlijk in boeien klinkt,
maar die machtig tot daden spoort.

—

HA! mijne tong, dat bitter uwe rede zij:
laat uwe woorden wezen, als der dolken spits.
Mijn ziele gloeit van heten toorn. Zij bidden nog,
dat god hunne ongerechtigheên begunstige.
Nog rekt hij – de onbevatbre! – zijn langmoedigheid:
maar eenmaal komt hij, met den donder zijner macht
gerusted: dreigend treên zijn bliksems voor hem uit,
herouden der ontzetting. Wee! o wee u dan!
gij, die verdrukkers zijt der onschuld; wee! Waar zult
gij henen vlieden, als gij 't ratelen verneemt
van zijn gespan? Hoe zullen uw geweldigen
den grammen blik verduren van zijn oog? want nu
reeds beven zij, die duizenden, vol angst te rug
voor den verbolgen blik van 't zig verheffend volk.
Hoe zullen zij te moede zijn, die dapperen?
Waar vlugten zij, die onverschrokken helden, dan?
O! laat hen vrij nog oproer schreeuwen: laat hen vrij
zig nog verheugen in den avond hunner macht.
Zie! reeds omhult hen schriklijk donkre nacht der wraak:
na dien gaat heldre morgen over 't menschdom op;
en *menschen-recht* wordt weêr een heilig woord, waarvoor

tirannen siddren. Vrede woont dan weêr op aard,
en 't englendom verblijdt zig om der menschen heil. *A. v. d. Woordt*

MARGRIET VAN ESSEN

AAN HET VENSTER, BIJ MANESCHIJN

Nacht en stil is 't, om mij heen.
Al 't gewoel des daags verdween.
Slechts de lieve maan beschijnt
Mij, door zorgen afgepijnd.

Duizend tranen, zijn gestort,
Duizend zorgen afgekort:
En, mij arme, die hier lij,
Is de middernacht zelf blij!

Zachtkens juich ik, in mijn deel,
Mij, is alles evenveel.
Niets, van 't geen het oog bekoort
Is er, dat mijn ruste stoort.

Mag ik maar, vol zuiver vuur,
U, bewondren — o natuur!
Mag ik maar, ootmoedig stil
Gaan, waar God mij leiden wil!

O wat wensch ik mij dan meer?
'k Heb dan al wat ik begeer,
En, zo 'k ooit, door onspoed ween,
'k Zie dan, door dit leven heen.

A. SIMONS

GOEDEN NACHT AAN MIJNE OUDERS

ontslapen den 9 Julij en 24 Augustus 1801

De gouden zon verdwijnt,
En de avondstar verschijnt
  Hoog boven zee en landen;
Zij, wenkende de maan,
Steekt 's hemels lampen aan,
  Om voor den nacht te branden.

De roerdomp bromt van verr',
En de uil krast ginds en her,

De vledermuizen zweven;
Der Dorpsklok hol geschal
Wenscht goeden nacht aan al,
Wat adem heeft en leven.

De mensch van werken moê
Sluit de oogenleden toe,
Vergeet de bange zorgen:
De stilte houdt de wacht,
De rust geeft nieuwe kracht,
En sluimert tot den morgen.

Van zorgen afgemat
En alle de onrust zat,
Zult ge ook, mijne ouders! slapen
Een' nacht van eeuwen lang,
Waar in men goud, noch rang,
Noch titel acht, noch wapen.

De wereld is daar slijk,
Genot, een droom gelijk,
De menschen zijn daar blaâren,
De storm wierp hen daar neêr,
Gaf hen aan de aarde weêr,
Om in haar schoot te gaâren.

Des doodengravers lied,
Zijn spade hoort gij niet,
Bij 't sluiten uwer woning:
Ook hoort gij 't orgel niet,
Als ons verheven lied
Vereert den grooten Koning.

In uwe diepe rust,
Van alles onbewust,
Zond hij twee eng'len neder;
Zij houden bij u wacht,
En geven, na den nacht,
U bet'ren morgen weder.

Slaapt dan, geliefde twee,
In uwen zaalgen vreê!
Ik zal haast bij u wezen:
En als de nacht verdwijnt,
De morgenstar verschijnt,
Zijt ge uit uw' slaap verrezen.

B. NIEUWENHUIZEN

HET GRAF

Ruischt zachtkens om dit graf, verkoelende avondwinden!
Verwaait de sluimrende assche niet
Van hem, die jaren kampte om luttel heils te vinden,
Van hem, wien de aard' niets schonk dan bitter zielsverdriet!

't Is hier, dat hij den dag, dien duizend andren vreezen,
Den grooten dag des oogsts, reikhalzende verbeidt;
Dan zal zijn smarte zaligheid,
En elke druppel gal een druppel honig wezen.

D. A. DE GRAAF

DE ZOMER

De schorre donder brult en dreunt door berg en dalen,
Maar de Almagt wenkt: hij zwijgt, de dampkring wordt hersteld;
De regen drenkt den grond; het smaaklijk boomooft zwelt,
En 't vee verblijdt zich weêr in 't licht der zonnestralen.

Ik zie fazant en paauw met kleur van vedren pralen,
Daar 't vischje in 't beekje springt, en 't hert door 't lommer snelt,
Daar zein en sikkel gras en gouden halmen velt,
Die landman door zijn ros in berg en schuur doet halen.

Hiér vliegt een vlinderzwerm bij 't bijtje 't bloembed rond;
Dáár werpt de zaaijer 't zaad in d'opgeploegden grond,
En ginds kneed melkert room in gladde boterschalen,

Daar Philis aan een beek haar rund en schapen weidt,
Van dat Auroor ontwaakt, tot de avond schaduw spreidt,
En 't lieflijkst Eden schept voor schelle boschkoralen.

D. J. VAN LENNEP

TER BRUILOFT

van Jonkheer Willem van Loon, en Jonkvrouwe Anna Louisa van Winter
gevierd den 20 December, 1815

Als ik met vergrijsde haren,
Aan het hoekjen van den haard,
Nederzitten zal, bezwaard

D. J. v. Lennep

Door den tragen last der jaren,
  Dan nog streele mij verheugd
  't Blij terugzien op mijn jeugd.

Zoete tijd van 't vlugtig leven,
  Die, met rozen steeds gehuld,
  Ons den vreugdebeker vult,
Die in groene mirtedreven
  Steeds met Liefde vrolijk zwiert,
  Lacht en speelt en hoogtijd viert!

Wel hem, die uw schoone dagen,
  Weet te schatten naar waardij!
  Duizendwerf gelukkig hij,
Die uw wellust mag bejagen,
  En daarbij in 't rein gemoed,
  Niets ontwaart dat kwelling voedt.

Hem, voor wien de huwlijkszegen,
  't Levenspad met bloemen spreidt,
  Hem slechts is dat heil bereid:
Alles, alles vloeit hem tegen,
  Wat zich ooit de lieve jeugd
  Droomt van zin- of zielsgeneugt.

Heil dan bij uw echt, Gelieven!
  Wacht van hem alleen 't genot
  Van dat hoogstgelukkig lot,
Waar geen naberouw zal grieven,
  Hemelwellust op deze aard
  Is voor d'echt alleen bewaard.

Aan de zijde van een gade,
  Wordt de vreugde ons dubbel zoet.
  Dáár is bij den tegenspoed
Heul voor 's noodlots ongenade:
  Zuivre liefde, opregte trouw,
  Wonen slechts bij man en vrouw.

Mogen ze immer bij U wonen,
  Jeugdig paar, dat rein van zin
  Op deez' dag uw teedre min
Door het huwlijk zaagt bekroonen.
  'k Spel het. – Duurzaam heilgenot,
  Dierb'ren! wordt uw zalig lot.

Meer dan broederlijk genegen, *D. J. v. Lennep*
  Stort mijn hart voor u, o Bruid!
  Zich in blijde wenschen uit.
'k Deel, o Bruigom! in uw zegen,
  En waardeer op 't feest der jeugd
  Eigen heil en huwlijksvreugd.

Vreugde voegt ons, Feestgenoten!
  Vreugde kroon de feestbokaal,
  Op dit gulle Bruiloftsmaal.
Vreugd heeft jong noch oud verdroten.
  Vieren we allen, eens van zin,
  't Feest der Vriendschap, 't feest der Min.

JOHANNES IMMERZEEL JR.

ONBESTENDIGHEID

Vlottend op verwisselingen,
Drijven de ondermaansche dingen
  Langs den snellen tijdstroom af.
Niets heeft vastheid, niets wil duren:
Op de vlugt der jagende uren
  Stuift ons lot daarheen als kaf.

Wat is voorspoed? wat zijn rampen?
Niets dan ligchaamlooze dampen,
  Ras gerezen, ras verdeeld.
Zie de hongerige dagen
Aan elkanders vruchten knagen,
  Woeden op hun eigen teelt.

Ketens van veranderingen
Slepen 't lot der stervelingen
  Door de ruwe levensbaan.
't Is met alles wat wij bouwen,
Waar we op rusten of vertrouwen:
  Zoo geworden, zoo vergaan!

H. TOLLENS

VERJAARDAG

Nimmer moêgerende Tijd,
Voerman, die den wagen rijdt

Over bergen en door dalen!
Laat mij, laat mij adem halen:
Waar toch jaagt gij in galop?
Voerman, hou eens even op.

Welk een onafzienbaar end
Hebt gij rustloos afgerend,
Zonder pleistren, zonder poozen,
Over dorens en langs rozen,
Onverdacht op weg en spoor,
Tusschen klip en afgrond door!

Vijfentwintig jaren lang
Holt gij met gezweepten gang,
En vergeet uw span te stallen,
Door wat noodweer overvallen!
'k Zit te duislen van d'orkaan...
Voerman, leg eens even aan.

Sneller dan een bliksemschicht
Snort mij alles voor 't gezigt;
Wat zich opdoet aan mijn oogen,
Is als rook voorbij gevlogen;
Waar ik ginds den blik op sla,
Laat ik aanstonds achterna.

Gistren joeg uw dolle vaart
Toomloos door een rozengaard,
Waar ik bloemen vond te plukken;
Maar gij bleeft mij voorwaarts rukken:
Ik vertrad den schoonsten knop,
Slechts den doren greep ik op.

Toef eens, keer eens, zwenk eens vlug,
Voerman, langs uw baan terug:
'k Heb op reis zoo veel vergeten,
En verloren en versmeten;
Hou eens op toch! keer eens weer!
Maar gij hoort of keert niet meer.

Waar toch met die drift naar toe?
Jaagt gij dan uw rossen moê
Om den slagboom te eer te winnen,
Waar ons rusten zal beginnen?
Waar dan (zeg het) stuit uw draf?
En gij antwoordt: „Aan het graf."

Daar, helaas! en daar alleen
Loopt dan 't hobblig rijpad heen,
Dwars door bui en onweersvlagen;
Daar eerst einden pijn en plagen;
Daar ontsluit de rust de poort...
Voerman! rij in Godsnaam voort!

BIJ HET LIJKJE VAN EEN KIND

't Kruipend rupsje, moê gekropen,
Afgetobd in de enge cel,
Brak zijn kluisje fladdrend open,
Klapwiekte uit zijn dorre schel.
Zie, daar wiegt het, zie, daar zweeft het,
Aardschen damp en druk ontvlugt;
Hooger vliegt het, hooger leeft het,
Zat gespeeld in lager lucht.
Voedster, droog de natte wangen,
Tuur niet op de doode pop,
Blijf niet aan het webje hangen:
't Vlindertje is niet weer te vangen:
'S Hemels englen vingen 't op.

EEN BEDELBRIEF IN DEN WINTER

Wij gaan met schaal en bussen rond
En kloppen aan in al de wijken.
De nood is klimmende in de stad:
Geeft, burgerluî! geeft allen wat,
En geeft wat veel, gij rijken!

Verschoont u niet, onttrekt u niet,
De schatting wordt van elk geheven,
Ze is minder drukkend, dan men meent:
't Wordt immers slechts aan God geleend,
Wat we aan den arme geven.

Het wintert streng, het wintert lang;
Het ijs ontdooit niet van de glazen;
De maan neemt af en wast weêr aan,
Het vriest al voort met elke maan;
Het Oosten blijft aan 't blazen.

U deert het niet; gij hardt het wel,
Gegoede burgers en mijnheeren!

Gij hebt aan brand noch brood gebrek;
Gij hebt een togtvrij woonvertrek,
Gij hebt een bed en kleêren.

En nijpt de koû, waar de armoê huist,
Zij geeft vermaak wien 't kan betalen;
Ze ontsteekt zijn luchters van kristal
En brengt festijn, concert en bal
En gasten in zijn zalen.

Wat was dat gisteravond schoon,
Die lange sleêvaart met flambouwen!
Hoe vloogt ge gracht en pleinen rond
In martervel en sabelbont,
Mejonkers en jonkvrouwen!

En toen die feestdisch na dien togt!...
De roep er van ging op naar buiten!
Wat tafelpracht en keur van spijs!
Des zomers heeft de rijkaard ijs,
Des winters heeft hij fruiten.

Dat doet het goud, die zegen Gods,
Te dwaas veracht door valsche vromen
Genot, geneugte en rang en eer,
En nog veel meer – oneindig meer
Kan men voor goud bekomen.

Wij gaan met schaal en bussen rond
En kloppen aan. Doet op! doet open!
Koopt, koopt, gezegenden van God!
Bij 't zingenot wat zielsgenot:
't Is ook voor goud te koopen.

De koude nijpt, de honger knaagt;
Zij vlijmen tot in merg en pezen.
Och, een van beide valt reeds zwaar,
Maar koû en honger bij elkaâr!...
Dat moet verschriklijk wezen!

Men zegt (de buurt gewaagt er van
En aaklig is 't, om aan te hooren)
Een moeder, die niet vragen dorst,
Vond 's ochtends aan haar koude borst
Haar zuigling dood gevroren.

Een grijze schooijer, half gekleed,
Was op een ijsklomp uitgegleden:
Men vond den stumpert, krank en zwak,
En stervend op zijn bedelzak,
Een sneeuwdek op de leden.

En gistren, bij de sleêvaartvreugd
En 't klinglen en 't geklets der zweepen,
Stal, in 't gewoel van klein en groot,
Een vader voor zijn kindren brood:
Men heeft den dief gegrepen.

Geeft, lieve menschen! helpt en geeft!
Met geld is zoo veel goeds te plegen:
Het stilt den honger niet alleen,
Het warmt en kleedt niet enkel, neen!
Het houdt de misdaad tegen.

Wij gaan met bus en schalen rond
En slaken huis aan huis een bede:
Tast, tast toch diep den buidel in,
En gaf uw rijke buur te min,
Zoo geef voor hem wat mede.

Geeft! 't is zoo zalig wel te doen:
Het loont, ook schoon we 't niet begeeren;
Dat weet hij wel, die 't vroeger deed,
En die tot heden 't nog niet weet,
Moog' hij toch heden 't leren!

Helpt! redt! en maakt den dwaas beschaamd,
Die 't goud veracht, als zonder waarde:
't Is in de hand, die 't wel besteedt,
Een mild geschenk, dat de Almagt deed –
Uit deernis deed aan de aarde.

Wij gaan met bus en schalen rond
En strekken u onze armen tegen.
Geeft, geeft de beê om hulp gehoor,
Ge ontvangt er dan dit liedje voor,
En, bovendien, Gods zegen.

AVONDMIJMERING

Somtijds zinkt mij 't hoofd ter neer
  Op de ontgloeide borst,

En de dorst verheft zich weer,
  De oude gloriedorst.

Somtijds, in mijn dier gezin,
  's Avonds aan mijn haard,
Haal ik weer de droomen in,
  Reeds zoo vaak verjaard.

Dertig jaren dring ik door,
  Drijf ik uit mijn oog,
En herroep den tijd er voor,
  Die zoo ver vervloog.

'k Zeg weer 't woelig IJ vaarwel,
  Waar mijn kindschheid bleef;
Knaap, die dertien jaren tel,
  Groet ik 't heerlijk Kleef.

't Needrig Elten neemt mij op,
  Dat daar lagchend ligt,
Aan dien schoonen heuveltop,
  Met dat aadlijk sticht.

Uren staar ik heen en weer
  Van het kostschool-plat;
Berg en dalen op en neer,
  Niet van staren zat.

'k Zie, verbaasd, die beemden rond,
  Dat mij vreemd tooneel,
Dien geruiten heuvelgrond,
  Wit en groen en geel.

Of de dorpsbuurt omgegaan,
  't Leerboek in de hand,
Blijf ik bij de linde staan,
  Op de markt geplant:

En gevogelt', jong en graag,
  Vlugt van alle pluim,
Lok ik uit het loof omlaag
  Met mijn tweebak-kruim.

Of langs kerk en pastorij
  Dool ik rond, en lees;
Ril het knekelhuis voorbij,
  En zie om van vrees.

En bij 't kruisbeeld, doodsch en bleek,
  In die breede nis,
Maakt mij 't roerend bijschrift week,
  Dat zoo zinrijk is.

Of des feestdaags, ieder vóór,
  Vlugst van al ter been,
Baan ik, wie mij volgt, een spoor
  Naar den bergtop heen.

Niet langs 't afgebakend pad
  Stijg ik naar de kruin,
Maar aan tak en struik gevat,
  Dwars door gruis en puin.

Voorwaarts, over hei en mos,
  Kluit en keizels op,
Holen langs van das en vos,
  Woel ik naar den top.

Of ik kies een rustplaats uit,
  Waar een heester wast,
Waar een wel naar boven spuit,
  En in 't keizand plast.

En met oog en ziel en zin
  Wijd en zijd verstrooid,
Adem ik de schoonheid in,
  Die de schepping tooit.

Diep en onbestemd gevoel,
  Maar mij innig zoet,
Klopt, met nog verholen doel,
  Tintelt door mijn bloed.

En tot schreijens aangedaan,
  Eng en week gekneed,
Beeft er langs mijn wang een traan,
  Eer ik zelf het weet.

En verdoold in mijmerij,
  Dweep en droom ik voort,
Tot de kerkklok van de abtdij
  Mij in 't mijmren stoort.

Blijde tijd, zoo ver gevlugt,
  En zoo vaak beklaagd,

Die mijn eerst ontwaakte zucht
  Voor wat schoon is, zaagt:

Die een hooger aandrift schonkt
  Aan mijn kindsche ziel,
En de dichtsprank hebt ontvonkt,
  Die er nederviel:

Blijde tijd, zoo vaak herdacht!
  Blijf me duurzaam bij;
Zoete droom, zoo menig nacht!
  Naak mijn sponde vrij. –

Diep bewogen, heerlijk oord,
  Mij het schoonst op aard!
Toog ik uit uw beemden voort
  Weer naar huis en haard;

En beklemder elken pas,
  En van weemoed stom,
Zag ik door het reiskoetsglas
  Honderdwerven om.

Schoone heuvel, vreedzaam dal,
  Vriend en medgezel,
Leeftijd, die niet keeren zal!
  Vaart voor altoos wel! –

Wees gegroet, gij vaderstad,
  Waar de koopgod tiert,
Bodem, door de Maas bespat,
  Dien ik vreemdling wierd!

Wees gegroet, geliefde kring!
  Neem den zwerver weer,
Huis, dat ik als kind ontging,
  Waar ik jongling keer!

Neem hem aan, als zoon hem aan,
  Schoon hem 't harte trekt,
Schoon zijn wenschen dolen gaan,
  Waar zijn pad niet strekt.

Ziet, ik breng een bruisend bloed,
  Een ontvonkten zin,
Ouders, die mij welkom groet!
  U ter huisdeur in.

Heimlijk smeult een vreemde dorst,
  Dien gij stilt noch lescht,
Ouders, in des jonglings borst,
  Die ge aan de uwe prest.

Ziet, hij slaat een weigrend oog,
  Waar zijn dagtaak wacht;
Vurig blikt hij, ver en hoog,
  Waar zijn droombeeld lacht.

Zang en vrijheid, zucht voor 't schoon',
  Is zijn gansch gevoel;
Dichterlof en lauwerkroon
  Is zijn eenigst doel.

Niet op 't enge koopkantoor
  Aâmt hij in zijn lucht;
Naar Minervaas tempelkoor
  Hijgt zijn diepste zucht.

o, Geeft toe! hij smeekt u 't af!
  Dwingt zijn aard niet wreed;
Maakt de gift hem niet ter straf,
  Die natuur hem deed.

Nacht en dag en vroeg en spâ
  Prangt hem de eigen gloed,
Fluistert hem de lokstem na,
  En ontvonkt zijn bloed.

Ziet, hij doet zichzelv' geweld,
  Uit besef van pligt,
Maar de oproerige ader zwelt
  En zijn weerstand zwicht.

Hij bestraft, bestrijdt natuur
  En betemt zijn lust,
Maar te meer ontvlamt het vuur,
  Hoe hij 't meerder bluscht.

Ja, nog staat hij klaar mij voor,
  Die gestreden strijd;
Jaren afstands dring ik door,
  En herleef dien tijd:

'k Zit, de hand om 't hoofd gevat,
  Dat zich mijmrend boog,

Treurig voor het cijferblad,
  Met een traan in 't oog.

'k Zie rondom mij, keer op keer
  Met bedwongen pijn,
En gevoel mij meer en meer
  Waar ik minst moest zijn.

Hijgend zie ik telkens uit
  Of nog 't uur niet naakt,
Dat mijn kerker opensluit
  En mijn kluister slaakt:

En bij 't slaan van d'eersten slag,
  Nauwlijks half gehoord,
IJl ik, wat ik ijlen mag,
  Van mijn pijnbank voort;

En mijn boekcel ingevlugt
  Met mijn diepe smart,
Geef ik in gezangen lucht
  Aan mijn schreijend hart.

En, in spijt van leed en lot,
  Weer op eens ontgloeid,
Laaf ik me aan het kunstgenot,
  Dat me in de aadren vloeit.

Met verrukte ziel en zin,
  Los van boei en dwang,
Drijf ik hooger sferen in
  Op mijn lagen zang;

Drijf op wieken, zwak en teer,
  Boven stof en slijk,
En gedenk mijn lot niet meer,
  Maar ben vrij en rijk!

En ik zweer der schoonste kunst,
  Voor haar troost in rouw,
Voor haar wondre hemelgunst,
  Onverbreekbre trouw;

Zweer, dat elk ontwoekerd uur
  Aan den dierbren tijd,
Als een vrijbuit op Merkuur,
  Haar zal zijn gewijd;

Zweer, wat gids en baak ik mis,
  Waar mijn eerzucht streeft,
Dat de krans eens mijner is,
  Dien de dichtkunst weeft!

Zweer... Ja, duidlijk heugt het mij,
  Waar ik d'aanblik sloeg,
Hoe ik ieder perk voorbij,
  Elken eerprijs vroeg.

Zwak en mat nog steeg mijn toon,
  Zonder kracht of zwier,
Eenmaal zou hij, stout en schoon,
  Stroomen van mijn lier.

Onbekend nog klonk mijn naam
  In des landzaats oor,
Luidkeels drong hem eens de faam
  Tot den vreemdling door.

Wat al lauwren lachten me aan
  In het schoon verschiet!
Wat al harten deed ik slaan
  Door mijn roerend lied!

Siddrend staarde 't juichend volk
  Op 't ontrold tafreel,
Als ik Melpomenes dolk
  Zwaaide op 't hoog tooneel.

Zuchtend stortte 't ijskoud hart
  Zich verteederd uit,
Als een zoete minnesmart
  Kirde van mijn luit.

Zwaard en veldleus dreigde en blonk
  In des krijgers hand,
Als mijn gloeijend lierdicht klonk,
  Klonk voor 't vaderland.

Mij uw kunstroem, mij uw rang,
  Tasso en Virgiel!
Stortte ik in den heldenzang
  Heel mijn volle ziel,

Neen, geen krans, hoe rijk en schoon,
  Die den dichter siert,

Rang noch roem noch lauwerkroon,
  Die mijn prijs niet wierd!

Eenmaal schreef voor 't nageslacht
  's Lands historieveêr
Mijnen naam, met dank herdacht,
  In 't geschiedboek neer.

Schittrend uitzigt! blinkend lot!
  Waar toch vlood uw glans?
Kunst, waar bleef uw rein genot?
  Roem, waar groent uw krans?

Of bedroog een ijdle waan
  Mijn verrukt gemoed?
Waagde ik de oogen op te slaan
  Naar te hel een gloed?

Plofte ik, schacht en wiek verschroeid,
  In mijn onmagt neer?
Was mijn voet niet aangeschoeid
  Voor het pad der eer?

Neen, mij gloeiden ziel en zin
  Van geen wuft bedrog;
'k Voelde in 't hart de zanggodin:
  Ik gevoel haar nog!

'k Voelde, ontrukt aan boei en band,
  Waar mij 't lot in sloot,
Me aan een hooger sfeer verwant,
  En het stof te groot;

'k Voelde, in geestdrift opgesneld,
  Al den moed ontwaakt,
Al de kracht in 't hart geweld,
  Die den dichter maakt.

Heerlijk voorregt! schoon verschiet,
  Dat in rook verdween!
Zege van 't onsterflijk lied,
  Als een droom daarheen!

Ben ik 't, hemel! ben ik 't wel,
  Wien het hart zoo sloeg,
Wien het bloed zoo bruisend snel –
  Wien de pols zoo joeg?

Ik, die Neerland toonen zou,
  Wat natuur vermogt,
Die, genoeg als voedstervrouw,
  Mij tot dichter wrocht:

Die geen kweekling noodig had
  Van Minervaas schoot,
Maar ook mij het lauwerpad,
  Haar ten spijt, ontsloot.

Ben ik 't, hemel, ik dat? ik,
  Die in slaafsch bedrijf
Beuzel, reken, weeg en wik,
  Zwoeg en zwoegen blijf?

Die op 't vunze koopkantoor,
  Rang en roeping kwijt,
Heel het kostbaar leven door,
  Geest en kracht verslijt?

Ben ik 't, hemel! En, zoo ja,
  (Staat mij 't vragen vrij)
Is de plaats waarop ik sta,
  Dan een plaats voor mij?

Was 't een weldaad, zonder doel,
  Uw geschenk, natuur?
Was om niet dat diep gevoel,
  Dat inwendig vuur?

Werd dat zaad uit hooger sfeer
  Dan onnut verspild?
Viel het om te sterven neer,
  Weggestrooid in 't wild?

Waarom bleeft gij ongeplukt,
  Nu verdord en dood,
Lauwren, die mij nog verrukt,
  Die voor mij ontsproot!

Siert ook – hult een enkel blad
  Mijn reeds graauwend hoofd:
Krans van lauwren, zijt gij dat,
  Die mij waart beloofd?

Neur ik ook ter vlugt een lied,
  Waar men 't hart in hoort:

Neen, dat zijt gij, zangen, niet,
  Mij in 't hart gesmoord!

o, Wie vrouw en kindren mint,
  Hem als 't leven dier,
Stemt zoo ligt voor vrouw en kind
  De eens gesnaarde lier;

En wiens boezem klopt en zwelt
  Bij een eedle daad,
Zet, waar 't eigen glorie geldt,
  Haar zoo ligt op maat:

Wat nog meer – wat anders nog
  Wrocht mijn dichtgeest uit?
Dát zijn al uw noten toch,
  Laaggestemde luit!

Daartoe was die hooger drift,
  Dat ondoofbaar vuur,
Dat gevoel, te rijk een gift,
  Mij verkwist, natuur!

Daartoe, schoone heuveltop,
  Met mijn jeugd vertrouwd!
Zwol mij 't hart te bruisend op,
  Steeg mijn geest te stout.

Daartoe, nietig cijferblad,
  Mijn beschoren deel!
Schreide ik u te dikwijls nat,
  Haatte ik u te veel.

Daartoe... Och, zoo dwaal ik voort,
  Voort van jaar op jaar,
Tot uw heuvel, heerlijk oord!
  En terug van daar:

Voort, van haard en huisgezin,
  Jeugd en kindschheid door,
En van daar de baan weer in,
  Die mij 't lot beschoor.

En een zucht, mijn hart ontsneld,
  Een gesmoord verwijt,
En een traan, mijn oog ontweld,
  Tuigt mijn diepe spijt.

Diep gevoel ik, innig diep,
  Met verbeten klagt,
Naar wat doel natuur mij riep –
  Waar mij 't lot toe bragt.

'k Meet den afstand telkens na,
  De onafzienbre baan,
Van de plek, waarop ik sta,
  En had moeten staan.

'k Maal verrukt mij 't schittrend pad,
  Naar wiens top ik steeg,
Had natuur de keus gehad,
  Die het lot verkreeg.

En zoo dool ik d'avond door,
  Huis en leefkring uit,
Tot ik weer den klokslag hoor,
  Die te rusten luidt;

Tot ik, mat van mijmerij,
  Afgewaakt en loom,
't Hoofd tot sluimren nedervlij,
  En van Elten droom.

BIJ DEN DOOD VAN EEN KAMERMEISJE

Zij was een wees, die vrienden had noch magen;
  Zij was hier vreemd; zij kwam van wijd;
 Zij kwam een dak, een leger vragen
  En luttel brood voor trouw en vlijt.
Zij was zoo zacht, zoo zedig, zoo bescheiden;
  Zij won het hart, nog eer ze sprak;
 Bevoorregt, wie haar in mogt leiden
  En opnam onder 't gastvrij dak.
Wat was zij vlug en welig en aanvallig!
  Zij zweefde als op een donzen tred!
 Wat was haar zilvren stem lieftallig!
  Wat was haar taal beschaafd en net!
Wat was zij schoon!... Hoe lachten uit haar trekken
  De levenslust der blijde jeugd,
 De reinheid, zonder kreuk of vlekken,
  De kinderziel en de englendeugd!
Wat was zij goed! wat was zij diep bewogen
  Met wie bedrukt zat en in leed!
 Hoe gaarne mogt zij tranen droogen,

Terwijl een traan haar oog ontgleed!
En als zij bad...! o, Wie haar mogt aanschouwen
Bij 't fluistrend murmlen van haar beê,
Hij moest als zij de handen vouwen,
Hij bad onwillens met haar meê.
Neen, blanker ziel met meer aanloklijkheden,
Noch vromer hart met blijder geest,
Noch schooner vorm met kuischer zeden –
Zij waren nooit gepaard geweest.
Helaas, helaas! het was een kort verschijnen!
Zij was te teer, de tengre plant!
Zij ging aan 't welken, aan 't verkwijnen;
Zij aardde niet in 't vreemde land.
't Werd guur en kil en vochtig in dees streken;
Een koortskou greep in 't zwak gestel:
Daar lag zij, magtloos en bezweken,
En zei aan 't land en de aard' vaarwel:
Zij stierf!... Welnu? dat lot is elk beschoren,
Aan dezen jong, aan dien bedaagd;
Er werd zoo veel toch niet verloren
Aan de onbekende kamermaagd.
Ze is dood... Welnu! – Er kwamen vrouwen binnen
En legden 't lijk betaamlijk af;
Zij speldden 't in een kleed van linnen,
Den opschik, dien men draagt in 't graf.
Er kwam een kist, een lijkkist met de schragen,
Het plankenhuis, dat allen toeft;
De doode werd er ingedragen,
Het deksel werd er opgeschroefd.
Er kwam een koets: de vracht werd ingeladen;
Er volgde een schaar, een kleene schaar...
o God! van al wie medetraden
Viel de uitvaart aan niet eenen zwaar!
Och, aan niet een, van al die achterbleven,
Ontvlood een zucht, een klagt, een woord;
Niet een „Vaarwel" werd meêgegeven,
Niet een „Tot weerziens"! werd gehoord!
De vreemde wees... wat mogt ze meer begeeren?
Niet elk nog werd verpleegd als zij:
Men liet haar hulp noch heul ontberen,
Men gaf ze een eerlijk graf er bij...
O God! o God! een toonbeeld zoo volkomen
Van onschuld en van lieflijkheid,
Met ruwe handen opgenomen,
Met koude harten uitgeleid!...
Ik zag het graf; ik heb de kist zien zinken,
Die zoo veel kostbaars was vertrouwd;

Ik zag de spâ des gravers blinken,
Die 't zand ter neer plofte op het hout.
Ik stond ontroerd, verdiept in duistre vragen,
In mijmring en gepeins verward,
Met de oogen op de groef geslagen
En weemoed in 't gebroken hart;
Ik zag in 't rond, of niemand stond te weenen,
Ik las en vorschte in ieders blik...
De kuil was digt, de schaar' toog henen,
En niemand plengde een traan – dan ik.

E. A. BORGER

AAN DEN RIJN,

in de lente van het jaar 1820

Zoo rust dan eindlijk 't ruwe Noorden
Van hageljagt en stormgeloei,
En rolt de Rijn weêr langs zijn boorden,
Ontslagen van de waterboei.
Zijn waatren drenken de oude zoomen,
En 't landvolk, spelende aan zijn' vloed,
Brengt vader Rijn den lentegroet,
Als Grootvorst van Europa's stroomen,
Die, van der Alpen top gedaald,
De stranden kust of scheurt de dijken,
De wereld splitst in koninkrijken,
En 't vorstlijk regtsgebied bepaalt.

Ook ik heb onbewolkte dagen
Aan dezen oever doorgebragt,
En warm heeft mij het hart geslagen,
Bij 't levenslot mij toegedacht.
Een morgen gronds, een kleine woning,
Verheerlijkt door de liefde en trouw,
Was mij en mijne brave Vrouw
De lusthof van den rijksten koning,
Als wij, in 't kunsteloos priëel,
Of onder 't ruim der starredaken,
Van God en 't eeuwig leven spraken,
En dankten voor 't bescheiden deel.

En nu – ik kan mijn haren tellen,
Maar wie telt mijner tranen tal?
Eer keert de Rijn weêr tot zijn wellen,
Eer ik den slag vergeten zal,
Dien slag, die mij ten tweedemale

De kroon deed vallen van het hoofd. –
'k Heb steeds, mijn God! aan U geloofd,
En zal, zoo lang ik adem hale,
Mij sterken in Uw vadertrouw,
Die nimmer plaagt uit lust tot plagen:
Maar toch, het valt mij zwaar, te dragen
Dien zwaren last van dubblen rouw!

Te Katwijk, waar de zoute golven,
o Rijn! u wachten in haar' schoot,
Daar ligt in 't schrale zand bedolven
Mijn kostbaar offer aan den dood.
'k Wil tranen met uw waatren mengen;
Belast u met dien zilten vloed:
De droeve zanger heeft geen' moed,
Die tranen op het graf te plengen
Der Gade, nooit genoeg beschreid. –
Gij, oude Rijn! wees gij mijn bode,
En voer ter rustplaats mijner Doode
De tolken mijner menschlijkheid.

Groet ook het kind, welks lijkje de aarde
Reeds had ontvangen in haar' schoot,
Eer zij, die mij dat lijkje baarde,
Voor 't levenslicht hare oogen sloot.
Ik heb mijn dochtertje opgegraven,
Toen 't pleit der moeder was beslist,
En lei het in de groote kist
En aan de borst, die 't wicht moest laven,
Dat nimmer laafnis noodig had:
Ik dacht, één huis behoort aan beiden:
Wat God vereent, zal ik niet scheiden;
En sloot in de urn den dubblen schat.

Noem' hij deze aarde een hof van Eden,
Wie altijd mogt op rozen gaan:
Ik wensch geen' stap terug te treden
Op de afgelegde levensbaan.
Ik reken ieder' dag gewonnen,
Met moeite en tranen doorgesloofd.
God dank, mij draaiden boven 't hoofd
Reeds meer dan vijf en dertig zonnen!
De tijd rolt, als dees bergstroom, voort.
Druk zacht mijn dooden, lijkgesteente!
En dek ook eerlang mijn gebeente
Bij 't overschot, dat mij behoort.

B. H. LULOFS

AAN DE MAAN

ô Troosteresse in leed! ô vriendelijke maan!
Hoe kalm drijft gij daar ginds in 't blaauwe diep der heemlen!
U groet het avondkoeltje en ritselt door de blaân
Van berk en populier, die in uw glansen weemlen.

Misschien doet ge ook uw licht door 't bontgeschilderd glas
Der dorpskerk op het graf van mijn geliefden dalen;
Maar ach, al drongt ge ook door tot hun zoo dierbare asch,
Ze ontwaken niet, hun oog is blind voor uwe stralen.

Eens ziet ge minzaam ook op mijne grafzerk neêr;
Met der ontslaap'nen stof zal zich mijn stof vermengen;
Dan scheidt geen noodlot mij van mijn' geliefden meer,
En 'k zal om hun gemis geen enk'len traan weêr plengen.

N. J. STORM VAN 'S GRAVESANDE

DE WAARHEID

De waarheid is een brood slechts goed voor scherpe tanden;
  Een spijs, die aan den disch liefst elk voorbij laat gaan;
Een boek, dat menig slechts gedwongen neemt in handen;
  Een bruid, waar naast geen mensch als bruigom graag wil staan.

WILLEM MESSCHERT

LIJDEN

Benijdbaar, wien het mag gebeuren,
  Met stillen weemoed in het hart,
Om onverdiende ramp te treuren,
  En door geen schuld verzwaarde smart;
Wie hopend mag ten hemel schouwen,
  Wanneer het nachtfloers de aarde omhult,
En aan de sterren mag vertrouwen
  Den weedom, die zijn ziel vervult.

Hij draagt alleen den last van 't lijden,
  Terwijl de wereld hem vergeet;
Hij moet alleen de smart bestrijden
  Geen vriendenhart beklaagt zijn leed.

Alleen de sterren aan den hemel
  Zijn deelgenooten van zijn smart...
Maar uit haar tintelend gewemel,
  Daalt hoop en troost in 't lijdend hart.

Zij, vonken van ontzigtbren luister,
  Zij, sprankels van verborgen licht,
Zijn heldre baken in het duister,
  Waar 't schreijend oog zich henen rigt.
Zij, aan het eeuwig licht ontstoken,
  Weêrkaatsen in 't beklemd gemoed,
In 't hart, door ramp bij ramp gebroken,
  Den heilgen oorsprong van haar gloed.

De droeve, door haar glans beschenen,
  Zoekt uitkomst langs haar heldre baan;
Nu suist het windjen om hem henen,
  En ritselt zachtkens in de blaân.
Hij waant een stem uit hooger streken,
  Een zegenrijk orakelwoord
In 't windgeruisch te hooren spreken,
  Dat in zijn borst de hoop ontgloort:

Een stem, die 't leed hem doet verachten,
  Waar de aard' zijn boezem meê beklemt;
En hijgend naar een heil doet smachten,
  In hooger kring voor hem bestemd.
De kalmte glijdt zijn boezem binnen,
  Door leed noch lijden meer ontroerd;
Hij leert het lijden zelfs beminnen,
  Dat hem den hemel nader voert.

Die wellust is voor hém verloren,
  Die, als de smart zijn boezem treft,
Als rampen hem de ziel doorboren,
  Geen reinen blik naar boven heft.
Vergeefs in duisternis ontscholen
  Het oog der menschen, dat hij ducht:
Een slang ligt in zijn borst verholen,
  Wier beet hij in geen nacht ontvlugt.

Hij ziet met schrik de wolken wijken,
  Wanneer de maan, in zachten glans,
En duizend sterren vonklend prijken
  En schittren aan den hemeltrans.
Hem zijn de sterren, die daar zweven,
  Hem letters, daar zijn oog in leest,

Met onverdoofbren gloed geschreven,
  Den naam der Godheid, die hij vreest.

Hij wijkt. – De wind ruischt door de bladen,
  Een huivring rilt zijn boezem door.
Hij beeft; hij acht zijn schuld verraden;
  Een geestenstem dringt hem in 't oor:
„Waar zoudt gij troost in 't lijden zoeken,
  „Gij, die den hemel voor u sloot."
Het lijden doet hem 't leven vloeken,
  En siddren voor d'aanstaanden dood.

Benijdbaar, wien het mag gebeuren
  Met stillen weemoed in het hart,
Om onverdiende ramp te treuren,
  En door geen schuld verzwaarde smart.
Hem streelt een kalmte 't hart van binnen,
  Van woeste driften niet beroerd;
Hij leert het lijden zelfs beminnen,
  Dat hem den hemel nader voert.

C. P. E. ROBIDÉ VAN DER AA

DE KLOKLUIDER

  Mijn klok klinkt hol en dof
Den sterveling in de ooren:
  „o Kind, uit stof geboren!
„Eens keert gij weêr tot stof!"

  Mijn Meester is de dood;
Geen Meester was ooit wreeder;
  Hij werpt en klein en groot
In 't gulzig graf ter neder.

  Hij knakt de teedre spruit
In de eerste vlaag van 't leven,
  En doet de schoone bruid
Voor 't huwelijksouter sneven.

  Geen moeder blijft gespaard,
Hoe 't hulploos kroost moog' kermen;
  Hij, dwingeland der aard',
Kent meêlij, noch ontfermen.

Hij telt verstand, noch deugd,
Spaart bedelaar, noch Koning;
En ouderdom en jeugd
Bevolken zijne woning.

De bloem des velds valt af;
De mensch moet eenmaal sterven;
De gravers graven 't graf;
Mijn klok klinkt voor zijne erven.

Zijne erven, die, als hij,
De magt mijns Meesters staven;
Geheel de maatschappij
Is voedsel voor de graven.

Klink, klok! dan hol en dof
Den sterveling in de ooren:
„o Kind, uit stof geboren!
„Eens keert gij weêr tot stof!"

J. D. LODEESEN

BEPERKTHEID DER MENSCHELIJKE KENNIS

Begrijpt gij? levend boek van overoude dagen!
Die de oudheid kent, als hadt gij zelf er bij gestaan,
Toen achter 't blaauw gebergt' door Eden's hof gedragen,
Het eerst voor Adam's oog de zon is opgegaan;
Begrijpt gij 't? hoe in spijt van worstelende krachten,
Het woelen van den vloed, het vlammen van het zwaard:
Die evenredigheid van soorten en geslachten
Zoo treffend werd bewaard?

Gij, die het hemelvuur naar willekeur kunt leiden,
Naar plas of diepte, waar 't zijn schrikb're kracht verspilt;
Het blanke zonnelicht in kleuren weet te scheiden;
Die rotsen splint'ren doet en uit haar naven tilt;
Begrijpt gij 't? hoe de toorts, die gij des daags ziet gloeijen,
Terwijl zij langs 't azuur van 't oost' naar 't westen drijft;
Een 'oceaan van licht sinds eeuwen uit laat vloeijen,
En even schitt'rend blijft?

Genieën onzes tijds! die geen gewiekte boden
Behoeft tot uw bevel aan Moor of Indiaan;
U in verbinding stelt en spreekt met de antipoden,
Waarover licht, geluid en storm verwonderd staan;

Begrijpt gij 't? hoe een zuur, in zink en koolstof bijtend',
  Magneetkracht doet ontstaan in 't week gegloeide staal?
En hoe die wonderkracht, zich van haar zending kwijtend',
      Zich voortspoed door 't metaal?

Chimisten! die zoo juist de bouwstof dezer aarde
  Doorzoekt, verbindt en weêr tot elementen scheidt;
Fossilen, die zij in der bergen hart bewaarde,
  En 't heidebloempje tot dezelfde stof herleidt;
Begrijpt gij 't? hoe die grond- of zaâmgestelde stoffen,
  Tot duif en adelaar, tot rund'ren in het dal,
Tot monsters van het diep, tot menschen zamentroffen,
      Tot mica en kristal?

Orpheën onzer eeuw! vermeet'le geologen!
  Die tot op 't merg der aard' door haar gebeente boort;
De kalksteenlagen scheurt, die op elkander wogen
  Vóór dat de Mammoth-kreet door de echo werd gehoord;
Begrijpt gij 't? hoe een woud, ontworteld door de golven,
  Geslingerd op den vloed vele eeuwen achtereen,
In 't end verkoolde? hoe 't door rotsen werd bedolven?
      En dan van waar die steen?

Gij ziet de wondernaald, van Swindens! Musschenbroeken!
  Hoe ook haar drijvend huis zich op de wat'ren keer',
Naar 't zelfde vaste punt in de uitgebreidheid zoeken
  En 't vinden, schoon de nacht zijn floers spreidt over 't meer;
Begrijpt gij dat instinct? 't welk Ferdinands karveelen
  Naar 't goudrijk Mexico heeft tot een' gids gestrekt,
En steeds op ieder punt van 't vijftal werelddeelen
      Die naald naar 't noorden trekt?

Gij, Astronomen! die het ruim met Orionnen
  En Wega's digt bezaaid, opmerkzaam gadeslaat;
In ieder sterrenbeeld een legioen van zonnen
  En groepen ziet, waaraan ge uw oogen niet verzaadt;
Gij zegt attractie schoort de Zevenster, den Wagen
  En and're kroonen van den onbewolkten nacht;
Dit zij zoo, maar in ernst durf ik u af te vragen:
      Begrijpt gij deze kracht?

Neen, gij begrijpt haar niet: hoe zou 't geschapen wezen
  Door 't voorhang heenzien van des Scheppers heiligdom?
Hij moog' het titelblad van 't boek der schepping lezen,
  Vergeefs slaat hij de blaên van 't minste hoofdstuk om;
Hij slage, na veel vlijts, een vraag uiteen te zetten,
  Een kinderschreê te doen in 't onbegrensd gebied,

De krachten gaê te slaan en haar gestelde wetten;
De roers'len kent hij niet.

Een geniaal vernuft moog' naar een springveêr gissen
Van 't groote raderwerk, dat zoo voortreff'lijk loopt,
En 't ingewikkeld pleit door zijn betoog beslissen,
Als hadde hij zijn pen in 't eeuwig licht gedoopt;
Een ander volgt hem op den hoogen leeraarszetel,
Zwaait met denzelfden trots een' opgeraapten staf,
En als zijn pedagoog laatdunkend en vermetel,
Breekt hij diens stelsels af.

Zoo volgden op elkaêr de denkers voor de volken,
Iets verder ziende dan 't kortzigtig algemeen:
Het flikkerlicht gelijk, dat neêrschiet uit de wolken,
Een lamp is voor den voet, maar 't oog verblindt meteen.
Zoo sprak Aristoteel van twee paar elementen,
Toen hij één hoofdstof in elk hunner dacht te zien;
Nu zijn zij zaamgesteld en tellen hoofddocenten
Er zestig bovendien.

Zoo heette men de zon een' vuurbol, die in 't water
Te wed gaat, en verfrischt uit Thetis schoot herrijst.
Een wereld werd zij en een stelsel-centrum later,
Die haar' trawanten-stoet den weg door d'aether wijst;
En Galileus, die het eerst zich dorst vermeten,
In spijt van 't Vatikaan, dien grootschen hemelbol
Het orbit-middenpunt der went'lende aard' te heeten,
Verzuchtte in 't kerkerhol.

Wij staan het voorgeslacht, als waar' het, op de schoud'ren
En dieper blik is ons in 't groot heelal vergund;
Maar als wijzelven, zoo vervallen en veroud'ren
Systemen met de schroef der feilbaarheid gemunt:
Wie zegt ons, nadat weêr eene eeuw zal zijn vervlogen,
Misschien de helft er van, of minder jaren-tal:
Hoe vederligt alsdan ons weten en vermogen
Bij 't nakroost wegen zal?

En evenwel, ofschoon wij 't stof dat wij betreden,
Beschouwen met het oog, betasten met de hand,
Niet kennen; dringen wij in Gods verborgenheden,
Te heilig en te hoog voor ons beperkt verstand;
Zoodat de sterveling, die afvalt als de blaêren,
Zichzelven niet begrijpt en voor zijn schaduw vreest,
't Verheven werken, zelfs het wezen wil verklaren
Van d'ongeschapen Geest!

Beklagenswaarde trots! van wormen die daar krielen,
Die stikken in het slijk, zoo niet in eigenwaan,
Om zoo, in 's Hemels naam, te heerschen over zielen,
En die in zwaarder boei dan van metaal te slaan.
De wijze buigt zich neêr voor d'Oorsprong van het leven,
Het voorwerp van zijn' lof, zijn hoogste heil en wit,
Eerbiedigt wat hem werd onthouden en gegeven,
Bewondert en aanbidt.

HET AVONDLIED

Ik hoorde de oude vrouwen zingen
In 't Godshuis der Diaconie,
't Gedenkstuk der philanthropie
Van Amstel's vroeg're stedelingen,
Calvijn's begrippen toegedaan
En met der armen leed begaan.

Het waren weinig zwakke stemmen
Die zamensmolten in het lied,
Aan Hem, die zonnen hangt aan 't niet
En zeeën golven doet of stremmen;
Een avondlied der dankbaarheid,
Door orgeltoonen begeleid.

Niet ik alleen bleef daarnaar luist'ren,
Maar heel een schare nevens mij,
Getroffen door die melodij,
Voelde aan dezelfde plek zich kluist'ren;
Terwijl 'k met open oor en mond
Te hooren naar de hymne stond.

Wat of zij mogt voor and'ren wezen,
Dat gis ik slechts, maar weet ik niet;
Voor mij was dat zachtvloeijend lied
Eene elegie aan d'Onvolprezen,
Waardoor het hart, zoo na aan 't graf,
Zich lucht in psalmgezangen gaf;

Een plegtig laatst vaarwel aan de aarde,
Met al wat zij begeerlijks heeft;
Een zucht der ziel, die 't stof ontzweeft
Tot Hem, die ons Gods wil verklaarde,
Den weg ons naar den hemel wees
En boetelingen zalig prees;

Een stervende echo der akkoorden
  Van 't hemelsch heer, dat in den nacht
  Den herders blijder boodschap bragt,
Dan ooit de voorgeslachten hoorden;
  Of wel een ver-af stemgeruisch,
  Ons roepend naar het Vaderhuis.

't Was iets, dat ik niet kan beschrijven!
  Maar wenschen zou dat ruischen mogt,
  Wanneer ik, na volbragten togt,
De went'lende aard' voorbij zie drijven,
  Mijn geest, van 't logge stof ontdaan,
  Voor 't eerst de wieken uit mag slaan.

Het orgel en de stemmen zwegen,
  Het auditorie ging uiteen;
  En voor 't gebouw stond ik alleen
Toen 'k mijn bewustzijn had herkregen;
  Doch in verbeelding hoorde ik lang
  Den flauwen nagalm van 't gezang.

Zacht als dat lied, dus was de bede
  Die 'k opzond tot d'Alzegenaar,
  Zij de overgang dier vrouwenschaar
Van hier naar 't oord van eeuw'gen vrede;
  En luider dan in 't lage stof
  Klink' dáár haar hymne tot zijn' lof.

DE GRIJZE DICHTER

Eenzaam en verlaten
  Zit nu de oude daar;
Die om meê te praten
  Of te keuv'len maar,
Wél zich zou bevinden
Bij gezel'ge vrinden,
  Als voor veertig jaar.

Maar zijn tijdgenooten
  Werden één voor één
In een kluis gesloten,
  Onder zoode of steen;
Lieten d'ouden makker
Op des Heeren akker
  Met zijn' rouw alleen.

Hen die overbleven,
  Weinig in getal,
Heeft de kracht begeven
  En de moed vooral.
Geeft in vijftig weken
Eén hem taal of teeken?
  Is het bij geval.

In besloten kringen,
  Waar hij nog verkeert,
Goede en schoone dingen
  Onderhoudt en leert;
Mag hij zitten hooren
Naar de kunsttrezoren,
  Dáár gedeclameerd;

Mag hij ernstig zwijgen,
  Luistren en zoo voort;
Maar een' handdruk krijgen
  Of een vriend'lijk woord
Van zijn medeleden;
Dat zijn zeldzaamheden
  Van het echte soort.

Och! wie trekt zich d'ouden
  Stroeven grijzen aan?
Die een boetpreek houden,
  Maar geen troef kan slaan;
Voor een' goeden proever
Of een' knappen snoever
  Niet om uit te staan.

Die voor laffe praatjes
  Slechts de waarde geeft;
En voor alle gaatjes
  Taaije spijkers heeft;
Stijf is als een kegel,
En voor orde en regel
  Als een uurwerk leeft.

Eenzaam en vergeten,
  Als een kluizenaar
In zijn cel gezeten,
  Peinst nu de oude daar;
Dikwerf redevoerend'
Met zichzelv' en roerend'
  Menig teed're snaar.

Want, zijn lieve gade,
De overdierbre schat,
Die hem Gods genade
Hier geschonken had,
Ging, na 't roemvol strijden
Met het aardsche lijden,
Naar de Vaderstad.

Want, zijn kind'ren deden,
Naar de aloude les,
Voorgezegd in Eden,
Huwden alle zes.
Dus bestaat de grijze
Enkel op de wijze
Van een grafcypres.

Spitst hij somtijds de ooren
In 't ontvolkte huis,
Krijgt hij niets te hooren
Dan het straatgedruisch;
Somber afgewisseld
Door een blad dat ritselt
En het windgesuis.

Echter heeft hij boeken
Voedsel voor zijn' geest,
Tuk op onderzoeken
Van der jeugd geweest:
Maar zijn scheem'rende oogen
Kunnen slecht gedogen
Dat hij boeken leest.

Vrienden, vrouw en kind'ren
Lieten hem alleen.
Kracht en lust vermind'ren
Om bekende reên.
Maar zijn Muse troost hem,
Troetelt en verpoost hem
Liefd'rijk als voorheen.

Haar beminden lavend'
Met Hymete's zoet,
Helpt zij hem door d'avond;
En, als 't wezen moet,
Zelfs door halve nachten
Met een' stroom gedachten
En een' woordenvloed.

Wél hem die voor 't schoone
  En het goede blaakt:
Deze tot zijn kroone
  En zijn wellust maakt.
't Pad der kundigheden
Moedig blijft betreden
  En naar verder haakt.

Maar vooral den grijzen,
  Die, schoon afgeleefd,
Toch naar gunstbewijzen
  Van Apollo streeft.
Die, wanneer de jaren
's Levens last verzwaren,
  Dan een Muse heeft.

JAN FRANS WILLEMS

GRAFSCHRIFT OP DEN GENERAAL J. B. VAN MERLEN

gesneuveld in den veldslag van 18 Juni 1815

  Hier ligt Van Merlen, die voor Vorst en Vaderland
  Op 't bloedig oorlogsveld zijn leven heeft verpand,
Terwijl hij, aan het hoofd van Neerlands heldenscharen,
Der Franschen heir trotseerde in 't barnen der gevaren;
  Van Merlen, eenen held, die, door het lood geraakt,
  Zich met zijn sterven heeft onsterfelijk gemaakt!
Die, door geen Franschen, noch hun listen te verleiden,
Maar aan zijn Vorst getrouw, getoond heeft in het strijden,
  Dat hij, die meer dan eens, voor hen, zich dapper kweet,
  Thans, tegen hen, voor ons, als Belg, nog beter streed.
Antwerpen! roem uw zoon! gij gaaft dien held het leven!
Vlecht lauwers op zijn graf! 't was immers door zijn sneven
  En dat van andren, dat den vijand werd verplet,
  De dwinglandij vernield en Nederland gered?
Te recht moet dan zijn naam bij 't nageslacht beklijven,
Zoolang men deugd bemint, zoolang er Belgen blijven!

CAREL GODFRIED WITHUIJS

ORDE EN VRIJHEID

Als er velen 't huis regeren,
  Hebben orde en eendragt uit;
Aan de mot zijn dan de kleeren,

Aan den roest het staal ten buit;
Ieder drijft zijne eigen plannen;
Allen willen 't hoogste woord;
Tucht en vrede zijn gebannen,
En de welvaart pakt zich voort.

Zouden vier een vierspan mennen,
Elk een leizeel, elk een paard?
De een wil stappen, de ander rennen,
En – de kar stort in de vaart. –
Baat een roer in twee paar handen?
Dees wil 't ruim en die den wal;
Tot een bui het schip doet stranden,
Of vergaan met vracht en al.

Moet er orde een woning sieren,
Dan – één hoofd; een wakker man,
Dien de rede en 't regt bestieren,
Die de tucht bewaren kan.
Moet een vierspan op de wegen,
Of een kiel op zeeën voort,
Eén koetsier dan opgestegen,
En één schipper dan aan boord.

Zal een Staat in orde duren,
Dan: – een Koning, kloek en vroom,
Die door stormen heen kan sturen,
En den moedwil houdt in toom.
Waar een wijs en dapper Koning
Regt en Wetten houdt in stand,
Veilig dáár zijn lijf en woning,
Dáár is Vrijheid in het Land.

Zoo is Neêrland vrij en veilig
Met een' Koning, wijs en goed;
Regt en Wetten zijn er heilig,
Heilig dáár zijn goed en bloed;
Teugels zijn er voor den slechten,
Maar wie 't goede wil, is vrij;
Nergens heeft men grooter regten,
Vrijer is geen mensch, dan wij.

Moog' die Vrijheid eeuwig blijven,
Nooit verminderd, nooit vergroot;
Wie haar hooger op wil drijven,
Wenscht het Vaderland den dood.
Maar ook, mogt een vreemde 't wagen

Handen aan haar' tuin te slaan,
Eer wij weder boeijen dragen,
Moog' met haar het Land vergaan!

C. G. Withuijs

A. BOGAERS

NOVEMBER

De looverzaal,
Bij zomerpraal,
Zoo rijk behangen,
En vol met zangen
En teêr gekor,
Is doodsch en dor
En hoort het klagen-
Alleen der vlagen
En 't stormgesnor.

Niet lange meer,
Of 't winterheer
Zal, 't zwaard geheven,
Hier wetten geven:
De voorhoê pent,
(Reeds aangerend)
Bij juilend tergen,
Op 't hoog der bergen
Haar witte tent.

In stal en steê
Schuilt mensch en vee,
Waar kloeke zorgen
Den voorraad borgen
(Bij ploeg en egg')
Voor 't lang beleg.
Wat in de dalen
Nog toefde, halen
De stroopers weg.

Reeds mist de beek
(Die vreugd der streek!)
De bloemenkransen,
Die bij het dansen
Tot liefdepronk
Haar de oever schonk.
Nog weinig stonden,

Ze zwijmt, gebonden
In de ijsspelonk!

Waar ik me keer',
'k Zie meer en meer
De kleur van 't leven
Natuur begeven:
'k Ben droef: 't is of
Een stem me trof:
„'t Moet al verderven,
„Eens gij-ook sterven,
„o Zoon van 't stof!"

CORNELIS TEN HOET

AAN MIJN GEBOORTE-PLEKJE

Heilige geboortegrond,
Plekje, waar mijn wieg eens stond,
Waar ik 's levens teedre jeugd
Heb doorleefd in reine vreugd!

Wonderschoon, bekoorlijk oord,
Dat de zangen hebt gehoord,
Waar, verrukt of weemoedsvol,
Eens mijn jonge borst van zwol!

Berg- en dal- en bronrijk land,
Waar ik, aan der liefde hand,
't Heil, zoo lang door mij gezocht,
Zoet en volop smaken mogt!

O, steeds voel ik mij verrukt,
Als mijn voet uw heuvlen drukt,
Of door uw valleijen treedt,
En mijn blik uw omkreits meet.

Maar onrustig jaagt mij 't hart;
'k Word beklemd van heimwee-smart,
Van verlangens boezempijn,
Als ik ver van u moet zijn.

Heilige geboortegrond!
Tot mijn laatsten levensstond
Hang ik aan u, als een kind,
Dat zijn moeder teer bemint.

E. W. VAN DAM VAN ISSELT

IN EENEN VASTEN VRIENDENKRING

Neen! waarde vrienden, neen, hoe vrolijk zaamgezeten,
De schaars gekende vreugd', die hier ons harte smaakt,
Geeft ons geen regt, den vriend, den droeven te vergeten,
Die bij een dierbaar lijk thans bittre klagten slaakt!

Gelijk de storm een roos, ter naauwernood ontloken,
Met toomeloos geweld, van haren stengel scheurt,
Zoo heeft de dood den bloei dier edele afgebroken,
Die 't minnend broederhart zoo inniglijk betreurt.

Maar 't zij ons niet genoeg, dat wij zijn leed beklagen,
Niet, dat ons hart een' wensch voor zijn vertroosting vormt...
Ons-aller vriendschap help' den zwaren last hem dragen,
Verligte 't ongeval, dat nu zijn ziel bestormt.

Vaak is ons wisslend lot met angst en smart doorweven;
Vaak is het onheil dáár, als nog de blijdschap lacht!
Dan schenkt de vriendschap troost! die moge ons nooit begeven.
Zij dubbelt onze vreugde en schenkt in lijden kracht.

ISAÄC DA COSTA

DE GAAF DER POËZY

Gevoel, Verbeelding, Heldenmoed,
Tot ééne ondeelbre kracht verbonden,
Te zaam gesmolten tot één gloed,
En door den boezem uitgezonden
Op vleugelen van melody,
Om al wat ademt te betooveren,
Om al wat hart heeft te veroveren!
Zie daar de gaaf der Poëzy!

Gevoel, dat plotseling ontwaakt
By ieder indruk uit den hoogen,
Zich uitbreidt, meêdeelt, brandt en blaakt
Met telkens aangegroeid vermogen!
En ieder zenuw trillen doet
Door fijner dan lichaamlijk prikkelen,
En hemelwellust weet te ontwikkelen
Uit ieder druppel van ons bloed!

Verbeelding, grijpende om zich heen,
Om voedsel voor die vlam te vinden,
En machtig, het Heelal tot één,
Eén enkel denkbeeld te verbinden!
De buit, die zich haar kracht vergaârt,
Is, beide, Toekomst en Voorleden,
Haar buit, natuurs verborgenheden,
Haar buit, de hemelen en de aard!

Des Dichters hand stort wel geen bloed,
(Hy is geen gruwzaam tweedrachtstichter!)
Maar echter is zijn wezen – moed!
En zonder heldenmoed geen Dichter!
Moed, die waar recht of waarheid spreekt,
Tyrannen vreest, noch schandschavotten,
Noch voor het woedend zamenrotten
Eens God vijandig' volks verbleekt!

Moed, die den snaren hymnen vergt,
By 't lasteren der Ongodisten;
En 't oproer met de hulde tergt,
Die 't Gods gezalfden durf betwisten!
Moed zonder steun, dan in zijn God,
En zonder wapen, dan die zangen,
In Goddelijke drift ontfangen,
Waar meê hy inrukt tegen 't lot!

Zie daar de gaaf der Poëzy!
Wie roemt zich dat zy in hem leve?
Die oefene zijn heerschappy,
Dat Dwaas- en Boosheid voor hem beve!
Hem juicht de brave te gemoet!
Gods wenk verzekert hem viktorie!
Gods Almacht schiep hem tot haar glorie!
Het leed der wereld is hem zoet!

Versmade hy de lauwerkrans,
Hem door een aardsche hand gevlochten!
Geen and're zege geev' hem glans,
Dan die op d'afgrond is bevochten!
Geen menschenblaam mag hy ontzien!
Hy moet hun ongenade dragen!
Niet streelen moet hy, niet behagen,
Maar overwinnen! maar gebiên!

Hy dwing' met reuzenovermacht
Den geest der eeuw te rug te treden!

Hy leere ons zinnelijk geslacht
Den weg tot hooger zaligheden!
Aan 't hoofd der menschheid streve hij,
Om alle zelfheid te verdelgen,
En Englenwellust in te zwelgen,
Van wereldsche verleiding vrij!

Zie daar de gaaf der Poëzy!
Het ideaal van dichtvermogen,
Verwant aan heilge profecy,
Als zy, gezante van den hoogen!
Wat is, by dit, het maatgeluid
Van ongewijde cithertonen,
Die de aarde toejuicht, waar we op wonen,
Geen ziel die uit den hemel spruit?

Wat, dan het nederige riet
By den standvasten Vorst der boomen?
Wat, dan een namelooze vliet
By Donau-, Rhijn-, en Wolgastroomen?
Wat, dan, by zomermiddaggloed,
Het wufte hupp'len der kapellen,
By 't aarde- en luchtverbazend snellen
Des Aadlaars, die de zon ontmoet?

AAN MIJNE EGADE

Zeg het my, herhaal het my,
Dat ik u gelukkig make,
Dat de zucht, waar van ik blake,
Als ik u mijn leven wij',
Niet vergeefsch ten hemel steigert,
Noch dat God Zijn zegen weigert,
Als ik 't oog naar boven sla
Voor uw welzijn, dierbre Gâ!

'k Ben u schuldig, wat een man
Met geen schatten, met geen kroonen,
Met zijn bloed zelf niet beloonen,
Of genoeg erkennen kan:
Liefde, mildlijk toegedragen,
Waar des Hemels welbehagen
Zich in spiegelt op eene aard,
Buiten haar zoo luttel waard!

'k Weet, uw zacht, uw rein gemoed
Wenscht geen schatten, wenscht geen kroonen
Om uw teêrheid te beloonen,
Noch het offer van mijn bloed!
'k Weet, uw boezem is te vreden
Met de ontfangen huwlijkseeden,
Met het u geheiligd hart
Van een' onberoemden Bard!

Doch een hart, gelijk het mijn,
Zints den aanvang zijner dagen
Treurig, kwijnend, en verslagen,
Kan dat uwer waardig zijn?
Of wat vreugde kunt gy smaken
My heel de aard te zien verzaken,
Om te drijven op den stroom
Van een' dichterlijken droom?

Zeg het my, herhaal het my,
Dat gy deel neemt zonder smarte
In den toestand van mijn harte,
In mijn dorre poëzy!
Dat de lente van uw dagen
Door de sombre najaarsvlagen
Van de klachten, die ik stort,
Niet geheel ontluisterd wordt!

O, gezegend zij de traan,
En de glimlach zij gezegend,
Die mijn oog van u bejegent,
Die me uw antwoord doen verstaan!
Ja! uw ziel verstaat de mijne,
En de zucht, waarvan ik kwijne,
(Wie haar ooit miskennen moog')
Is geheiligd in uw oog!

Meer nog! – Dierbre! wy zijn één!
Aan de weêrhelft van mijn leven
Is mijn zucht niet vreemd gebleven!
Ze is ons beiden thands gemeen!
De eigen dag, die onze handen
Sloot in zachte huwlijksbanden,
Stemde ook onze zielen zaam
In des Echtbeschikkers naam!

Zints dien onvergeetbren tijd
Werd uw boezem in de smarten

Mijns aandoenelijken harten
  (Maar blijmoedig) ingewijd!
O! gy deelt in mijn verdrukking!
Maar gy deelt ook mijn verrukking,
  Als me een licht des hemels treft,
  Of de Dichtgeest my verheft!

  Op de vleugelen der min
Stijgen wy vereend ten hoogen;
Keeren naar deze aard onze oogen
  Met gelijken wederzin;
Branden van gelijk begeeren
Naar de ontmoeting onzes Heeren,
  En verachten 't rijk der stof,
  Menschenblaam, en menschenlof!

  Voor de Waarheid leven wy!
Voor de Waarheid wil ik strijden,
Voor de Waarheid wil ik lijden,
  En, mijn dierbre! gy met my!
Als de stormen zich vergâren,
Die dees sombre dagen baren.
  Wilt gy aan mijn zijde staan!
  En uw wenschen zijn voldaan!

  Heer der Schepping! neen! een wensch
Leeft in 't hart steeds van een gade!
't Is de trek, dien uw genade
  Ingeplant heeft in den mensch!
Dat ook onze huwlijkssponde
D' ouden zegen weer verkonde
  Die Uw liefde aan 't achtbaar hoofd
  Onzer stammen heeft beloofd!

  O! indien een dierbaar kroost
Mocht herbloeïen uit mijne aderen,
Tot de glorie van zijn Vaderen,
  't Droevige verval ten troost!
En in dit herbergzaam Noorden
Als aan Taag- en Iberboorden
  Costa's oud en eerlijk bloed
  Weder blonk van riddergloed!

  O indien... doch zwijg, mijn mond!
Weten wy, verblinde menschen,
Wat wy van den hemel wenschen,
  In een onbedachten stond?

Die ons 't aanzijn heeft gegeven
Zal dat aanzijn doen herleven,
  Dierbre weêrhelft! uit uw schoot,
  Op den dag, dien Hy besloot!

  Neen! ik slake slechts één wensch,
En die wensch wordt niet verstoten!
Want hy is uit God gesproten,
  Niet uit d'opgeblazen mensch!
't Is, Almachtige Genade!
Dat ik leve voor mijn Gade,
  Dat ik sterve voor mijn God!
  En – gezegend is mijn lot!

HET PAARD

The just mean lies in obedience, which both waits for the signal to start, and obeys it when given.

Het krijgspaard, in wiens aâm de roode dampen snuiven
  Van d' opgezwollen moed, die hem de borst vervult,
Doet met zijn ijzren hoef den grond rondom hem stuiven,
  Daar 't uit te breken poogt in prikklend ongeduld!
Met vaste hand en knie bedwingt hem zijn Berijder,
  Tot dat de schelle klank der krijgstrompetten stijgt!
Maar 't teeken wordt gehoord! Nu viert de forsche Strijder
  De teugels aan het dier, dat naar de ontmoeting hijgt!

Het voert zijn meester, als op vleugels, ter viktorie,
  Springt tegen kogels in, en over lijken heen,
En, door gehoorzaamheid deelachtig aan de glorie,
  Is 't oorlogshafte ros met zijn Berijder één! –
Mijn God! mijn ziel verlangt voor U ten strijd te spoeden!
  Maar gaat die zucht te ver, ô! tem mijn ongeduld!
Het klemmen van Uw toom zal my de hoop doen voeden,
  Dat Ge in den dag des strijds mijn Ruiter wezen zult!

DE STEM DES HEEREN

De stem des Heeren is op de wateren, de God der eere dondert. – In zijnen tempel zegt hem een iegelijk eere. – De Heer heeft gezeten over den watervloed, ja ! de Heer zit, koning in eeuwigheid. PS. XXIX : *3.9.10.*

  De Eeuw hernam het geen zy gaf.
Orléans naar alle kanten
Schudt zijn koningsdiamanten

Als onrijpe druiven af!
By het zwijgen der kanonnen
Voor den schorren vrijheidsschreeuw;
By den weekreet der Bourbonnen,
En de snikkingen der Weeuw;

Bij het baldrend handgeklap
En der gram geworden Volken
En der hoogst gevierde tolken
Van Vernuft en Wetenschap;
Bij het staren van den Christen, –
Wien de orakels van zijn God
Van het einddoel vergewisten, –
Op de gangen van het lot.

God is koning! de aarde beeft.
Bergen slonken, dalen rezen,
Alle wereldhoogten vreezen, –
God is 't, die gedonderd heeft!
Die de breed getakte boomen
Van den Libanon verplet!
Die bevel geeft aan de stroomen
Of de branding nederzet!

God is koning! de aarde dreunt.
Ziet! een Machtige is gevallen,
Hoop en steun der duizendtallen
Door tienduizenden gesteund.
Maar het Godsuur had geslagen,
En de menschenschepping viel!
't Zij gy roem of rouw moogt dragen,
Menschheid! schouw het aan en kniel!

God is Richter! de aarde wacht.
De aarde ontroert en staat verwonderd,
Als de God der eere dondert
En den dag verkeert in nacht.
Over de opgedreven waatren
Wandelt Zijne koningstem!
Zeeën schuimen, scharen schaatren, –
En de storm verheerlijkt Hem.

En te midden van d'orkaan
Geeft Hy vrede aan wie gelooven!
Hier beneden en daarboven
In Zijn tempel bidt Hem aan!

Tusschen al die onweêrsgalmen
  Rollende over berg en rots,
Ruischt het daar verlossingspsalmen,
  Dáár, genadewegen Gods!

  Zanger, eenmaal opgevoed
By gewijde Bijbelwoorden,
Straks, door kracht van taalakkoorden,
  Tot een heerscher op 't gemoed,
Tot een heerscher over scharen,
  Die Ge op één gegeven stond
Op doet bruischen en bedaren
  Naar 't bezweeren van uw mond!

  Wat gy waart en wat gy deedt,
Toen Ge op eens uw idealen
In het leven af deedt dalen,
  En een troon in duigen smeet,
Toen Gy meer dan koningsplichten
  Op uw schouders overnaamt, –
Zal de God der waarheid richten,
  Die des aardworms waan beschaamt.

  Dichter! Volksheld! Wie ge ook zijt,
Roekloos Wet- en eedverbreker,
Of van God verwekte Wreker,
  Vloek of redder van uw tijd!
'k Wil geen glorie u betwisten,
  Slingren op uw hoofd geen blaam;
Maar de toekomst hoort den Christen, –
  Gy! maakt ge aanspraak op dien naam?

  Dichter! Volksheld! en gy vielt!
Voor een andren rosbeklemmer,
Voor een driester monstertemmer
  Zaagt ge straks dat volk geknield.
Als de vrijheidswaatren holden
  Over Frankrijks paradijs,
Klonk een stem, en ziet! zy stolden,
  En de stortvloed keerde in ijs.

  Is 't op nieuw des Aadlaars tijd?
Is Napoleon herrezen
Met die vlucht die ze allen vreezen? –
  Consul! Keizer! wat ge ook zijt!
'k Zal geen stoutheid u betwisten,
  Werpen op uw hoofd geen blaam.

Maar de toekomst hoort den Christen, –
  Maakt gy aanspraak op *dien* naam?

  Wie dien voert, hy gaat te raad
Met geen wijsheid dezer aarde!
't Woord dat God eens openbaarde,
  Is de rots, waarop hy staat.
Tegen de Eeuwleus: „zelfvolmaking!"
(Tegen Romes Schriftverzaking)
  Antwoordt zijn banier: „Genâ!"
Aller wereldsmerten slaking
  Gaat hem op uit Golgotha!

  Ja! op Golgotha onthuld
Staat ook 't raadsel dezer dagen!
Op den bodem aller vragen
  Ligt des werelds zondeschuld.
Waart ge in staat *die* weg te dragen,
  Menschenkindren, aardsche goôn?
Zoo bestijgt den zegewagen –
  Maar zoo niet, – aanbidt den Zoon!

  En verwacht het heil van Hem,
Grooten, kleinen, zondaars, volken!
In dat kraken Zijner wolken
  Dreigt een oordeel, roept een stem.
Dat Hem alles hulde geve,
  Hymnen brenge, knieën buig'!
Hem, den Richter! de aarde beve!
  Hem, den Koning! de aarde juich'!

  Plascht het tranen, ruischt het bloed,
Dondren woede- en lasterkreten?
God als koning is gezeten
  Over d' opgezetten vloed.
Wederkaatst door hemelpsalmen,
  Antwoordt uit het heiligdom,
Midden onder de onweêrsgalmen,
  't Jongste woord Zijns Woords: *Ik kom*

S. J. E. RAU

NACHT

't Gestarnt', dat de avond wekte in 't Zuiden,
  Is reeds in 't spieg'lend meer gezwicht.
  De maan onthult haar kwijnend licht;
En drinkt den balsemgeur der kruiden.

De nacht, reeds half voorbijgesneld,
Heeft aller scheps'len oog geloken.
De tortel rust, in 't nest gedoken;
De leeuwrik bij zijn gade in 't veld.

Zijn streelend wiekje omschut de leden
Van haar, wier blijd ontwaakte gloed
Weldra de scheemring met hem groet,
In 't zoet van 't oogenblik tevreden.

'k Gevoel me alleen: geen sluim'ring houdt
Die blikken, die aan 's hemels bogen
De starren volgen. 't Hart, bedrogen
Door de aarde, zoekt waar 't zich vertrouwt.

Waar 't lieflijk doel van ons verlangen
Niet als 't gevleugeld droombeeld wijkt:
Waar 't zwevend weefsel niet bezwijkt,
Waaraan de moede ziel bleef hangen.

Waar, die wij minden, heengevloôn,
Gaan treên langs eeuw'ge levensvlieten,
En hemelzaligheên genieten,
Terwijl wij weenen om de doôn.

Waar, mooglijk, uit uw reine vrede
Gij, die me eens liefhadt, nederziet,
En fluistrend mij een troostwoord biedt
Op mijn verlaten legerstede.

A. VAN DER HOOP

HERFST-MIJMERING

Met flaauwen glans,
Schijnt aan den trans
De zon door neevlen heen;
Het kwijnend bosch,
Beroofd van dosch,
Begroet heur glans alleen;

Want gaarde en tuin,
En veld en duin,
Bezitten loof noch bloem,
Wier frissche kleur

En zoete geur
  Voortaan heur schoonheid roem'.

Geen nachtegaal
Stemt, in heur taal,
  Een zang, heur licht ten lof;
Haar adem derft,
Nu alles sterft,
  De schoonste zangenstof.

De wind van 't Noord,
Die alles moordt,
  Wat ons het Zuiden bracht,
Voorspelt alöm,
Met dof gebrom,
  Des winters woeste kracht.

Zoo is 't met my:
De Poëzy,
  Die eens my heeft ontgloeid,
Stierf als de roos,
Die voor een poos
  Elks oogen hield geboeid.

Mijn lente is dood;
Mijn zomer vlood;
  Mijn sombre herfst is dáár!
Mijn boezem hijgt;
Mijn cyther zwijgt,
  Met losgesprongen snaar.

Maar, als het woud,
Dat thands het goud
  Der zon ontbladerd groet;
Zoo, herfst ten spot,
Looft U, ô God,
  Mijn mat en dor gemoed!

De winter dreig',
Mijn voorhoofd neig'
  Ter aarde in rouwgebaar;
Als Gy 't gebiedt,
Gaat smart te niet
  En nieuwe lente is dáár!

Beschik dat, Gy,
Wien de englenrij

Niet dan verhuld aanbidt;
Beschik, en 'k word
Met kracht omgord,
Die hemelkracht bezit.

Of moet het zijn,
Dat ik verkwijn,
Als 't herfstschoon der natuur;
Dan, Schepper, zij,
Dit najaarstij
Ook my ten stervensuur!

Wat me ook verbeid,
't Is zaligheid,
In U getroost te zijn!
't Schudt, dag en nacht,
Het sterfbed zacht,
En rooft de dood haar pijn.

JACOB VAN LENNEP

DE ENGEL EN HET KIND

Een Engel blikte in 't wiegjen neêr,
En vond in 't hemelsch aangezichtjen
Van 't schuldeloos en sluim'rend wichtjen,
Als in een beek, het zijne weêr.

„O (Sprak hij) liefjen! mij gelijk!
O! Ga met mij naar hooger sferen!
Wij zullen samen God vereeren
En zalig zijn in 't Hemelrijk.

„Volkomen vreugd heerscht niet op aard,
Daar heeft ook 't heil zijn ongenuchten:
De blijdschap gaat vermengd met zuchten,
De wellust met berouw gepaard.

„Daar woont de kommer op elk feest:
Daar zijn nooit onbewolkte dagen
Een waarborg tegen onweersvlagen: –
Daar is nooit waar geluk geweest.

„Hoe, zoude een bitt're tranenvloed,
Die blaauwende oogjens eens ontluist'ren?

Zou 't leed den reinen glans verduist'ren,
   Die 't effen voorhoofd blinken doet?

   „Neen! met mij, eer gij zwoegt en lijdt,
Naar d'onbeperkten trans gevlogen!
De Algoedheid scheldt uit mededogen,
   U al uw verd're dagen kwijt.

   „Uw afzijn bare aan niemand leed!
Neen, schoon ge uw adem laat ontglippen,
Vloei de eigen danktoon van elks lippen,
   Dien uw geboorte vloeien deed.

   „Dat hier geen voorhoofd somber zij;
Want o! de laatste dag des levens,
Is hij niet de allerschoonste tevens,
   Wanneer men rein is, liefje! als gij?"

   En de opgetogen Engel vlood
Met breede vlerk naar hooger kringen,
Om 't Hallel voor Gods throon te zingen.
   – Ach! moeder! ach, uw kindje is dood.

M. DOOLAEGHE

LAURA AAN AMIJNTAS

Vloeit bittre tranen, ja blijft vloeijen!
Doorweekt mijn wangen dag en nacht:
Wat zou mij nog aan 't leven boeijen,
Als mij de beste vriend misacht?
Straks in het stille graf gelegen,
Zal mij geen smart meer overwegen;
De rust der doôn is kalm en zacht.

Amijntas! dierbaarste aller vrinden,
In wien alleen mijn heil bestond,
Wat onspoed doet gij me ondervinden?
Hoe diep hebt gij mijn ziel gewond!
Kunt gij uw Laura dus verstooten?
De trouwigste uwer lotgenooten;
Haar die het best uw hart verstond?

Zeg, vriend, wat heb ik u misdreven?
Van waar dat ras verkoeld gemoed?
Waarom uw zielsvriendin begeven?

Haar vondt gij altoos braaf en goed.
Dat mij de bitse hoon beledig
Mij slaat het harte kalm en vredig
Hoe duur ik ook den laster boet.

'k Belagch ze die me afgunstig honen,
Of spotten met het dichtrendom;
Maar 'k eer den vriend van Febus zonen,
Schoon tegen mij zijn toorne klom;
Ja, 'k wensch van hem, gelijk voor dezen,
Begunstigd en bemind te wezen:
Zoo niet: geliefde lier, verstom!

Hoe langzaam kruipen de avond uren!
Weleer te spoedig heengesneld;
Wat kwelling moet mijn ziel verduren,
Nu mij geen trouwe vriend verzeld!
Waar toeft ge, o vreugd van vroeger dagen?
Amijntas! hoor mij; 'k durf ze u vragen,
Waarom mijn wensch nog uitgesteld?

Voel, voel mijn hart u tegengloeijen,
En smachten om uw vriendentroost.
Ach! hoe veel tranen liet ik vloeijen!
Hoe vele zuchten zijn geloosd,
Sinds ik uw gunste moest ontbeeren
En niemand, wien mijn lot moogt deren,
Mijn onverdrijfbren druk verpoost.

Waarop ik de onrust poog te stuiten;
Of waar ik eenzaam dool of sta,
Ik zie geen roosje meer ontspruiten,
De kommer snelt mijn schreden na.
Zoo doolt de weeuw, in 't wee verloren,
Zij mist de hulp haar toegezworen,
En slaat haar noodlot, schreijend, gâ.

'k Vond, met mijn zalig deel te vreden;
In U, in u alleen 't heelal;
Gij strooidet rozen op mijn treden;
Genieting volgde me overal.
Uwe eedle deugd, uw geestverlichting,
Gaf aan mijn jeugd de beste rigting;
Gij vormdet mij voor 't muzental.

Ik durfde 't zwakke speeltuig drukken
Door lust en ijverzucht gespoord.

Met vreugd zaagt gij die poging lukken,
En voerdet lust en ijver voort.
Hoe vaak werd uur op uur versleten
Met land- en zeekaart af te meten
Van *Hellas* en *Colombus* oord.

Dan weêr met *Lamartine* in handen
Of *Helmers*, *Pope* of *Bilderdyk*,
Vergaarden we in hun dichtwaranden
Het keurgebloemt van Febus rijk.
o *Feith!* ik hoorde uw graftoon spreken;
't Gevoel deed stille tranen leken;
Maar 'k juichte op uw vergood muzijk.

En nu – die nuttige oefeningen? –
Nu strekken zij mijn geest tot last.
Mijn hart verliest den lust tot zingen
Sinds weemoed mij heeft aangetast.
O vriend! doe ras die smart verdwijnen!
Mogt Laura aan uw oog verschijnen,
Of wierd zij op uw komst vergast!

Aandoenlijk uur! – Wien zie ik nadren?
'k Versta zijn tred, – ik hoor zijn stem!
Ontroering bruischt door al mijn adren.
o Vriendschap, geeft mijn woorden klem!
Daar valt hij aan mijn kniën neder;
Hij drukt mij aan het hart zoo teder,
En 'k vind mij reeds verzoend met hem.

Droogt bittre tranen! staakt uw vloeijen;
Verdreven is de nare nacht.
'k Gevoel mij weêr aan 't leven boeijen,
Nu hem mijn hart verzoening bragt.
Weêr in der vriendschaps schoot gelegen
Zal mij geen smart meer overwegen,
Mijn rust blijft ongestoord en zacht.

G. TEN BRUGGENCATE

AAN MIJNE VROUW BIJ DEN DOOD VAN ONS KIND

Dierbre Ga!
Ziet ge uw Antjen
Troostloos na? –
'k Gaf ook 't pandjen

Onzer trouw,
Vol van rouw.

'k Ging 't met smart
Grafwaarts leiden;
En mijn hart
Grieft ook 't scheiden;
Maar Gods wil
Maakt mij stil.

Zien wij, ach!
't Wiegjen ledig
Waar het lag,
En zoo vredig,
Zachtkens sliep –
't Grieft wel diep!

Maar het rust,
Nu aan zachter
Beter kust,
En verwacht er,
Zalig nu:
Mij en U.

Dierbre Gâ!
Staak dan 't weenen!
Gods genâ
Zal hereenen;
Slaan wij 't oog,
Slechts omhoog!

Eenmaal vliedt,
Rouw en smarte;
En gij ziet,
Aan uw harte,
Antjen weer
Bij uw Heer!

CORNELIS BROERE

OP HET TWAALF EN EEN HALF-JARIG BESTAAN

van het Zangkoor der R.K. Kerk, Geloof, Hoop en Liefde te Amsterdam

Waar zich Gods aangezigt onthult,
Waar licht uit licht den Troon vervult,
En rond straalt door de hemelkringen,

Daar schalt der eng'len koorgeluid,
Daar slaat de stem der schepping uit
En hoort Hij alle sferen zingen.

Maar wie, wanneer Hij op deez' aard
Uit liefde tot ons nedervaart,
Slechts blankheid toont van 't tarwekoren
Zijn glorie wegdruipt met den schijn
Van d' uitgegoten druivenwijn,
Wie dan, wie doet den lofzang hooren?

Ach! stof en dood! ach, 't is de mond
Des sterv'lings die eene eer verkondt,
Aan Hem oneindiglijk verschuldigd!
En koud metaal alleen geeft klem
En overklinkt de zwakke stem,
Waarmeê hij zijnen Schepper huldigt.

Heil echter hem! heil, die zijn God
Dan nog erkent, en 't dankgebod
Vervult in deez' zijn zwakke zangen:
Wiens stem, wanneer de hemel zwijgt,
Met d'aardschen wierook opwaart stijgt,
En d'eeuw'gen lofschal mag vervangen.

Ja, stem van een geloovig hart,
Die midden uit een aardsche smart
God dankt en looft en blijft belijden!
Bij u haalt het gegalm der vreugd,
Haalt 't hemellied niet zonder deugd,
En eng'len zijn 't, die u benijden.

Ja, heil ons broeders! wier gezang,
Het achtste van een eeuwtij lang,
Mogt klinken door Gods tempeldaken,
En in 't gemoed der Christenschaar,
Vergaderd om het kruisaltaar,
Geloof en liefde deed ontwaken.

Heil U! gij moogt op dezen dag,
Die zulk een tijdkring sluiten mag,
Uw deugd aan 't eigen hart getuigen:
Deez' tijdkring lang heeft onze stem
Geschald, geroepen, en voor Hem
't Geloovig volk ter aard doen buigen.

Nog is die stem niet uitgedoofd,
Nog is Hij niet genoeg geloofd
  Tot wien gij haar zoo lang deedt rijzen;
O! moog ze ook van dit feestuur af,
Tot dat zij wordt versmoord in 't graf,
    Zijn liefde en zijne goedheid prijzen.

Bemind, vertrouwd, vereend van zin,
Blijv' 't zang'rig koor in Christenmin,
  En smaak' Gods zegen tot belooning;
Tot dat het, met een blijder zang
Het hier gezongen lied vervang'
  In 's Hemels eeuw'ge starrenwoning.

PRUDENS VAN DUYSE

OP 'T LAND

Lieve, zie dat lindeloover
Klimmen om mijn kleemen huis.
't Spreidt er koelte en geuren over,
Verre van het stadsgebruis.
Enkel schalt daar 't vogelliedje,
Enkel suizelt daar het rietje,
Enkel ruizelt daar het vlietje
Sluimring op het mos, u toe.
Enkel klinkt er 't herdersrietje,
Of 't geloei der gladde koe.
O, daar wilde ik met u leven,
Met u, en ons lievend kroost;
Daar, me reeds naar 't veld begeven,
Vóor nog de eerste schemer bloost.
Na we de onzen zeegnend kusten,
En de zorg in sluimer susten,
Zou mij de avond met u lusten,
Stil bij de opgeklommen maan,
En ik wilde eens met u rusten,
Ginder, waar die kruisen staan.

GEBED

De zuchten aan de ziel ontschoten,
De dankbede aan de borst ontstroomd,
En Gode vlammend opgeschoten,
Als gij zijn gunst en goedheid droomt,

Staan in 't onfaalbaar boek van 't leven,
Ginds, onuitwischbaar, opgeschreven
Door Hem, voor wien geen tijd verloopt:
Gij zult ze als zielsherinneringen,
Eens wedervinden, eens die zingen,
Aan Hem, in wien gij stervend hoopt.

KAREL LEDEGANCK

DE LAETSTE ZWALUW

October strooit, by wind en vlagen,
De gele blaedren langs den grond;
Reeds koud en huivrig zyn de dagen,
En vliegt gy, Zwaluw! hier nog rond?
o Vlugt, geliefde! vlugt dees streken
Door al uw zustren reeds ontweken
Zet u in betere oorden neêr,
De lente is hier al lang verdwenen,
De lieve zomer ook is henen,
Hier zyn geen schoone dagen meer!

Geliefde, vlugt! geen voedzaem koren
Staet hier meer op het dorre land;
Waer 't ryk en vruchtbaer was te voren,
Vindt gy thans niets dan stuivend zand;
Geen plekje gronds bleef uitgezonderd.
't Is alles naekt en bloot geplonderd;
Het woud zelfs schudt zyn hulsel neêr,
Blyf in dit oord niet langer zwerven,
Of ligt zult ge er aen honger sterven; –
Hier is op 't veld geen voedsel meer!

Vlieg heen! men vindt hier op den akker
Geen vogel meer die zingen wil,
Niets schynt er levendig, niets wakker,
Maer alles is er dood en stil.
Alleen, op boomen hooggewassen
Zit eenzaem soms een raef te krassen;
Alleen, by 't windrig, buijig weêr,
Hoort men van verre een jagtroer knallen,
Of 't rundvee loeijen op de stallen; –
Hier is op 't veld geen vreugde meer!

Vlugt, lieve! want nog luttel weken,
En dan zal 't hier zoo yslyk zyn!

Dan maekt de winter deze streken
Zoo naer, zoo doodsch als een woestyn.
Dan klemt de vorst met yzren handen
De stroomende rivier in banden;
Dan stort de scherpe hagel neêr,
Dan zal de sneeuw natuer bedekken,
En haer tot rouwgewaed verstrekken;
Dan is hier niets dan weedom meer!

Gy hoort wat plagen, welke rampen
Zich hechten aen deez' ruwen grond;
Hoe alles met den dood zal kampen,
En vliegt gy, Zwaluw! hier nog rond?
o Vlugt, geliefde! vlugt dees streken
Door al uw zustren reeds ontweken;
Zet u in betere oorden neêr;
En als de winter is verdreven,
En als de schepping zal herleven,
Breng, lieve! dan de lente ons weêr!

JAN BRESTER

LEVEN

Wij reppen onze schreden,
  En scherpen ons gezigt,
En zoeken hier beneden
  Wat verre vóór ons ligt; –
Verzuimen en verzaken,
  Wat ons omringt, wel niet,
Maar hijgen toch en haken
  Naar vrolijker verschiet.
Lacht ons een heuvel tegen,
  Met welig groen beplant, –
Wij vinden steile wegen,
  En distels in het zand;
En lokt het dal beneden
  Ook door zijn digt gewas, –
Dáár smoren onze treden
  In loos bedekt moeras;
En als met minzaam vleijen
  Der bergen top ons trekt, –
Wij vinden woestenijen
  Met digte sneeuw bedekt.
Een dwaalspoor vóór de schreden,
  En de eindpaal ongewis, –
Zoo zoeken wij beneden

Wat niet beneden is.
Tot we eindlijk, duizendwerven,
Bedrogen en misleid,
Vermoeid zijn van het zwerven'
Om niets dan ijdelheid.
Dan slaan wij 't oog naar boven,
En zien der heemlen pracht,
Vertrouwen en gelooven,
Dat dáár het heil ons wacht.
Dan bidden we om genade,
Ons zelven niet genoeg. –
De dwaze doet dit spade;
De wijze doet het vroeg.

L. VAN DEN BROEK

MORGENLIED

Ontwaak ontwaak! de kimmen blozen,
De zon verguld der bergen top;
Zij zijn bestrooid met frissche rozen,
De zilvren daauw trekt glinstrend op.
De lamm'ren hupplen door de dalen,
Het vischje darteld in den vliet;
De vogel groet de gouden stralen,
En zingt verheugd zijn rollend lied.

Zij, die nog 't koestrend dons verkiezen,
Door de armen van den slaap omkneld,
Zij weten niet wat zij verliezen,
De schoonheid woont op 't vrije veld.
Kies blij genot voor mijmrend slapen,
Ontwijk de sponde en zing uw lied,
De wereld is zoo schoon geschapen,
Gij kent de ware schoonheid niet.

De landman kuscht zijn kroost en gade,
En schijnt bezield door nieuwe kracht;
Hij zingt en grijpt met lust de spade,
En ijlt naar d' akker die hem wacht.
Zoo ook verlaat de vogel 't broedsel,
Dat naakt en hulploos hem verbeid,
En fladdert vrolijk uit om voedsel,
Dat op de velden ligt verspreid.

o Laat natuur niet vruchtloos wenken,
Wanneer zij teugen, mild en zoet,

Uit de onuitputbre bron wil schenken,
  Zij is zoo teeder en zoo goed.
Wel moet de rust ons werk verpoozen,
  Daar zij op nieuw verkwikking biedt;
Maar doet de zon de kimmen blozen,
  Dan klinke ons blij en dankbaar lied.

B. PH. DE KANTER

AAN DE STILTE

Godlijke Stilte! dierbre telg des hemels!
Daal, bewoonster van 't zalig rijk der geesten,
Daal op Englenwieken ter neêr; beziel den
  Zang, u geheiligd!

Zaliger, Stilte, rust ik in uwe armen,
Dan de zuigling aan 't hart der moeder sluimert.
Neen, zoo godlijk rust niet de jongling aan den
  Boezem der Schoone!

Nimmer bekoorde 't spel der woeste vreugde,
Noch den zwaaijenden dans me in gouden zalen,
Waar de nijd, de knagende kommer, dikwerf
  Vrolijkheid huichlen.

Maar in der bosschen lieflijk lommer volg ik,
Of in de eenzame duin-vallei, uw' voetstap.
O, daar streelt me als harpengelispel 't verre
  Bruischen der baren!

Dáár dan omzweven mij de heilge schimmen
Van de vrienden mijns harten, de eedle zangers
Aller tijden: afstand verdwijnt, en tal van
  Wentelende eeuwen.

'k Hoor dan den nagalm van Homerus liedren.
En van 't Odengezang des Venuzijners.
Dan beween ik Iliums lot, en 'k juich in
  Caesars triomfen.

Met des Verlossers grootschen zanger streef ik
Dan ten hemel, op vleuglen zijner hymnen,
En met hem, die 't nachtelijk uur zijn sombre
  Toonen deed hooren.

Vurig verrijst de wensch dan in mijn' boezem:
Mogt, bezielster dier eedlen, mogt ge mij ook
Zangen leeren, heilig, verheven, grootsch, der
Zaligen waardig!

Doch te vermetel stijgen ligt die wenschen:
Deugd is edel, ook zonder eeuwge glorie.
Leer, Godin, o leer mij dan Deugd, en stort mij
Wijsheid in 't harte!

BERNARD TER HAAR

GRAFBEZOEK

Wees gegroet,
Heilge grafsteê aan mijn voet!
Die mij wijst, en strekt ten bode,
Waar mijn stof eens sluimren moet;
Waar uw stof rust, Lieve Doode!
Om wier dood mij 't harte bloedt.
'k Druk uw grafzerk met den voet,
Dierbre Gade, wees gegroet!

Op den steen
Sta ik, waar uw lijk verdween.
Ach, hoe steekt en vlijmt mijn wonde!
't Is als kwam ik – die voorheen
Vaak kwam luistren aan uw sponde,
Als me uw slaap onrustig scheen, –
Nog eens luistren op den steen,
Waar de bruine kist verdween.

Hoe ik riep,
Gij blijft sluimren vast en diep!
'k Had mij vroeger pas bewogen –
Hoe onhoorbaar zacht ik liep –
Of gij vroegt met lachende oogen:
„Lieve! dacht gij, dat ik sliep?"
Mocht ge ook sluimren vast en diep,
Gij werdt wakker als ik riep!

Ongestoord
Slaapt ge uw lange sluimring voort!
Van 't herkennen na 't herleven
Sprak ik hier naar 't Godlijk woord;
Hebt gij, hoe mijn stem ging beven,

In uw diepe kluis gehoord? –
Neen! door vrees noch smart gestoord,
Slaapt gij op uw slaapsteê voort.

Hebt gij 't goed?
Slaap dan op uw rustbed zoet!
Nu gij niet uit bange droomen
Wakker schrikt, noch in uw bloed
Een benauwdheid op voelt komen,
Die u angstig staren doet;
Ach, nu hebt ge 't waarlijk goed!
Afgetobde, slaap dan zoet!

Slaap gerust!
'k Heb u zacht op 't hoofd gekust,
Toen gij 't neerboogt, – ach, zóó moede! -
En, van scheiden onbewust,
Sluimrend in Gods Vaderhoede,
Overgingt in de eeuwge rust.
'k Heb u goeden nacht gekust,
Toegedekt ook – slaap gerust!

Goeden nacht!
Lieve Doode, die mij wacht!
Zinkt mijn stof bij 't uwe neder;
Is mijn dagreis haast volbracht –
'k Slaap dan in uwe armen weder –
'k Rust dan bij uw beendren zacht!
Tot zóó lang nog: Goeden nacht!
Dierbre Gade, die mij wacht!

Aan uw zij',
Op die sponde is plaats voor mij.
Kom ik hier nog dikwerf klagen,
Hoe ik eenzaam treur en lij';
'k Wil niet van den Hemel vragen,
Of 't nog verre is, of nabij? –
Eenmaal rust ik aan uw zij'
Hier is plaats voor u en mij!

Goeden nacht.
Slaap hier bij Gods dooden zacht!
Zal eens de uchtendstond genaken –
Wees dan de Engel, die mij wacht,
En mij vriendlijk, bij 't ontwaken,
't „Goeden morgen!" tegenlacht!

Tot ons de eeuwge morgen wacht,
Lieve Doode, goeden nacht!

B. ter Haar

L. SCHIPPER

REPOS-AILLEURS

Als de baren u vervaren,
  Op de onstuime zee,
Laat de hoop uw' geest bedaren,
  Op een stille reê;
Schoon de noodstorm u onthutst,
      Elders rust.

Pelgrim, door de dorre zanden,
  Van dees rampwoestijn!
Laat de dorst uw keel verbranden,
  Doet de togt u pijn, –
Eéns wordt al uw leed gesust,
      Elders rust.

Ja, het leven is doorweven,
  Met veel smart en rouw;
Maar Gods woord is ons verbleven,
  En Gods woord is trouw;
Worde ook 's levens lamp gebluscht,
      Elders rust!

VITA MORTALIUM VIGILIA

Een nachtwake is het leven,
De wieg grenst aan het graf;
Wij jagen en wij streven,
Door de aardsche disteldreven,
Als brak het nimmer af!

Een nachtwake is het leven,
Roemzuchtig oorlogsheld!
Hoe hoog in magt verheven,
Het is den dood om 't even,
Ras ligt ook gij geveld!

Een nachtwake is het leven,
Moed, lijdende onschuld! moed,
Waartoe dat angstig beven?

Uw webbe is haast geweven,
De dood, uw redder, spoedt!

Een nachtwake is het leven,
Meêdoogenlooze vrek!
't Gaat alles u begeven,
Waaraan uw hart blijft kleven,
Dra roept de dood: „vertrek!"

Een nachtwake is het leven,
Dat elk zijn ziel bereid'!
Want o! er staat geschreven,
In 't woord aan ons verbleven:
„Op tijd, volgt eeuwigheid!"

DE LASTER

Hoe de laster smaal',
En door vuige taal,
Deugd haar kroon bezwalke, –
't Schendend lipvenijn,
Schoon het de aard' verschalke,
God verblindt geen schijn!

Zie, de nevel zwicht,
Voor het zonnelicht,
Dat de waarheid bloot leit;
En de pest der aard',
Staat, in al zijn snoodheid,
Naakt geöpenbaard.

Wat zijn helsche togt,
Gruwlijks zamenwrocht,
Tot zijn naastens smarte, –
't Plet zijn' eigen kop –
God doorzag zijn harte,
En stond wrekend op!

DE SCHOOLMEESTER

DE BOTERHAM EN DE GOUDZOEKER

Auri sacra fames

Te Wormerveer
Woonde eens een Heer,

En te Overschie
Een juffrouw die
Dien Heer zijn hert
En hand aanvaardde en mijn moeder werd.

En moeder liep wat met haar eersteling heen.
En grootvader zei: „kijk! hy loopt haast alleen."
Maar vader zei droogweg: „dat's numero een."

En zoo leefden mijn ouders en ik alle drie
Als fatsoenlijke lieden op Overschie,
En wy hadden er ieder zijn boterham
Die ons alle drie smaakte en ons wel bekwam.

En toen er nu fluks – wat overdaad
In hun echten staat! –
Gelijk het wel meer in het huwelijk gaat,
Een tweede kwam
Om zijn boterham,
Toen sprak mijn vader: „ik ben niet rijk,
„Ofschoon ik reeds met een paar stamhouders prijk.
„Ik heb geen post of geen landspensioen,
„Wat zal ik hier met die twee spruiten doen?
„Hoe hou ik op Overschie mijn fatsoen?
„Is één niet genoeg voor een burgerman?
„Wat doe ik met twee? – Wat heb ik er an?
„Zoo'n tweede sieraad
„Van mijn huwelijksstaat,
„Die in 's levens ontlokenen dageraad
„Zich reeds tweemaal alhier te verslikken staat,
„Terwijl hy in toomloozen overdaad,
„Zijn buik als een pakschuit op marktdag laadt,
„En zijn ouders vertroost met de hoop op zwart zaad,
„Pak jy, kameraad!
„Maar spoedig je biezen en poets me de plaat.
„Jy klaplooper, voort! of wy krijgen 't te kwaad.
„Hy eet meer dan twee
„En hy drinkt als de zee!
„Met zoo'n tweede letter in 't Echt-A-B-C
„Mijns huwelijkslevens, wat doe ik er meê?
„Is A niet genoeg? en wat heb ik aan B?"

Mijn moeder zei lachend: „op Wormerveer
„Sprak iemand heel anders: niet waar, mijn Heer?
„Kom, geef vrouwlief een zoen, en zeg het niet meer,
„Zoo'n zeggen doet my en mijn kindtjen te zeer."

De School-meester

Maar toen er nu – weêr om zijn boterham –
Op nieuw een produkt uit de bloemkool kwam,
Toen bromde mijn vader: „Wel Heerejee!
„Daar is numero vijf! wat doe ik er meê?
„Wat heb ik hier aan zoo'n mutsebol?
„Mijn zak loopt leêg en mijn huis loopt vol,
„En de affaire gaat slecht en mijn kop is op hol.
　　　　„Op het Hof in den Haag
　　　　„Heb ik vrind noch maag,
„En op Overschie heb ik maag nog vrind.
„Wat doe ik hier met zoo'n vijfde kind?
„–'t Heeft nu reeds van 't zuigen een stuk in zijn kraag –
„Zoo'n jeugdige haai met zijn volle maag,
„Zoo'n zuigend zoogdier, zoo'n lik-in-de-pan,
„Zoo'n etende tering, wat maak ik er van?
„Zoo'n vijfde kwaêjongen, wat heb ik er an?"

Ons kroost was maar drie, en geen sterveling meer;
Maar 't reek'nen ging slecht op Wormerveer.

Mijn moeder zei niets voor 't oogenblik;
Want mijn jongste broêrtjen had juist de hik.

Doch toen uit de kool nu een tweetal kwam
En vroeg om een dubbelen boterham,
Toen riep mijn vader, geweldig boos:
„'t Lijkt de postwagen wel van Van Gend en Loos.
„Ben je daar alle drie? wel dat doet my plezier,
„En de baker er ook by en alles by nacht,
„Waarom kom je in eens toch maar niet alle vier?
„Een meer of een minder zeit niets op zoo'n vracht.
„Haal het restjen nu ook maar, dan heb je net acht.
„Goddeloos! wie had ooit zoo'n familje verwacht?"
Vader dacht aan een drieling; doch 't was er maar twee,
En hy telde in der haast onze baker nog meê;
Maar de man in zijn drift wist niet best wat hy deê.
Maar Moederlief, zei: „wel heden mijn tijd!
„Hoe raak je nu, Vader! de klus zoo kwijt?
„Daar is er geen een die nog honger lijdt,
„En heb je dan geen overleg en vlijt?"

„Ja wel", zei mijn vader: „maar acht is te veel,
„En daar kijken er zeven van honger al scheel.
– „Een ouderlijk dak en een huislijke haard
„En ons negental kind'ren, en allen gespaard!
„Vier gespeend, vijf aan 't zuigen, en een met een baard
„En die beeldfraaie brieven, als vader verjaart

„En ons leven is waarlijk een hemel op aard! –
„Dat zijn allemaal praatjens, de moeite waard
„Voor een heer, die een koets houdt, een knecht en paard.
„Dan is 't hemelsch aandoenlijk en machtig fijn; –
„Maar daar moet in zoo'n hemel een boterham zijn.
„En voor boterhammen, in aantal zoo groot,
„(Want wy zijn met ons tienen en niemand nog dood)
„Heb *ik* in zoo'n hongrigen hemel geen brood.
„Ik ben op dit punt licht zoo knap niet als Poot,
„En wat hebben wij hier aan een hongersnood?
„Zoo'n hemel heeft veel van een ravennest.
„Maar eventjes elf... en ik schenk je de rest."

Mijn vader was weêr in zijn rekening mis; –
Doch wat zeit niet een man al, die driftig is.

„Wel Vader!" zei Moederlief; „jy weet het best
„Maar ik heb geen vrees voor ons ravennest." –

„Hoort kindren!" zei Vader op 't lest; „weet je wat?
„Het eenige, dat er nog opzit, is dat
„Eerst je broêr met zijn baard, en jylui daarna,
„Dat elk uwer *enfin* eens uit reizen ga,
„En dat je maar, elk als je gaat en staat
„(Want veel plunje is op reis maar overdaad)
„Het ouderlijk huïs by provizie verlaat,
„Tot het kindervertrek weêr wat lediger staat.
„Want al ben jelui klein, jelui bent niet zoo mal
„Te denken, dat ik zoo'n vervaarlijk getal
„Voor kost en voor inwoning vrijhouen zal.
„'t Is hier 't leger, de vloot en de schuttery
„Bij mekaêr en je maakt den foerier van my.
        „Nommer één snij dus uit!
„Hier heb je mijn zegen en verder geen duit,
                „En ik wou,
                „Dat, met jou,
„De rest van die bengels reeds zat in de schuit."
'tWas Vader die sprak en Vader alleen;
Want Moeder was ziek en sloop stilletjens heen.
En toen ik nu zag, dat ik d'oudste was,
Toen ging ik aan 't pakken en haalde mijn pas,
Als of het een reis naar Sebastopol was.
Mijn pakjen was licht, en mijn beurs woog nog min;
Doch Moederlief stak er een boterham in.

En toen eindelijk 't uur van het afscheid sloeg,
En de schipper – of Jantjen haast klaar was – vroeg

En Moeder hem zond wat de vracht bedroeg,
Met een brief en een fooitjen, meer dan genoeg,
En voor 't laatst op haar ziekbed in de armen my nam,
Terwijl er een beek langs mijn wangen kwam,
Toen zei zy: „hier is een zest'half of twee
„En een dubbeltjen, wees er maar zuinig meê.
„En daar komt uit mijn zak, jongelief! nog een duit;
„Maar Jantjen! och geef hem niet roekeloos uit."

„Wat of toch dat snikken en snott'ren beduidt,
„Dat heesch en dat krijtend hyeenengeluid?
„Dat neusdoekverslindende neuzengesnuit?"
Riep Vader omlaag met een stem als een fluit:
„Zeg, is dat gezanik daar boven haast uit,
„Met huilen verschietje maar nutloos je kruit,
„Zoo Jantjen niet oppast, mist Jantjen de schuit,
„En wy zijn nog twee uren langer gebruid
„Met onzen geknevelden huwelijksspruit;
„Want de bel heeft al tweemaal voor de afvaart geluid."

Zoo sprak hy, en ik zei: „dag Vader, adieu!"
„Nou! niets van je Fransch hier," zei Vader: „mosieu!
„Blijf my maar van 't lijf met die uitlandsche zeu
„En zeg op zijn Hollandsch eenvoudig: hadie!
„En kom je nog eens weêr op Overschie,
„Dan hoop ik, dat ik je in je rijtuig er zie,
„Met een dubbelen, dikken boterham;
„Want anders waar 't best, dat je nooit hier weêr kwam".
Ik had in de reis volstrekt geen zin;
Doch de Schipper riep luid: „kom, maak een begin."
En zoo stapte ik de schuit en de waereld in.

Maar eer ik nog was aan den Leydschen Dam,
Toen dacht ik reeds meer aan dien boterham,
Dien ik, in de gedaante eener schatrijke vrouw,
Aan mijn Vader, bij 't keeren eens brengen zou,
Dan ach! aan de tranen van teederheid,
By 't afscheidnemen door Moeder geschreid.

In de roef vond ik daadlijk een meisjen, dat,
Op liefde prat,
Zoo aardig en poezelig by my zat,
Dat ik Vader zijn boterham byna vergat,
Wanneer ik gelukkig een waarschuwend blad,
Een naamloos briefjen, van Vader bekwam,
Waaruit ik de droevige tijding vernam,
Dat ze een weesdochter was zonder boterham.

Dat doofde zoo aanstonds mijn liefdevlam,
Zoodat ik subiet van haar afscheid nam
En in 't ruim der schuit nog eens stilletjens dacht
Aan de les in mijns Vaders *post-scriptum* gebracht:
„Hoe lieflijk de sexie u tegenlacht,
„Het schoonste product van het schoone geslacht,
„Zonder boterham, Jan! is een weêrgâsche vracht.
„Je twee broêrtjens zijn dood. Nu dag Jan, goede nacht."

Doch toen ik nu reizende verder toog,
Toen viel al spoedig, op Schiermonnik-oog,
Mijn rechter zoo wel als mijn linker oog
Op een keurlig sieraad van een maagd, zoo fraai,
Met zoo'n Fransche *toernour* en zoo'n smaakvollen draai
Zoo'n zwierigen zwaai,
Dat elk een zei: „o Naj-
„ade! o Syreen!
„O Trojaansche Heleen!
O Penelopé! gooi dat korpetjen toch heen!
„En baad ons, Melpomeen!
„Niet langer in treurspel en dolk en geween.
„Heb medelij toch met een blaauwe scheen,
„En leg ons wat zalf of wat kaarsvet op 't been,
„Of wind er wat Engelschen pleister om heen:
„Ik meen,
„Lieve Leen!
„*S'il vous plaît*, permitteer,
„Dat ik over u thans fatsoenlijk verkeer,
„Dat ik vrij
„Over u, en dat gy,
„Van uw zij,
„Ook vrijt over my,
„En dat wy
„Ons gelukkig bevinden in die vrijery,
„Tot ik ras u aanschouw
„Aan dees borst als mijn vrouw,
„En dat niets ons dan schei in de gandsche natuur
„Tot de leste minuut van ons levensuur,
„Noch van u noch van my,
„Steeds voor wind en voor tij..."

Doch niet steeds is de liefde bestendig van duur
Want: „die bruid
„Heeft geen duit."
Riep eens op een wand'ling een schoenpoetser uit,
En die maar klonk me in de ooren als dondergeluid, –
– En gebluscht was op eenmaal mijn liefdevuur,

De School-meester

't Was basta hiermeê en mijn vrijen was uit;
Want ik dacht by geluk
Aan den boot'ram van Vader, dat waarschuwend stuk.
En op 't slot van de zaak was mijn hiel zelfs niet blaauw
En genas heel gaauw,
Zonder kaarsvet of pleisters of zalf, en ik vloog,
Als een pijl uit een boog,
Van Penelopé weg en van Schiermonnik-oog.

Doch toen ik vervolgens de reis hernam
En t' Edam
Op de kaasmarkt kwam,
Toen vond ik zoo'n tros
Van een deern, met zoo'n blos
En zoo beelderig haar,
Het eenige kind van een kaas-makelaar
In kazen, een schatrijk Edammenaar,
Dat ik daad'lijk tot haar
Zei: „ach dierbare Saar!
„Maak uw Zondagspak klaar
„Om terstond met mekaêr
„Naar het huwlijksaltaar,
„En te zamen van daar
„Hand aan hand naar 't Edammer Stadhuis te gaan."
En den volgenden dag was ik vroeg op de baan
En ik belde aan het huis van mijn schoonvader aan,
Zoo netjes gekleed als een haan
Pas gebraên,
Toen ik juist hallef acht op 't stadhuis hoorde slaan,
Doch hier zag ik een beer – met laarzen aan
En zoo bleek als een roomkaas – in 't voorhuis staan
En die zei: „je moet nimmer die gekheid begaan:
„Want de maaklaar in kaas is op reis naar de maan,
„En van middag nog slaan
„Wy beeren Zijn Edeles boeltjen aan."
En 'k zei hierop: „dankje Chineesche schim!
„Geen maaklaar zegge ooit: hy was Jantjen te slim,
„Lief Saartje, ik snij uit en ik laat je maar staan,
„En 't is met mijn vrijaadje te Edam gedaan."

En toen 't met mijn trouwen dus over was,
Zoo kwamen de bruidsuikers minder te pas
En ik stopte ze dus, met mijn hypocras,
Maar stilletjens weg in mijn overjas
En haastte my straks uit Edam van daan
Nog zoo ongehuwd als een Kapellaan.

Maar nu kwam ik te Sneek
In de kermisweek
En ik raakte er zoo bleek
En dan weder zoo rood, zoo geheel van mijn streek,
En ik voelde in mijn hart zoo'n doorborenden steek;
Terwijl ik in Sneek
Naar niets anders keek,
Dan alleen heel den dag naar een Sneeksche apotheek,
Want hier zag ik een lijn
Van een meisken, zoo fijn,
Met een hand als satijn,
En een kleur als een roos in de maneschijn;
En dat maagdelijn
Gaf m' een zoentjen als suiker of ambrozijn
Of malaga-wijn,
En ik riep in vervoering: „o liefste mijn!
„Ik verkwijn
„En verdwijn
„Uit het land van de levenden, lief Colombijn!
„Of gy moet pardoes de mijne zijn.
„Ach! zeg ja,
„Lieve Na!
„En niet spaê
„Wees mijn gaê. –
En het meisken zei: „ja,
„Met consent van mama,
„Want ik heb geen papa." –
En straks zijn wy de bruid
En niet langer een buit
Van het snood celibaat, dat een vrijgezel bruit,
En wy roeien te saam in de huwelijksschuit;
En mijn Naatjen die ziet er zoo snoeperig uit,
(Als je durfde, dan stal je haar weg van mijn zij
Maar laat dat maar liever; want ik ben er by).
En zoo gaan we in de wittebroodsweken vooruit
En ik zeg tot besluit,
Dat mijn lief gezin
Met zoo'n Engelin
Van een hartvriendin,
En een jeugdig paar tweelingen, tot een begin,
Een tooneel is van trouw en van Sneeksche min...
...Maar haar moeder te Sneek zit er warmpjens in.

En toen ik nu over den Leydschen Dam
Met Na te Overschie by mijn vader kwam,
Toen zei ik: „hier heb ik mijn boterham."
Doch Vader was, och! heelemaal van zijn streek

En zag doodelijk bleek.
Als of hem de dood uit zijn oogen keek,
En Na dacht: „ik wou maar ik zat weêr te Sneek.
Doch eindelijk sprak hy: „wel Jan! dat is goed;
„Maar zie, in mijn huis is thands overvloed:
„En 'k behoef my niet langer te kwellen om brood:
„Want de kinders zijn weg en je moeder is dood".

J. M. DAUTZENBERG

DE ANGELIER

In een potjen voor de ruiten
Kweekt een knaap een angelier;
Stengels stygen, knoppen spruiten,
't Bloemken staat in vollen zwier.

't Bloemken houdt hem vele dagen
Aan zyn geur en kleur geboeid;
Daar alleen kan 't hem behagen,
Waar zyn angelier hem bloeit.

Doch eens valt door de open schyven
's Knapen oog op 't wyd verschiet:
Dat, ten berg op, lauwers dryven
Heeft zyn blik al dra bespied.

En hy wil een tak bezitten
Uit het verre lauwerbosch,
Wil een lauwertak bezitten
By een angelierentros.

En hy snelt en hygt er henen,
Komt met moeite tot den top;
Plukken mag hy en vereenen,
Lauwers groeijen er volop.

Ryk beladen keert hy weder,
Waar zyn eerste liefde gloeid'.
Bloem en stengel liggen neder,
De angelier is gansch verschroeid.

DE LENTE

De vlietekens kabbelen
Zachtjens omlaag,

De vogelen babbelen
Luid in de haag,
En zoelere winden
Heraêmen in 't veld,
Waar 't loover der linden
Zyn knoppen ontzwelt.

Al zwetsende naderen
Sysjen en mosch,
Om 't nest te vergaderen
Zwerven ze in 't bosch;
Zy zingen en springen
Zoo lustig te gaêr,
Elk zoekt in zyn kringen
Een wyfjen tot paar.

Ik scheppe myn leeringen
In de natuur,
Der bloemen schakeringen,
Schoon niet van duur,
Zyn daarom bezonder
My lief en my waard,
Wyl God ze zoo wonder
Gemaald heeft op aard.

En zou ik niet strengelen
Liefde en genot?
Dat is ja der engelen
Zalige lot.
Ja boven de starren
En onder de maan
Kan Liefde niet warren
Op zuivere baan.

Uw richtingen kronkelen
Ver van uw plicht,
Dauwdruppelen vonkelen
Voor uw gezicht,
Gy ziet een gewemel,
Dat wis u verwart,
Omdat gy den hemel
Niet voelt in uw hart.

De Lente en heur streelingen
Treffen u niet,
Gy hoort niet de kwelingen,
Let op geen lied;

Wat God heeft gegeven
  Vindt nauw uw genâ.
Voor u – is er leven
  Noch hier, noch hierna!

VERHEUGHET U ENDE WEEST BLIDE

Mint ge de woelende
Fladdrende vlinders,
Loopt dan, krioelende
Joelende kinders,
Buiten bereik van gebod en bedwang;
Breizelt de grendelen,
Morzelt de perken,
Kiest u als vendelen
Beuken en berken,
Spoedt u ten bosch en ten vogelenzang!
Kelken die vonkelen,
Schomm'lende klokken,
Wegen die kronkelen
En u verlokken,
Al wat verleidend is, biedt u het bosch.
Meisjens en jongetjens,
Vreest te verdwalen,
Sommige spongetjens
Baarden u kwalen,
Die niet genezen op banken van mos.

E. J. POTGIETER

OF RHIJNSCHEN ROEMER, OF FRANSCHE FLUIT!

Hoe ook verscheiden
  Om 't zeerste schoon,
Voegt toch bij beiden
  Geen zelfde toon:

Als met festoenen
  Den steel omkransd,
't Ons uit de groenen
  En geurt èn glanst,

Denke ik, bewogen
  Of 'k weêr ze zag

Aan ligtblaauwe oogen
En teed'ren lach!

Als we in dier slanken
Dun kristallyn
Het vuur zien spranken
In paarlenschijn,

Vermoede ik strikken
Mij loos gespreid,
Door donk're blikken
En dartelheid!

Schuilt dweepziek droomen
In 't ronde glas
En geeft geen schromen
Bij 't lange pas;

Beurt naast elkander
Dan op uw feest
Nooit dubb'len stander:
Gemoed en geest!

Waar mijmeringen
Uit Rhijnschen lust
Zoo zoet me omvingen
Of 'k wierd gekust,

Deed schertsziek plagen
Van schalken buur
't Lief kind vertsagen
Vóór 't herdersuur!

En zoo bij wijlen
Na Franschen toog
Ook tal van pijlen
Mijn pees ontvloog,

Zag 'k bij 't geflonker
Van ons vernuft
In schemerdonker
t Gepeins versuft!

Geef dies, wat weelde
Uw disch ook biê,
Geef ze onverdeelde,
In harmonie:

Geen tweestrijd doeme er
Den glazen uit:
Of Rhijnschen roemer,
Of Fransche fluit:

BLOEI

De boogaard vloeit over
Van rood en van wit,
Waar plaats was voor loover
Nam bloesem bezit;
En zwaarhoofden duchten,
In weelde zoo groot,
't Verstikken der vruchten
Uit wit en uit rood.

Den jong'ling omzweven
De vreugd en de min,
Voor d'ernst van het leven
Geen zweemsel van zin;
En boetpreêkers schild'ren
Het blakend geneugt,
Als dreigde verwild'ren
In minne en in vreugd!

Och, wacht maar! – fluks komen
De storm en de smart,
Tot redding dier boomen,
Ter lout'ring van 't hart:
Een blaad'renzee wiegelt
In spijt van den worm,
En zielsadel spiegelt
Uit strafferen vorm!

Wat dunkt u verloren?
Wat acht ge verkwist?
De lent' heeft gekoren,
De liefde beslist:
O heerlijk ontbloeijen
In vruchten volend,
En heiligend gloeijen
Dat opwaart zich wendt!

Graauw is uw hemel en stormig uw strand
Naakt zijn uw duinen en effen uw velden,
U schiep natuur met een stiefmoeders hand, –
Toch heb ik innig u lief, o mijn Land!

Al wat gij zijt, is der Vaderen werk;
Uit een moeras wrocht de vlijt van die helden,
Beide de zee en den dwing'land te sterk,
Vrijheid een' tempel en Godsvrucht een kerk.

Blijf, wat ge waart, toen ge blonkt als een bloem:
Zorg, dat Europa den zetel der orde,
Dat de verdrukte zijn wijkplaats u noem',
Land mijner Vad'ren, mijn lust en mijn roem!

En wat de donkere toekomst bewaart,
Wat uit haar zwangere wolken ook worde,
Lauw'ren behooren aan 't vleklooze zwaard,
Land, eens het vrijst' en gezegendst' der aard'.

MACHTELD

Machteld had wel hooren luiden,
Wat of vensterkens beduiden
Die des avonds open staan;
Maar een weinig frissche koelte
Was zoo welkom na de zoelte.
En het hare stond maar aan.

Ook scheen 't zuchtjen louter weelde,
't Zij het schalk haar boezem streelde
't Zij het suisde in 't blonde haar;
Echter wuifde 't uit het loover
IJlings meer dan geuren over,
Zoet accoord van stem en snaar.

Als zij 't venster nu ging sluiten,
Zou de minnezanger buiten
Haar in de onderkeurs bespiên;
En dies zocht zij, schaamrood, schuchter,
Met de vingers om den luchter,
Achter 't saai gordijn te vliên.

Maar al had zij hooren praten,
Dat hij dra wordt ingelaten
Die 't ons op zijn luit bediedt –
Niet te luist'ren naar zijn bede,
Niet te naad'ren, ook geen schrede,
Dat gedoogde 't hartjen niet.

Op haar bloote, blanke voetjens
Sloop zij zachtjens, sloop zij zoetjens
Dies naar 't raam. Wat fraaije val!
Hoor, hij zong niet: Wil mij minnen!
Hoor, hij bad niet: Laat mij binnen!
Neen, hij prees haar schoonst van all'.

Was het waarheid wat hij kweelde,
Dat „de lieve lach, die speelde
„Om haar lipjens, „kus mij!" riep,
„Maar dat de opslag van haar oogjens
„Wacht hield bij die nektartoogjens?"
Hoe zij naar den luchter liep!

Zie, al had zij hooren preêken,
Dat de booze liefst zijn streken
Uitspeelt achter 't spiegelglas,
Waarom zou zij, nu slechts muren
Haar bespiedden, niet eens gluren,
Of zij de allermooiste was?

En zij keek eens en zij knikte,
En zij keek weêr en zij blikte
Op haar vlugge beentjes neêr;
En zij danste een passedijsjen,
Naar een zacht geneuried wijsjen,
En zij knikte keer op keer.

Maar het was, terwijl zij zwierde,
Of het luik op 't hengsel gierde,
Of... doch langer geen geluid;
Echter kraakte vast de wingerd,
Om haar vensterken geslingerd,...
Wie sprong binnen? 't Licht woei uit! –

PAPEGAAIJEN-DEUNTJEN

Wat leide ik toch een leven,
Het prinsjen van de buurt!

Mijn stok is bruin gewreven,
Mijn kooi is glad geschuurd,
En ik kan klontjens krijgen,
Voor 't praten en vóór 't zwijgen.
Ai! Lorretjen,
Kaporretjen,
Kapoe, kapoe, kapoe,
Houd mij je bekjen toe!

En zou ik mij dan storen
Aan 't smalen van dien knaap,
Die steeds wat nieuws wil hooren,
Die me uitscheldt voor een aap,
En mij zoo graag zou dwingen,
Een eigen lied te zingen?
Neen, Lorretjen,
Kaporretjen,
Kapoe, kapoe, kapoe,
Is daar te snugger toe!

Ik ken wel mijns gelijken,
Die wand'len over straat,
Die met een degen prijken,
Die zitten in den raad;
Zij kregen 't beste hapjen,
Door krek te doen als Papjen.
Een Lorretjen,
Kaporretjen,
Kapoe, kapoe, kapoe,
Waar past die al niet toe? –

DIEUWERTJEN

Dieuwertjen! heugt je nog de avond voor Paasch?
Eer ik je vragen ging, stapte ik mijn plaats,
Mijn woning, mijn schuren, mijn stal nog eens om,
Vast peinzend tot alles is zij wellekom.

Wit van den hagel, maar warm trots de kou',
Haalde ik de klink op: je zat bij de schouw;
Ik ligtte mijn mantel: jij wierp op het vier
Een mutserd, en 'k dacht: zij ziet gaarne mij hier.

Echter was 't later als jeukte mijn scheen,
Schoof ik je digter, je schooft verder heen,

En toen 'k, bij de kast, om het jawoord je vroeg,
Was 't vremd, dat de fluit niet aan diggelen sloeg.

Vreezen en beven – het had schier geen end';
't Huis van je moeder was jij zoo gewend,
Al droeg ik ten leste in mijn armen je er uit,
Ons dorpjen zag nimmer een droeviger bruid.

Dieuwertjen! heugt je nog de avond voor Paasch?
Onder dat wiegekleed giert onze Claes.
Ai, kus hem, en zeg, zoo het nog stond te doen,
Of jij nu wel aarzelen zoudt zoo als toen!

SPEELMANS-DEUNTJE

Het mildste zonneschijntje
Verleent het landschap kleur
Noch geur,
Als 't gulden Rijnsche wijntje,
Den roemer, dien ik beur: –
Wie zou druilen,
Wie zou pruilen,
Die 't zag blaken
En mogt smaken?
'k Roep tot morgen
Vaarwel aan mijn zorgen,
Als ik druiven-zonlicht speur!

Hoe lokt het uit mijn vedel, –
Veel bloempjes draagt in Mei
De wei, –
Die liedekens zoo edel,
Dat allerzoetst gevlei: –
„Vlugge lansje,
„Kom, een dansje!"
„Aardig zusje!
„Geef me een kusje!" –
En de voetjes
Zij tripp'len al zoetjes,
IJlings zwiert een bonte rei!

Al menig scheepjes-schelling,
En zoo 't een pietje doet,
Ook goed!
Glijdt langs de gladde helling
Van mijn' versleten' hoed: –

Oude manneke!
Nog een kanneke, –
En, mooi-Klaertje!
Nu je vaertje
Niet zal kijven,
Och! laat me bedrijven,
Speelmans knepen zijn ook zoet!

AVÓNDSTERRE

Wisselziek in 't zweven
Blijken wind en wolk;
Om naar verre dreven
Wenschen meê te geven,
Eische ik trouwer tolk.

Wees gij zelf bodinne,
Hoe mijn harte blaakt,
Schoone ster der minne,
Die de westertinne
Rozen strooijend naakt!

Heffe naar uw stralen
't Lelietje in den knop,
't Lelietje der dalen,
Bij heur zoet verhalen
't Hoofdje luist'rend op.

De een roep': „liefde en trouwe!"
„Trouwe en liefde!" de aêr,
En haar blik aanschouwe
't Luchtslot dat ik bouwe
In den rei der schaar.

Voer haar uit de weelde
Van haars vaders huis,
Die maar half verheelde,
Hoe zich 't hart verveelde
In een kleine kluis.

Schoon haar lage winde
Luttel bloemen bie',
Om haar lokken binde
'k Elke die ik vinde,
En hoe schat zij die!

Eer men ons benijde,
  Siersel van den trans!
Als zij blozend blijde
Dartelt aan mijn zijde,
  Tempert gij uw glans.

Van zoo hel een luister
  Houdt geen minnewicht;
Slechts in schemerduister
Wordt het zachtst gefluister
  Ons het zoetst gedicht!...

B. W. A. E. SLOET TOT OLDHUIS

DE MANESCHIJN IN 'T BOSCH

Daar buiten, waar de herder 't vee
  Reeds naar den stal geleidt,
Is aan het effen luchtgewelf
  Een graauwend kleed verspreid,
Dat alles, wat het land mogt tooijen,
Omwikkelt in zijn breede plooijen.

En boven trilt op 't bevend blad
  Nog 't stervend avondgoud,
Maår 't rijzend maantje strooit zijn glans
  Met handenvol door 't hout,
Dat ons de paden, droef en donker,
Beschildert met zijn lichtgeflonker.

Neen! 't Is geen dwarlende avondwind,
  Die door de bladren streeft,
Waardoor, met teeder licht bespat,
  En tak en loover beeft;
Gewis! 't zijn wreemlende Elvenscharen,
Die door het digt geboomte waren.

Zij hipplen, tripplen op en neer,
  En schommlen in het blad;
Zij dalen langs de stammen af
  En dartlen op mijn pad,
Als of ze in mengeling van lichten,
Hun dartlen rondedans verrigten.

Ik dool in een betooverd bosch,
  Waar een onzigtbre hand

Figuren in verscheiden vorm
  Schetst op den looverwand;
'k Zie voglen door de bladren dwalen,
Hun vederdos van zilver stralen.

Ver achter gindschen donkren stam
  Zie ik een hinde staan;
Daar schrikt me een zilverblanke slang,
  Die schuifelt op mijn paân;
Er zucht een koeltjen om mij henen,
En alle vormen zijn uit éénen.

Maar eensklaps straalt het weer in 't bosch
  Op ieder blad en tak,
Als dwaalden duizend sterren neer
  Van 't hooge hemelvlak;
'k Sta in een tempel vol van glanzen,
Die aan de donkre wanden dansen.

Zou hier in 't bosch 't betooverd slot
  Der schoone slaapster zijn,
Er sluimrend op het mollig dons
  En kussens van satijn,
Daar honderd luchters om haar blaken,
Tot dat zij blijde zal ontwaken?

Kom, nadere ik met zachten tred,
  En wat mij 't toeval biedt,
Het kalme schoon der frissche maagd
  In sluimering bespied!
Dat boezemrijzen en weer dalen
Stil op de maat van 't ademhalen!

Een zwarte wolk befloerst de maan;
  Met ritselend geruisch
Stort ijlings het gebouw in één
  Met gevelspits en kruis,
En heel 't begoochlend lichtgetoover,
Is in zijn wondre flikkring over.

DE LUCHTSPIEGELING

Een avondtooneeltje

Niets verbrak de zwoele stilte dan het nedersijplend nat
  Van den versch gevallen regen;
  Alle vogelkoren zwegen

In 't zacht druppelende loover langs ons eenzaam avondpad,
En de lijster schudt haar vlerkjes,
Droogt zich op den dorren rank,
Maar weerhoudt alsnog de toonen
Van haar schellen avonddank.

Helder lichtblaauw kleedt den hemel, met een witten glans vermengd.
Alle wolkjes zijn verdwenen;
't Daglicht heeft haast uitgeschenen;
Alles groent met frissche tinten, straks nog door de zon gezengd.
Mina! Mijd de kleine plasjes,
Die er ruisslen voor uw voet!
Zet wat minder wufte stapjes,
Dan Gij wel gemeenlijk doet!

En nu sloegen wij de blikken naar 't doorschijnend wolkazuur.
God! Wat wonder! 't Land met schoven,
't Groene bosch zien wij daar boven,
Heel het landschap afgespiegeld met zijn kwijnend avondvuur.
Rundren weiden aan den hemel,
En langs zijn verlichte tin
Voert het paard de kar met garven
Rustig de open staldeur in.

En, haar blikken zacht beneveld door een wemelenden traan,
Staart zij, in de ziel bewogen,
't Wonder aan van 's Hemels bogen.
„Mogt, dus zegt zij, 't heerlijk schouwspel in geen wolkjen ons ontgaan!
Maar al trekt ook 't aardsche landschap
Aan des hemels trans voorbij,
Aarde en hemel smolten zamen,
En dit smaakte ik aan uw zij."

Lieve! al wijkt in vorm en verwen de aarde van den hemel af,
Ik zie weer den hemel dalen
En in volle reinheid stralen
In de blaauwe, smachtende oogen, die de goede God U gaf.
En wij drukten ons de handen,
En, in zoet gepeins verward,
Voerde 't paadje ons spraakloos verder
Met den hemel in het hart.

LANGS DE DOORNENHAAG

Ja! ik min u, Doornenhagen!
In uw vrijen, wilden groei,

Die wij na de winterdagen
  In uw sneeuwwit reinen bloei,
't Bruidskleed der natuur zien dragen,
  Schoon nog 't woud ontbladerd staat.
Struikjes winnen 't van de boomen,
Immers 't oog reeds langs uw zoomen
  Groene plekjes gadeslaat.
Daar, in de eerst versierde struiken,
  Door de zuiderlucht gekust,
Zien wij ook het eerst ontluiken
  Mingekweel en liefdelust,
Wordt ook 't eerste bruiloftsfeestje
  Door de grasmusch voorbereid,
En hoe netjes 't lieve beestje
  Haartjes door zijn bruidsbed spreidt!
Nog een vrijer en een vrijster
  Zitten aan elkanders zij,
Want ook reeds bepraat de lijster,
  Waar 't hun veilig wonen zij.
De ekster, op een top verheven,
  Waar de haag naar boven schiet,
Laat zijn schalksche blikken zweven,
  Of zij hem een schuilplaats biedt,
Om zijn vesting in te bouwen
  Met een kleinen, open mond,
Waar hij ver in 't rond kan schouwen,
  Of me' een aanval onderstond;
Straks vlecht hij een dak van doren,
  Voor zijn jeugdig broed beducht,
Dat geen havik 't wijfje storen,
  't Kroost mogt voeren in de lucht.
Ras bekleedt hij al de wanden
  Met een dikken brij van leem,
Wie hem hier durft aan te randen,
  Stuit op een versterkte heem.
Snippers, linten gaat hij rooven,
  Waarom hij een *ekster* heet;
Om het kale broed te stoven
  Wordt de wand er meê bekleed. –
Aan het kirren kan ik hooren,
  Dat het minziek veldhoen al
't Kuiltjen onder digte doren
  Tot zijn nest bereiden zal;
En nu zal 't niet lang meer duren,
  Of het ruischt hier in de haag,
In de dauwende uchtenduren,
  Melodiën, hoog en laag,

Zachte, zaamgesmolten koren
 Met verschil van toon en wijs.
Doet uw best dan! Laat U hooren,
 Vlasvink! Tukker! Merel! Sijs!
't Zachte rood der wilde rozen
 Zien wij, waar de sneeuwbal pronkt,
Door de groene blaadjes blozen,
 Van het eerste licht belonkt.
Kamperfoelie kleedt de randen
 Langs de heele hage heen;
Winde hangt er in guirlanden;
 Paarsche wikke wiert dooréén.
Zulke bloemen, zulke zangen,
 Stemmen 't hart tot poëzie,
Kweeken een geheim verlangen
 Naar een hooger harmonie.

J. P. HEIJE

TWEE VOERLUI

Een karretjen op een Zandweg reed;
De maan scheen helder, de weg was breed,
 Het paardje liep met lusten;
('k Wed, dat het zelf zijn weg wel vindt:)
 De voerman lei te rusten...
Ik wensch je wèl-thuis, me-vrind!

Een karretje reed langs Berg en Dal;
De nacht was donker, de weg was smal,
 Het paard liep als met vleugels;
(De sneeuwjacht zweept zijn oogen blind:)
 De voerman houdt de teugels...
Ik wensch je wèl-thuis, me-vrind!

Eén karretje keert behouden weer;
Het ànder heeft er geen voerman meer;
 Waar mag hij zijn gebleven?
'k Wed – dat je 'em op den *zandweg* vindt,
 Of mooglijk wel daarnéven...
Hij komt niet weer thuis, die vrind!

DE KROEG

Al in de Plantage daar is er een kroeg
 Wel onder de groene boomen,

Daar drinken ze laat en daar drinken ze vroeg,
Daar drinken ze nooit haast jenever genoeg; –
  Mijn Lief zeit: ik mag er niet komen.

Ik ben er te voren zoo dikwijls gegaan
  Bij zonneschijn en bij regen;
Ik dronk er bij zitten, ik dronk er bij staan,
Ik kwam er wel somtijds wat buisjes vandaan...
  Mijn lief zeit: ze kan er niet tegen.

Ze heeft mij een zoen van haar mondje verzeid
  (Haar wangetjes raakten aan 't kleuren)
„Maar – mits je me niet in dat kroegje weer leit!"
Waarachtig, je kunt er op ân, lieve meid!
  Nu zal het mij nóoit weer gebeuren.

J. J. A. GOEVERNEUR

DE OOGST

't Is Oogsttijd. Ginds, in 't donker woud verscholen,
  Bespiedt de Dood met gierig oog het veld;
    Reeds heeft zijn hand de zeis omkneld,
Geen rijpende aar blijft voor zijn oog verholen.

't Is Oogsttijd. Zie hem grijnzend nader treden;
  Hij heft den arm, en de aren vallen neer;
    Zijn buit vermeert zich meer en meer,
En halm bij halm zinkt, van zijn hand doorsneden.

't Is Oogsttijd. Hoor die doffe tonen klinken
  Als donderknal, vermengd met windgefluit;
    Dat is de juichtoon, dien hij uit,
Bij 't zien des roofs, dien hij deed nederzinken.

't Is Oogsttijd. Zie... maar in 't nachtlijk duister
  Verflauwt zijn beeld, verdwijnt in 't ver verschiet;
    Zijn korts zoo juichend zegelied
Sterft weg in nauwlijks hoorbaar spookgefluister.

't Was Oogsttijd. Maar, moog 'k nu nog 't hoofd verheffen,
  In volle kracht mij wortelen in de aard,
    Misschien heeft hij mij thans gespaard,
Om morgen des te zekerder te treffen.

Goeverneur 't Was Oogsttijd. Maar, schoon nu mijn oog onttogen,
De dood keert weer, misschien bij 't rijzend licht;
Geen halm blijft veilig voor zijn schicht,
Niet één, één aar ontgaat zijn zoekende oogen.

't Zal Oogsttijd zijn. Eens velt hij mij ter aarde,
Eens rukt zijn hand mij van den stengel af,
Eens sluit hij me in het duister graf,
En ik herkiem, een zaad van eedler waarde.

Bij d'Oogsttijd ligt die kiem in mij verborgen,
Die kiem van bloei en eindelooze kracht:
Dan vel me, o Dood! Na korten nacht
Volgt immers licht, volgt immers de eeuwge morgen.

't Zal Oogsttijd zijn... Welk denkbeeld doet mij beven?
Eens rukt zijn hand mij van den stengel af,
Dan... zou hij me ook, als nutloos kaf,
't Verslindend vuur te grage prooie geven? –

't Zal Oogsttijd zijn! – o Denkbeeld, dat nu beven
En siddren doet, dan troost in leed en smart,
o Blijf steeds leven in mijn hart,
o Blijf bij mij, wat me immer moog begeven.

't Zal Oogsttijd zijn! Nu dient de kiem geschoten;
Een korte poos... reeds is de zicht gewet:
Het kaf wordt aan een zij gezet,
En 't nieuwe zaad schiet jonge, frissche loten!

H. A. MEIJER

AAN DEN OCEAAN

Rol vrij uw tuimelende baren,
Gij magtige oceaan! toekomstig vaderland!
Stuw vrij van oost naar westerstrand
De ontzaggelijke waterscharen.
Uw statig golvend pad is 't eenig pad op aard,
Dat voor geen schepter bukt, door menschlijk' arm geslingerd,
Waarheen 't verdelgend reuzenzwaard
De drieste dwinglandij, met bloedig loof omwingerd,
Niet reikt. De zoon des stofs noem zich in ijdlen naam,
De Heer der schepping, gij bespot zijn magtloos woeden;
Moog zijn vernielende arm heel de aarde in ketens slaan,
De grenspaal van zijn magt, is de oever van uw vloeden.

Hij moog met onweerstaanbre kracht
Den tempel der natuur vernielen:
En ongevoelig voor zijn pracht,
Wat in zijn omtrek leeft ontzielen,
En waan zelfs uw geweld te teuglen op zijn kielen:
Gij trotst en fnuikt zijn magt.
Gij rolt zijn trotsche koningsvloten,
Wier zijden, zwanger van den dood,
Uw stranden siddren doen, als brooze visschersbooten,
Te zaâm in uw onpeilbren schoot.
En zelfs de tijd, wiens vuist geslachten op geslachten
Van de aarde wegvaagt, rotsen scheurt en bergen sloopt,
't Heelal met puinen overhoopt,
Spilt vruchteloos op u zijn krachten.
Van 's werelds eerste stonde af aan,
Zaagt ge aan uw overheerde stranden
Het worden, bloeijen en vergaan
Der glorierijkste vorstenlanden.
Gij zaagt den diepen val van Suza's wereldkroon,
En Hellas strijdbanier op haren puinhoop blinken;
Gij zaagt voor d'achtbren voet van Rome's fieren zoon
Trotsche Alexanders kroon in 't stof der graven zinken.
Gij zaagt 't Kolossusbeeld der grootsche Tyberstad,
Dat in zijn' magtig' arm de wereld hield omvat –
Door 't lot geveld, wie naar den schepter durfde dingen;
Ge aanschouwdet de ebbe en vloed der aardsche wisselingen.
En gij? Nog rolt ge uw golf, gelijk de schepping 't zag,
Bij 't eerste morgenrood van haar geboortedag.
Ja, onveranderlijk dezelfde
Blijft ge immer, wat gij waart en zijt,
Het beeld van 't eeuwige in den tijd,
Sints 't firmament u overwelfde;
En onverbidlijk als de dood,
Acht ge aanzien, schatten noch bevelen;
Des helden kunstelooze boot,
Als trotsche Armada's zeekasteelen.
En toch – 't is grootsch langs uwe baan
Den wereldkring in 't rond te streven,
En onverschrokken pal te staan,
Daar, waar uw woede 't al doet beven.
En schoon voor uw geweld de zoon der aarde ook zwicht,
Dat vrij zijn overschot in 't golvend doodsbed dale,
Geen held – schoon ook zijn naam op 't duurzaamst marmer prale,
Dekt grootscher grafgesticht.

THEODOOR VAN RIJSWIJCK

DE JAERGETIJDEN DES LEVENS

Koestrend daelt het lenteweder
Op het lagchend aerdryk neder,
Maer kortstondig is zyn duer;
Want de zomerzonnestralen,
Nydig op 't onschuldig pralen,
Deden haest en bosch en dalen
Als verschroeijen door haer vuer.

Dan, de harfst die buldrend nadert
Zweept het ryzende gebladert
Cirkelvormig door het dal:
Maer de winter dra verschenen
Jaegt het najaer voor zich henen.
En de regens worden steenen,
En de wateren kristal.

Schouwt de naekte velden over,
Vraegt naer kruiden, bloem en loover.
Zoekt naer zoompjes zacht bemost:
Blikt de pleinen over enden,
Alles, waer ge 't hoofd zult wenden,
Heeft het baerkleed om de lenden,
Is in 't aeklig wit gedost.

Vrienden! zoo vergaet het leven,
Als het lentegroen der dreven
Voor de heete zomerstrael:
Als de ruwe octoberschokken
Voor de kille wintervlokken,
Wordt het leven voortgetrokken,
Worden wy eens oud en kael.

Komt dan, vrienden en vriendinnen,
Laet ons 't jeugdig leven minnen,
Trots de keering van het lot;
Laet ons 't heil der lente smaken,
En, als harfst en winter naken,
Zal ons hart zich nog vermaken
By 't herdenken aen 't genot.

W. J. VAN ZEGGELEN

AAN DUIFJE IN DE TAVEERNE

Duifje moet de naald weer rusten?
  Zijn de doekjes afgezoomd?
Of hebt gij van stille lusten,
  Van eene andre taak gedroomd?
Pronkstertje, wier blinkend huifje
  In de kastelnij niet voegt,
Stemt u 't hart zachtmoedig, *Duifje?*
  Maakt de bierwalm u vernoegd?
Zou 't u licht niet beter passen
  Als gij 't huiswerk hadt aanvaard,
Dan bij vleien en bij brassen
  U te voegen naar den waard?
Duifje steun niet op je krachten:
  Vriendlijk is niet altoos wijs;
Die zich vrij van wanklen dachten
  Stonden somtijds op glad ijs.

J. D. COURTMANS-BERCHMANS

AEN LIER

Verdwyn! o schim van leed en lyden,
Verdwyn voor 't beeld van heil en rust;
Myn ziel is afgemat van stryden,
En hygt naer nieuwen levenslust;
'k Heb 't oord, waer de Almagt my ontwekte,
De vriendschap my ten steun verstrekte,
In luid geween, vaerwel gekust.

Haest is myn treurge reis voltrokken:
Ginds ryst myn woon in 't blauw verschiet;
'k Hoor reeds 't geluid der tempelklokken
Ten hemel stygen als een lied;
By dier gewesten vrolyk naedren,
Snelt 't bloed my bruisender door de aedren;
'k Verstom voor 't geen myn hart geniet.

Ik groet u juichend in de verte,
Myn reeds zoo overdierbre stad!
Uw aenblik stuit myn zielesmerte,
Schoon ik nog nooit uw grond betrad;
De Heer heeft my tot u gezonden;

Myn vreugd is reeds aen de uw' verbonden;
Uw heil is thans myn grootste schat.

'k Verkreeg 't geen ik my dorst beloven,
Waer ik, in martelend geduld,
Om bad; het vloers is weggeschoven,
Waermeê de toekomst scheen omhuld;
De hoop schynt me alles weêrtegeven;
'k Voel me in een nieuwen kring herleven;
Weêr is myn ziel met hoop vervuld.

O toekomst, wil my niet misleiden,
Uw schoone schyn bedrieg' my niet;
Van 't dierbaer Vlaendren afgescheiden,
Bezweek ik haest door zielsverdriet;
Heb meêly met die jonge schapen,
Die ge op myn moederborst ziet slapen,
Of om myn heup geslingerd ziet.

Neen, 'k wil my langer niet bedroeven,
De Algoede ziet ze van omhoog;
Hy zal hen langer niet beproeven;
Hun wang, nog nauw van tranen droog,
Zal 't merk van heilgen vrede dragen;
Hun onschuld zal den Heer behagen,
Die 't hart doorblikt met liefdryk oog.

O God! gy die my schiept tot moeder,
Wiens liefde my die kindren gaf,
Blyf door die liefde my ten hoeder,
En wend ze nimmer van hen af;
Laet ze ook hun moeder niet begeven.
In Vlaendren glom haer 't licht van 't leven;
In Braband vind' zy 't stille graf.

J. P. HASEBROEK

DIEPE ZEE

Daar is in 't West een zee, zoo klaar van stroomkristal,
Dat men er in de diepte een ganschen hof ziet bloeien,
Een bosch van planten, waaraan purpren bloemen gloeien,
Daartusschen 't schubbig heer, een ongeteld getal.

't Is of men met een greep dien tuin beroeren zal...
Of tusschen hem en u geen diepe waatren vloeien!

't Is louter zinsbedrog. De lusthof moge u boeien,
't Genot is u ontzegd: de aanschouwing is het al!

J. P. Hasebroek

Herinn'ring voert u in haar lichte kiel langs stroomen,
Waarin gij op den boôm een gaarde bloeien ziet:
Het zijn de bloemen van uw Jeugd, die u verliet;

't Zijn 's levens zoetheên, u na kort genot ontnomen.
Gij wilt ze grijpen,... wilt ze plukken... ijdle proef!
Het leven geeft niet weêr, wat eens zijn stroom begroef!

F. H. GREB

DE VRIENDEN VAN WELËER

Spreek met zachtheid, spreek met liefde
Van de vrienden van welëer,
Schoon hun koelheid soms u griefde,
Stierf de vreugd ook van 't verkeer.

Nimmer was een menschenleven
Zonder vlek, of droef gemis:
Wil dus andrer schuld vergeven,
En vergeet – wat menschlijk is.

Wat toch zegt het, dat ons harte
Een' beproefden vriend bemint,
Een, wiens trouw, in vreugd of smarte,
Tot het eind in krachten wint?

Maar, moet gij het eens verklaren:
„Geen der oude vrienden bleef!"
Denk, wat zij u vroeger waren,
En vergeet niet – maar vergeef!

S. J. VAN DEN BERGH

DE BLINDE VAN JERICHO

Daar zat hij weêr op de eigen plek,
Waar hij sints jaren daaglijks zat,
En ter bestrijding van gebrek
Een needrige aalmoes bad,
Van dat de zon het golvenbed
Ontstijgt van 't meir Genézareth,

Tot dat de zilverblanke maan
Heur hoornen op doet gaan.

Maar wien heur schoon ook streelen moog,
En wie heur glans verkwikking bied,
Geen enkle straal verlicht zijn oog:
Hem boeit de schepping niet.
Van moeders borst een hulploos kind,
Van d'eersten levensmorgen blind,
Wat is den man het leven waard
In 't Paradijs der aard?

Hij ziet de duizend wondren niet,
Waar Palestina roem op draagt,
Waar iedre plek van dat gebied
Van 's Heeren trouw gewaagt,
Waar iedre stroom Gods eernaam meldt,
Waar iedre berg Gods roem vertelt,
Waar iedre stad Gods wondren roemt
En Hem haar Redder noemt.

Ach, nooit bestond er voor Zijn oog
De heilge berg van Abraham,
De rots, waar God eens van omhoog
Zijn wetten schreef in vlam,
De trotsche vloed niet der Jordaan,
Die, droog, zijn voorzaat dóór mocht gaan,
Geen Karmel, waar Jehova sprak
En Baäls trots verbrak!

Nooit voor zijn blik de heilge stad,
Waarin des Heeren Arke staat,
Waar 't volk, als 't God om uitkomst bad,
Steeds redding vond en baat,
Zijn woonstad niet, wier sterke wal
Eens inviel voor 't bazuingeschal,
En zelfs de palm niet, die hem hoedt
Voor d'Ooster-zonnegloed!

Hij zette er zich in de uchtendstond
Weêr neder op 't bedauwde gras,
Maar dieper in de ziel gewond
Dan hij het immer was:
't Was juist dees morgen veertig jaar,
(Wat viel hem die herinring zwaar!)
Dat hem het leven wel ontving,
Maar 't oog niet open ging.

En toch – hij vloekte niet zijn lot,
Dat hem zoo weinig vreugde bood,
Maar dankbaar loofde hij zijn God,
  Die deksel gaf en brood,
Die hem een knaap geschonken had,
Ten trouwen leidsman waar hij trad,
En dat hem 't zoet geloof bewoog:
  „Eens zie ik God omhoog."

Maar hoor – terwijl dat zoet gevoel
De tranen droogt, zoo pas geschreid,
Daar breekt een dof, verward gewoel
  Op eens zijne eenzaamheid.
Hij luistert, met verscherpt gehoor:
't Gedruisch treft meer en meer zijn oor,
En 't is of hij een schare ontdekt,
  Die langs hem henen trekt.

„O, 'k bid u, zeg wat hier geschiedt?"
Dus vraagt hij een met smeekend woord,
Maar wien het gold, verstond hem niet:
  Dien joeg de drift reeds voort.
Een tweede vraag – geen antwoord nog,
En gaarne wist de blinde 't toch –
Een derde vraag en nu ontvangt
  Hij 't antwoord, lang verlangd.

„De Nazarener Jezus gaat
„Hier langs naar Jericho,"
En nooit zoo lang deze aard bestaat
  Was daar gewenschter boô.
Daar rijst op eens hem voor den geest,
Dat Jezus kranken steeds geneest,
En hoe die Godsman en Profeet
  Zelfs dooden leven deed.

En eensklaps klinkt op luiden toon,
Die 't oor vermoeit der woeste rij,
„O Heere Jezus, Davids zoon,
  „Ontferm U over mij!"
Een enkele uit dien breeden stoet,
Die aanwast daar hij verder spoedt
Zegt op dien kreet hem koel en straf:
  „Laat van dat roepen af!"

Maar hij, van 't zoetst geloof doorblaakt,
En door de kracht der hoop gevoed,

Hij vraagt niet of ze 't in hem wraakt,
En of de menigt woedt; –
Hij, die kán redden – Hij is daar.
En weêr verneemt geheel de schaar:
„O Davids Zoon, ga niet voorbij,
„Ontferm U over mij!"

En Hij, die hoort wie tot Hem vliedt
En op Hem bouwt in elken nood,
En uit het duister licht gebiedt,
En leven uit den dood,
Hij, die bestond eer de aard bestond,
En neêrdaalde op het waereldrond,
En mensch werd in dit dal van schuld
Van zondaarsmin vervuld, –

Hij hoort die beê, der ziele ontlokt,
Die ieder met hem uiten wil,
En, diep geroerd en diep geschokt,
Staat Hij op eenmaal stil,
Beveelt dat men hem tot zich draagt,
Die zóó om Jezus' deernis vraagt,
En Hem op ongeveinsden toon
Erkent als Davids zoon.

En daadlijk snelt met rassche schreên
Een aantal naar den arme voort,
En keert met hem naar Jezus heen,
Door blijde drift gespoord.
En naauwlijks staat hij voor 't gezicht
Van 's waerelds Kracht, van 's waerelds Licht,
Of Jezus spreekt den blinde toe:
„Wat wilt gij, dat ik doe?"

En nu – bemoedigd door dat woord,
Dien toon, zoo liefdevol en zacht,
Als de aarde nimmer had gehoord
Van menschelijk geslacht,
Strekt hij zijn armen tot Hem uit,
Valt hem te voet en stamelt luid:
„Gij kunt het, ja, en nog veel meer:
„Och, maak mij ziende, Heer!"

En zie – in al Zijn majesteit,
Omgolfd door al Zijn Godlijk schoon,
En toch het oog vol minzaamheid,
Staat daar des Menschen Zoon.

Zijn blik daalt op den blinde neêr;
Hij spreekt vol waardigheid en teêr:
„Word ziende, gij die 't woord vertrouwt;
„'t Geloof is uw behoud."

Daar valt de schel hem van het oog,
Die stervend leefde en wakend sliep:
Hij ziet de zon, den hemelboog
En Hem, die 't licht hem schiep.
Eén zintuig leeft alleen in hem:
Hij hoort, noch voelt en heeft geen stem,
Maar in het oog, hem opgedaan,
Weêrspiegelt traan bij traan.

Dan eindlijk wordt de tong hem los,
Die eerst voor altijd scheen geboeid,
En voor den man der wondren Gods
In dankbaarheid ontgloeid,
In dankbaarheid, waar nooit zijn hart
Op aard nog van bewogen werd,
Werpt hij zich aan Diens voet in 't stof
En smelt er weg in lof.

Die lof weêrklinkt op luiden toon:
„De Heer heeft naamloos welgedaan!
„De nacht ontweek mijn oog – het schoon
„Der schepping lacht mij aan.
„Hij wenkte – en zie – de sluier viel,
„Hij sprak – en 't licht doordrong mijn ziel,
„'k Verheerlijk Hem tot aan mijn dood;
„De Heer is goed en groot!"

En heel de schare juichte luid:
„Geloofd die kwam uit Nazareth,
„Die blindgeboornen 't oog ontsluit
„En van den dood zelfs redt.
„De Heer is God en niemand meer;
„Hij zendt zijn volk Profeten weêr,
„Hij waakt nog over Isrêls lot:
„De Heer alleen is God!"

NICOLAAS BEETS

LIEFDE

Liefde lokt een zoet geluid
Uit de dwarsche herdersfluit,

Lacht de lieve vrede;
Klinkt de schorre krijgstrompet,
Op het brieschende genet,
't Pantser aan, en 't krijgshelmet
Op de blonde lok gezet,
Trekt ze strijdwaart mede.

In de feestelijke zaal
Blinkt zij in haar blijdste praal,
Regelt scherts en zangen;
Waar de meiboom is geplant,
En de landjeugd, hand aan hand,
Omspringt naar den boerschen trant,
Naakt zij met haar rozenband
Huppelt ze in de rangen.

Zij regeert op 't blijde veld,
Zij in 't woelig krijgsgeweld,
Zij in 't hofgewemel;
Sedert 's werelds eerst begin
Voerde zij haar wetten in;
Ze is gedaald van hooger tin;
Enkel hemel is de min,
Enkel min de hemel.

BIJ EEN KIND

Wat slaapt het zacht, op 't blauwsatijnen kussen,
't Onschuldig kind in 't derde levensjaar!
Hoe geestig dringt zich 't poezel handje tusschen
't Azuur der zijde en 't goud van 't vochtig haar:
Wat schuilt er glad een voorhoofdje in die lokken;
Hoe kleurt de slaap die wangen gloeiend rood,
En heeft, als hij het mondje half ontsloot,
De kleine lip ten glimlach opgetrokken!

O, laat me een kus op 't mollig knietje geven,
In argloosheid en eenvoud blootgewoeld!
Gij zult toch niet ontwaken, als gij 't voelt?
De slaap is vast in 't derde jaar van 't leven.
Daar komt een tijd als geen vermoeidheid baat
Om 't brandend hoofd in sluimering te sussen,
Wanneer de rust de valsche peluw haat...
Maar gij slaapt zacht op 't blauwsatijnen kussen.

Gelukkig kind; ik wenschte als gij te zijn!...
Gij wenscht nog niets in droomen noch in waken;
Maar eenmaal zult gij dwaze wenschen slaken,
Als andren u vergapende aan den schijn.
O, 't is nog niet op dit gelaat te lezen,
Maar nog een viertal jaren, en gij ziet
Benijdend op tot wie volwassen hiet.
Lief kind! dat zal uw eerste dwaasheid wezen.

Volwassenen, ja! weten wie zij zijn;
Die kennis dwingt tot schreien hen of blozen.
Gij kent geen blos dan der gezondheid rozen;
Van tranen voelt gij 't vocht, maar niet de pijn,
Gij weet nog niets, begrijpt nog niets, ziet de aarde
Verwonderd, maar met gretige oogen, aan,
En gist niet, hoeveel vreugd u zal vergaan,
Zoo ras voor u dat raadsel zich verklaarde!

Uw vader gaat gebukt van stille smart;
Uw moeder weent bij 't doodsbed van haar moeder;
De dorst naar eer verslindt uw oudsten broeder;
Bedrogen hoop verteert uw zusters hart;
Die 't brak, vergaat van wroeging niet te sussen;
En ik, die bij dees rustbank nederkniel,
Beschrei de zwak-, de krankheid van mijn ziel...
Gij!... slaapt nog zacht op 't blauwsatijnen kussen.

Gij droomt misschien een blijden kinderdroom.
Wij droomen – kind! wij droomen als wij waken,
Opdat wij ons den slaap onrustig maken;
Opdat de zorg ons pijnige en de schroom.
En wij zijn zóó van boosheid als doordrongen,
Dat in den slaap de zonde ons niet verlaat,
Dat we in den droom nog dienaars zijn van 't kwaad!
Gij weet nog niet wat kwaad is, lieve jongen!

En allen toch zijn wij als gij geweest;
En toen wij ook zoo schuldloos nederlagen,
Toen konden zij niet gissen, die ons zagen,
Wat eenmaal om zou gaan in onzen geest;
Wat beker ons Gods wijsheid in zou schenken;
Hoe onze hand dien beker nemen zou;
En of wij, in beproevingen en rouw,
Aan Hem of aan de Wereld zouden denken!

Gij, zult gij nooit, als stugge of woeste knaap,
Hen grieven, die u 't leven, alles gaven?

Als jongling aan geen hartstocht u verslaven,
  Die u de deugd zou rooven, met dien slaap?
Nooit schandlijk vuur in stinkend water blusschen?
  Geen heilig God verloochnen in uw hart?
  Wat wacht u? Schuld met weelde, of deugd met smart?
Nog slaapt gij zacht op 't blauwsatijnen kussen.

  O, Dat u leed en wroeging zij gespaard!
Dat de aarde u nooit den hemel moge ontrooven!
Dat bidt mijn hart voor u van God hierboven,
  Met haar, die u in smarte heeft gebaard.
Leer zelf reeds vroeg te bidden, in de jaren
  Van stil geloof en opgewekt gevoel,
  En leer het nooit vergeten, in 't gewoel
De wereld, die geen middelen zal sparen!

Eens zal de dood de vonk van 't leven blusschen,
  Dat gij in vreugde en argloosheid begint:
  Wel u, indien gij 't sterfbed zalig vindt,
En harder niet dan 't blauwsatijnen kussen,
  Waarop ik u zag sluimeren als kind!

JANTJE

Jantje kwam
Van Amsterdam.
Veel had Jantje te vertellen;
  Jantje was zoo machtig wijs,
Dat zijn borstje scheen te zwellen,
  Of hij kwam van 't paradijs.

Jantje droeg
Vast moois genoeg:
't Was een jasje van fijn laken;
  't Was een hoedje, rijk van glans;
En hij dacht jaloersch te maken
  Al de vrijers, al de mans.

Jantje zag
Met witten lach
Neer op al de boerenmaagden;
  'k Wed, dacht Jantjen in zijn waan,
Dat zij allemaal me vraagden,
  Mocht een meisje uit vrijen gaan.

Jantje keek
Een heele week,
Of ze niet verliefd en werden;
Maar niet een, wie 't overkwam.
Toen zij zich aldus verhardden,
Werd het wijze Jantje gram.

Jantje had
Altijd in stad
Malle praatjes kunnen slijten;
Maar toen Jantje 't hier begon,
Zag hij, tot zijn innig spijten,
Dat hem dat niet baten kon.

Wat deed Jan
Ten leste dan?
't Beste was naar steê te keeren.
Al de meisjes trouwden wel,
Maar met minder wijze heeren;
Jantje bleef een vrij gezel.

ZAANSCH LIEDEKEN

Het IJ is breed, de Zaan is breed:
Wie wil de Zaan bevaren?
De meisjes zijn er net gekleed
Zooals voor honderd jaren;
Haar oogen blauw en blank haar vel:
Ik mag de Zaansche meisjes wel.

Het IJ is breed, de Zaan is breed:
Wie wil de Zaan bevaren?
Men vindt er molens bij de vleet,
En rijke molenaren;
Maar wie de slanke dochters ziet,
Denkt aan de dikke molens niet.

Het IJ is breed, de Zaan is breed:
Wie wil de Zaan bezoeken?
Czaar Peter droeg er 't ambachtskleed
En at er pannekoeken;
Maar 't heeft hem levenslang berouwd,
Dat hij geen Zaansche had getrouwd.

VERWACHTING

Van der bergen steile wanden
Storten, met luidruchtig klateren,
Met een onverduldig branden,
Met onwederhoudbren val,
Alle Wateren
Zich in 't dal;
Daarop scheiden
Zich de vloeden,
Om de landen door te spoeden;
Daarop spreiden
Zich de stroomen,
Langs verscheiden
Bed en zoomen;
Daarop breken
Honderd beken,
Met een daverend geluid,
Haastig uit;
Zij doorkruisen
Zonder rust
Alle streken,
Iedre kust,
Zij doorbruisen
Alle landen,
Zij bereiken alle stranden,
Zij doorvorschen alle hoeken:
Om den God der aard te zoeken.
En de vlammende Gloed
Treedt, zooras hij ontwaakt,
't Lage dal, waar hij blaakt,
Met den vurigen voet,
En schiet lijnrecht omhoog
Naar den oppersten boog;
En zijn hoornige kop,
Immer hooger gestrekt,
Scheurt het wolkenkleed op:
Of hij den Heer van den Hemel ontdekt.
En de Aarde schaart, als stille wachten,
De reuzenbergen op hun post,
Door jaar- noch eeuwkring afgelost,
Wier kruinen ijs en sneeuw bevrachten.
Zij zien op, zij zien uit,
Naar het Oost, naar het West, naar het Noord, naar het Zuid
Bij dagen,
Bij nachten,
Bij stormen, bij stilte, bij bloei, bij verval:

En vragen
'T Heelal,
Of de groote Wereldrichter dan niet eindlijk komen zal!

ZANGDRIFT

Hoe woelt de poëzij
In mij,
En haakt aan 't licht te komen;
Als in 't gebergte een volle bron,
Begeerig naar den glans der zon,
Begeerig uit te stroomen!

Hoe voel ik mij omringd,
Omkringd,
Door beelden, geesten, schimmen
Van schoonheid, liefde, waarheid, kracht,
Me omzwevende in een halven nacht,
Waaruit een dag wil klimmen!

Hoe ruischt mij koor op koor
In 't oor,
Verlokkend en ontroerend!
Hoe zoet weemoedig is het mij,
Als ware een stroom van melodij
Mij op zijn golven voerend;

Als hoorde ik in 't verschiet
Een lied,
Dat hart en zin mocht kluisteren;
Een nieuw gezang, dat niemand zong,
En dat de gansche wereld dwong
Tot opgetogen luisteren!

Mijn vrienden, neen! geen lust,
Maar rust
Ontbreekt den armen zanger.
Hem kwelt een lang getergde dorst
Naar poëzij, zijn moede borst
Is van gedichten zwanger.

Geeft de onbezorgde vreugd
Der jeugd,
Haar zoete mijmeringen,
In schaduw van 't aloud geboomt,
Of waar, van munte en tijm omzoomd,

De rimpelende duinbeek stroomt,
Hem weer – en hij zal zingen.

NAJAARSLIED

Ik ken geen schooner kleuren
Dan die van 't Hollandsch bosch,
In bruinen najaarsdos;
Ik ken geen zoeter geuren,
Dan die uit droge mos,
Uit geelroode eikenbladeren
En varenkruid dat bloeit,
Mij op het koeltje naderen,
Dat met mijn lokken stoeit.

Ik ken geen schooner zangen
Dan vink en lijster slaakt,
Bij 't morgenlicht ontwaakt,
Eer hen de strikken vangen,
Door al wat zingt gewraakt;
Den wildzang uit de twijgen
Met vochtig rag omstrikt,
Dat, als de dampen stijgen,
Met perels blijft bestikt.

Ik ken geen schooner luchten
Dan waar de herfst meê praalt,
Als 't zonlicht nederdaalt
En dorpen en gehuchten
In goud en kleuren maalt.
Dan rijzen blanke rotsen
En donkre bergen op,
Begroeid met ruige bosschen,
Verguld aan rand en top.

Dan spelen alle verven
Dooreen met stille pracht,
Tot dat ze, schoon en zacht,
Versmelten en versterven,
En zeggen: „Het wordt nacht!
Weer is een dag vervlogen;
Welhaast een jaargetij;
Een jaar gaat voor uwe oogen,
Gelijk een damp voorbij."

Had ik uw adem, Nachtegalen!
Uw zilvertoon,
Langs alle heuvlen, alle dalen,
Zou ik uw smeltend lied herhalen,
Zoo vol, zoo schoon!

Ik prees dien God in mijn gezangen,
Die veld en woud
Weer 't groene kleed heeft omgehangen,
Na zoo veel maanden van verlangen
Zoo blijde aanschouwd.

Ik zou dien grooten Schepper loven,
Die, ongezien,
Zijn troon gevestigd heeft daar boven,
En wien de bloempjes onzer hoven
Hunne offers biên.

Mijn zangtoon zou des morgens stijgen,
En 's avonds laat;
Met u, zoude ik des nachts niet zwijgen,
Daar 't maantje, glurend door de twijgen
Ons gadeslaat,

En 't oog dat nimmer wordt gesloten
Dat alles ziet,
Den kleinen zanger en den grooten,
Wier lofgezangen samenvloten,
In gunst bespiedt.

Mijn lied zou vrome zielen treffen,
Daar 't woorden gaf
Aan wat zij kennen en beseffen,
En logge geesten opwaart heffen
Uit stof en draf.

Ik ware een priester in dien tempel,
Die thans alom
Van liefde en almacht toont den stempel –
Nu zink ik zwijgende op den drempel
Van 't heiligdom.

„De moerbeitoppen ruischten;"
God ging voorbij;
Neen, niet voorbij, hij toefde;
Hij wist wat ik behoefde,
En sprak tot mij;

Sprak tot mij in den stillen,
Den stillen nacht;
Gedachten, die mij kwelden,
Vervolgden en ontstelden,
Verdreef hij zacht.

Hij liet zijn vrede dalen
Op ziel en zin;
'k Voelde in zijn vaderarmen
Mij koestren en beschermen,
En sluimerde in.

Den morgen, die mij wekte
Begroette ik blij.
Ik had zoo zacht geslapen,
En Gij, mijn Schild en Wapen,
Waart nog nabij.

J. A. DE LAET

AAN EEN VRIEND

Geheugt het u hoe we eens in vroeger dagen,
Met lichten voet, vriend lief, en hand aan hand,
De doffe stad verlieten om op 't land
Langs de oosterkim den morgen zien te dagen?

Geheugt het u dat wij dan 't leven zagen
Als 't lieve veld met bloemen rijk beplant,
Bij zonnegloed bestraald en niet verbrand,
Van regen frisch en niet van onweêrsvlagen?

Toen wisten wij, wij gulle droomers, niet
Hoe luttel den ontwaakten overschiet,
Hoe vaak de slang zich schuil houdt onder bloemen,

Hoe vaak de zon het dorstig veld verschroeit,
Hoe soms het kleinste wolkje 't onweer broeit,
Wat ijdelheid wij hier als leven roemen!

J. A. de Laet

W. J. HOFDIJK

DE BOUWVAL

De laatste glimp van 't avondrood
  Vloeit langs den strakken muur,
En schuchter duikt de maanschijf op
  Aan 't bleek en fijn azuur.

Wat wekt ge, sombre steenkolos!
  Die van uw glans verviel,
En eenzaam op de rotspunt rust,
  Wat wekt gy in mijn ziel?

Versteende stem van vroeger tijd!
  Wat spreekt gy tot mijn hart,
En wekt er droevige echoos op
  Van weedom en van smart?...

't Is van een vroeger lustpaleis
  Zelf sombre puinhoop thands,
En slechts herinrings avondrood
  Omvloeit het nog met glans.

P. F. VAN KERCKHOVEN

LIEFDES UER

Schuitje, dobber zachtjes voort,
Voer my naer dit eenzaem oort,
Waer in groene frische dreven,
Door den zomergeur omgeven,
Niets de kalme ruste stoort.

Schuitje, dobber, dobber zacht;
Weldra zendt de koele nacht
Zyne frische schaduw neder,
En de nachtegael zingt teder
Zyne zoete minneklagt.

P. F. van Kerckhoven

Weldra zal de zilvren maen
Aen den starrenhemel staen,
En het ondoordringbaer donker
Zal voor 't zacht en lief geflonker
Der vorstin des nachts vergaen.

Zielbetoovrend is die stond;
Dartel, zefir, dartel rond,
Meng uw zuchten by 't geklater
Van het kabbelende water,
Dartel, zefir, vry in 't rond.

Zie de schaduw daelt reeds neêr
Op het spieglend kalme meir,
Rykgetint door duizend kleuren,
En der waetren frische geuren
Klimmen telkens meer en meer.

Alles ademt ruim en vry,
Alles spreekt van melody;
En de beekjes, die daer bruisen,
En de windjes, die daer ruischen,
Maken deel der harmony.

't Zonnevuer is thans gebluscht,
Gansch het aerdryk haekt naer rust;
Door de schaduw overtrokken,
Voelt het zich ter sluimring lokken,
Door natuer in zwym gekust.

Zachte sluimring der natuer,
Gy verkondigt my het uer,
't Uer der heilge, reine liefde
Die my eens den boezem griefde
En nu streelt – het hemelsch uer!

Schuitje, vlieg nu, vlieg nu voort,
Toover my in 't eenzaem oort,
By die frische hooge linden,
'k Zal er thans myn meisje vinden:
Trouw en heilig is haer woord.

J. J. L. TEN KATE

HET BESTE DEEL IS MEER DAN VEEL

Niet naar veel te jagen,
Stil zijn kruis te dragen
  In des Heeren kracht:
Dát doet starren stralen
  In den zwartsten nacht,
Dát een hemel dalen,
  Waar de vrede lacht!
Vader van genade!
Sla mij vriendlijk gade,
  Sterk mij tot mijn plicht!
Naar des Levens kusten
  Zij mijn voet gericht,
Tot ik uit mag rusten
  In Uw Sabbatslicht!

MULTATULI

GRAFSCHRIFTEN VOOR THORBECKE

II

Wandlaar die me hier begraven ziet,
Als 't sterven 'n kunst was, dan lag ik hier niet.

XX

De man die hier begraven leit,
Stak uit in onuitstekendheid.

XXII

Leert dit van my, o mensen, leeft broederlyk onder elkander:
Partyhaat is 'n afschuwelyk ding... in 'n tegenstander.

LXXIV

Wie de juiste maat van m'n grootheid wil weten,
Moet de lui meten die me naar hun maat hebben gemeten.

CII

Nageslacht, ik waarschuw je! Alles saamgenomen,
Hoort er 'n brutale courage toe, na my ter wereld te komen.

J. A. ALBERDINGK THIJM

WERELD-WARSCHHEID

Sterk, sterk mij, Heer, in 't hopen op den hemel:
Hier is de helste glans een nevlige avondschemel;
De stoutste poëzij een zinloos, dwaas, geremel;
De reinste liefde een wufte gloed;
O maak mij los van de aard; maar geef mij moed en krachten
't Verlangde scheidingsuur in ootmoed af te wachten
En uwen wil te doen in voor- en tegenspoed!

OPDRACHT AAN JOOST VAN DEN VONDEL

Aan u mijn werk – de zes-en-dertig jaren,
  Die God mij gaf te sloven in mijn staat.
Drie eeuwen zijn in d'oceaan vervaren
  Der eindloosheid, sints in een Keulsche straat
Uw ster verrees, wier glans mij zou bewaren
  Voor laffen weemoed, zoo ik, zonder loon,
Dus lang mijn kracht gebruikt, verspild zoû hebben,
  En, in den dienst van 't Godgetrouwe Schoon,
Niets spon dan broze en licht verstoorde webben.

Verslingert aan aeloude treurtooneelen,
  Zijt gij, ook gij, uw eigen weg gegaan.
Bij 't schildren van mijn vele kunstpaneelen,
  Zag 'k steeds uw beeld verheffend voor mij staan.
Mijn laatste kracht wil ik u toebedeelen.
  Mijn vader, bid voor mij van God dan af
Wat licht, wat moed, en vijf, zes vruchtbre jaren
  Waarin 'k hergeef, wat ons uw Dichtkunst gaf,
Toorts, die ons bij Gods Waarheid moog bewaren!

Als 'k aan U denk, vult zich mijn oog met tranen.
  Drie eeuwen hebben vruchteloos gesmeed
Aan 't volksmetaal... Wat onze tijd moog wanen,
  'k Zie geen vooruitgang, want m' ook kenne en weet!
Charakters zijn 't, die nieuwe wegen banen!
  Geen fyzika, die volkskracht rijpen doet.
Vraag, bij 't geloof, voor ons, uw late kindren,
  Wat zelfbesef, wat fierheid op ons bloed!
Het hoofd omhoog, dat wij niet staâg vermindren,
  Waar ons 't Geloof tot Ridders aadlen moet!

JAN VAN BEERS

WANNEER IK SLAPEN ZAL

Wanneer ik slapen zal in 't graf,
IJskoud, zwijgend, onbewogen,
In mijne doodkist vastgeschroefd,
Van eeuwig-donkeren nacht omtogen;

En, als daar boven, in 't lentelicht,
Bloemen en bladeren weer ontspruiten,
Wijl in den treurwilg over mijn hoofd,
De vogels van lust en liefde fluiten:

Zal er dan, in dien zonneschijn,
Bij al dat frisch opborrelend leven,
Niets meer, niets van wat ik was,
Mede genietend, mogen zweven?

En, – Vrouw! – als we eindelijk allebei,
In de eigenste groef ter rust gedragen,
Weer liggen en sluimeren zij aan zij,
Gelijk we daar boven in 't echtbed lagen;

En, als, bij zonnenondergang,
De kinderen versche bloemen brengen,
En licht daarover een stillen traan
Van liefderijk herdenken plengen;

Of, als zij treurig tot elkaar
Fluisteren: „Waar nog zijn ze te vinden,
Die op aarde, hun leven lang,
Beminnen gelijk die twee beminden?"

Zal er dan uit ons stilstaand hart
Geen vonk van d'ouden gloed ontspringen
Die, lichtend en warmend, van mij tot dij,
Van dij tot mij door 't graf komt dringen?

En, als der kinderen kinders dan,
Die lichtkroon onzer oude dagen,
Met pruilend mondjen en vochtig oog,
Bij 't huiswaartskeeren den ouderen vragen:

„Komt nu Grootva nimmer weer
Vertelsels vertellen en liedjes zingen?
En brengt ons zoete Grootmoe nooit

Meer speelgoed mee of lekkerdingen?"

Zal er dan niets meer, niets van ons
Zich mogen aan d'ijzeren nacht ontrukken,
Om op die hoofdekens, bruin en blond,
Onzichtbaar nog eenen kus te drukken?

A. J. DE BULL

JACOB VAN CAMPEN

vertoont een vriend zijn plan voor het Amsterdamsch raadhuis

Had's Bouwheers hand, die hier den passer houdt,
En voor een vriend het luistrijk plan ontvouwt
Van 't Raadhuis, in zijn geest alreê volbouwd,
De kracht ontvangen,
Tot heffing van de duistere gordijn,
Die Godes hand met wijsheid bij de lijn,
Waar 't Heden scheidt van wat daarna zal zijn,
Heeft opgehangen:

Hij waar verbleekt, en 't veelomvattend hoofd
Gezonken, en de gloed van 't oog verdoofd,
De blijde trek van 't schoon gelaat geroofd
Bij 't droef ervaren,
Hoe *gangen*, trotsch en schoon door hem gedacht,
Tot *zalen* zijn *verminkt* door 't nageslacht,
En doel en vorm, door hem tot een gebracht,
Gescheiden waren;

De *Burgerzaal* – verneêrd tot danslokaal,
De *Vierschaar* – tot een nutteloos portaal,
De vroedschap weggeweken uit zijn zaal
Voor – hovelingen!
Hoe 't Raadhuis van den fieren magistraat,
Dat nog alom 't oorspronklijk doel verraadt,
Tot een paleis, dat droevig ledig staat,
Zich zag verwringen...

En had de blik van wien daar naast hem stond,
De toekomst, als 't ontrolde plan, doorgrond –
Ook diens gemoed waar grievend, diep gewond
Hoe meer 'et gloeide
Van liefde en zin voor 't jong gemeenebest,
Na jaren strijd door eigen kracht gevest,
Naar welks trezoor de schat van Oost en West
Bij stroomen vloeide:

't Gemeenebest, dat, naauwlijks opgericht
Alreê Euroop tot eerbied had verplicht,
Den staf der zee in 't krachtig vuistgewricht
Manhaftig klemde,
En door den mond van mannen, wier verstand
Gesteund werd door een welbedreven hand,
Zich gelden liet ten oorbaar van het land,
Ja, medestemde

Aan menig hof van vorsten, groot in macht;
Adviezen gaf vol wijsheid, diep doordacht,
Traktaten schreef, geschoord door wapenkracht,
En vreêverbonden:
Hij waar gewis bestorven als een lijk
Had hij in steê der fiere republijk
Ons kleen, bezwaard en roemloos koningrijk
Terug gevonden!...

Uit droeven twist in 't harte van het land –
Partijschap, haat, alom gestookt, ontbrand –
Te duur gebluscht door Frankrijks ijzren hand –
Is 't kwaad gerezen:
Moog *des*, voor ons en voor ons nageslacht,
Het wonderwerk, 't beeld van der vaadren macht,
„Soo konstlijck van veel kostlijcks" saâmgebracht,
Nóg *raad*-huis wezen!

H. J. SCHIMMEL

TERUG-BLIK

'k Ben er wedergekeerd,
Waar mij 't eerst werd geleerd:
Min den Heer en den naaste als u-zelven;
Waar ik 't eerst, mij bewust,
Door mijn moeder gekust,
Het azuur van den hemel zag welven.

Ik herkende geen kluis,
'k Vond een vreemde in mijn huis,
En 't omsloot eens zoo veel wat ik minde.
'k Vond geen schaâuw in den tuin,
Want geknakt was de kruin
Van de aloude, van Grootvaders linde.

'k Vond geen vriend in den stoet
Die ter kerke zich spoedt,
En voorheen kende ik voornaam en have.
Maar de grijze zonk neêr,
En de knaap van weleer,
Buigt het hoofd nu als grijze ten grave.

'k Heb de rustplaats gezocht
Voor mijn oudren gewrocht,
Op den vruchtbaren akker der dooden;
Maar de plek was mij vreemd,
Want de terp werd een beemd,
Overdekt door een dekbed van zoden.

'k Hief weemoedig het oog,
Maar daar tintelde omhoog,
In heur glans door den Tijd niet te doven,
De immer vriendlijke ster
Die me als kind reeds, van ver,
Zoo vaak sprak van de woning daarboven.

HENDRIK PEETERS

ZWART IS HET DUISTER

Zwart is het duister
Waermeê 't gewaed
Van 't middernachtuer
Onze aerde omslaet.

Hecht zich de ellende aen onze schreên,
Dan is het donker om ons heen.

Maer 't diepe duister
Van 's hemels trans
Geeft aen de sterren
Meer gloed en glans.

Wanneer de ellend' by ons zich vest,
Dan kent men onze ziel het best.

C. VOSMAER

MELANCOLIA

Als men ten laatste heeft gevonden
  Waar heel de ziel naar smacht,
Dan is 't te laat, de dag verzwonden,
  Reeds valt de nacht.

Als 't kleed ons past, is het versleten,
  Als men het boek kent, is het uit,
Als men het leven komt te weten,
  Dan valt het scherm dat alles sluit.

AQUA-FORTI

Weet gij wat etsen is? – Het is flaneeren
Op 't koper; 't is in 't zomerschemeruur
Met malsche vedelsnaren fantazeeren.
'tZijn hartsgeheimtjes, die ons de natuur
Vertrouwt, bij 't dwalen op de hei, bij 't staren
In zee, naar 't wolkjen in het zwerk, of waar
In 't biezig meer wat eendjes spelevaren;
't Is duivendons en klauw van d'adelaar.
Homeros in een nootje, tien geboden
Op 't vlak eens stuivertjes; een wensch, een zucht,
Gevat in fijn geciseleerde oden.
Een ras gegrepen beeldj' in vogelvlucht.
't Is op 't gevoelig goudkleur koper malen
Met d'angel eener wesp en 't fulpen stof
Der vlinderwiek, gegloeid van zonnestralen;
De punt der naald, die juist ter snede trof
Wat in des kunstnaars rijke dichterziel
Uit fantasie en leven samenviel.

P. A. DE GÉNESTET

WEEMOED EN HOPE

Op den bodem van het leven,
  In de diepte van het hart
Rust de Weemoed
            En de Smart;
Maar de Hope rijst er neven,
  In 't geslingerd menschenhart.

Tusschen weemoed, strijd en hope
  Vliedt het leven snel voorbij:
Waakzaam, werkzaam
        Wachten wij
Dat het Raadsel zich ontknoope,
  Wat ons korte leven zij.

LIEFDE

Die ik het meest heb liefgehad, –
't Was niet de slanke bruid, met wie 'k in 't zoeter leven
Mocht dwalen op het duin en droomen in de dreven,
Wier hand mij leidde op 't rozenpad;

't Was niet de jonge en teedre vrouw,
Die, goede genius, mijn hart, mijn huis bewaakte,
Die mij het leven, ach, zoo licht en lieflijk maakte,
Met al den rijkdom harer trouw!

„Zoo was 't de moeder van uw kroost,
Die u, gelukkige, voor 't offer veler smarte,
Deed smaken, onvermengd, het reinst geluk van 't harte,
Des levens liefelijksten troost?"

Neen! – die ik 't meest heb liefgehad,
Dat was mijn kranke; 't was de moede, de uitgeteerde,
Van wie ik leven beide en hopend sterven leerde,
Toen 'k weenend aan haar sponde zat.

PEINZENSMOEDE

Daar is geen Priester
  Die Hem verklaart!
In raadslen wandelt
  De mensch op aard.

Wie 't Licht van Heden
  Ook juublend eer',
Dit licht doet smachten
  Vooral – naar meer!

Want ach, wat nevel
  Van Dwaling vlied' –
De Zon der Kennis,
  Zij schijnt hier niet.

P. A. de Génestet

Mysterie – 't leven!
  Mysterie – 't lot!
Die schepping predikt
  Geen liefdrijk God.

Natuur – wat deert haar
  Uw vreugde, uw leed?
Ze is zielloos lieflijk
  En reedloos wreed!

En Hij die allen
  Is vóórgegaan?
Liet zonder antwoord
  Ons Waarom staan!

Het eind der wijsheid
  Blijkt altoos meer;
Wij weten weinig –
  Te weinig, Heer!

Maar toch, al gloeit soms
  Mijn hoofd van smart –
In U, mijn Schepper,
  Vertrouwt mijn hart.

Niet ómdat alles
  Uw Liefde ontdekt,
Maar óndanks alles
  Dat twijfel wekt!

Trots 't onverklaarbre
  Dat huivren doet,
En 't onbewijsbre
  Der hoop, die 'k voed!

Trots ieder raadsel,
  Het Kwaad zóó groot,
De Smart zóó schriklijk,
  Trots rouw en dood.

Ja tóch, ik meene
  Dat ik Uw hand
Wel speurde in 't leven –
  Uw Vaderhand;

En dat mijn ziele,
  Ter stille nacht,

Uw stem wel hoorde,
  Zoo teêr, zoo zacht.

Na vuur en stormwind
  Zweefde ook soms mij
Schoon geen Elia –
  De Heer voorbij...

Uw starrenhemel,
  Hij trekt mijn oog, –
Als 't woord des Heilgen,
  Mijn hart omhoog!

Ik smacht, vermoeide
  Van 's levens loop –
Mijn hope is weemoed,
  Mijn weemoed hoop!

En 'k geef mij over,
  Met blind geloof,
Aan U den Vader,
Wien niets me ontroof!

Daar is geen Priester
  Die U verklaart, –
Doch U zoekt niemand
  Vergeefs op aard.

BENJAMIN-AF

Haast ben je nu niet meer Benjamin,
Dan neemt een ander je plaatsje in,
  Mijn lieve, kleine jongen!
Dan zet je moeder je neer op den grond,
Dan zegt je vader: loop heen, loop rond –
  Je wordt door een aapje verdrongen.

Haast ben je niet meer Benjamin
Dan krijg je niet altoos meer je zin,
  En moogt je fortuin gaan zoeken.
Dan eet er een ander de kaas van je brood,
Dan heerscht er een ander op moeders schoot –
  Een koninkje in linnen doeken.

Dan sta je gelijk, jij, met de andere broêrs,
En maak je spektakel, men noemt u jaloersch,
Men lacht om uw gramschap, klein wichtje!
Dan, wie er je soms nog beschermen moog –
Een ander heeft ieders hart en oog,
In spijt van je lieve gezichtje.

Ja, haast ben je niet meer Benjamin,
Je rijk heeft uit en een nieuw neemt begin,
Zoo gaat het met de aardsche rijken!
't Is goed dat je dit nu maar vroeg ondervindt:
Het loopt in de wereld niet anders, lief kind!
Dat zal je licht later blijken.

Eerst wordt ge vertroeteld, eerst ben je de man!
Maar denk je, dat het lang duren kan?
Wel neen, slechts een poosje, mijn baasje!
Dan komt er een wolkjen in 't verschiet...
Dan komt er een aapje, dat je eerst niet ziet...
Hij schreeuwt en zit op je plaatsje!

P. A. de Génestet

NIET BEZORGD

Boven mijn hoofd aan zijden draad
Slingert het zwaard al heen en weder,
't Móet vallen – vallen, vroeg of laat!
Het trilt, het velt mij neder!

Doch om mijn hoofd ook ruischt een stem,
Te midden van al mijn vreezen,
Die mij gebiedt met zachten klem,
Toch niet bezorgd te wezen.

G. H. J. ELLIOT BOSWEL

LENTELIEDJE

Daar zweeft de lieve Lente weêr
Bezielend door de dreven;
Zij daalt als uit den hemel neêr
En roept weêr de aard ten leven;
Zij tooit alom de dorre baan
Met bloemen en met kruiden,
En waait van uit het zuiden
Ons zoete geuren aan.

„Daar komt de lieve Lente weêr!"
Zoo juichen veld en akker;
Ze is gul en vriendlijk als weleer
En zingt de vooglen wakker.
De Lente is daar! de liefde kweelt!
De schepping lacht ons tegen!
De hemel drupt van zegen,
Die hart en zinnen streelt!

Daar zweeft de lieve Lente weêr
Bezielend door de dreven;
Het zaad viel om te sterven neêr,
Riep zij het niet in leven.
Zij strooit de bloesems op 't geboomt,
Zij kust de knoppen open...
En doet weêr vaster hopen
Waar stil de ziel van droomt.

GUIDO GEZELLE

O 'T RUISCHEN VAN HET RANKE RIET

O! 't ruischen van het ranke riet!
o wist ik toch uw droevig lied!
wanneer de wind voorbij u voert
en buigend uwe halmen roert,
gij buigt, ootmoedig nijgend, neêr,
staat op en buigt ootmoedig weêr,
en zingt al buigen 't droevig lied,
dat ik beminne, o ranke riet!

O! 't ruischen van het ranke riet!
hoe dikwijls dikwijls zat ik niet
nabij den stillen waterboord,
alleen en van geen mensch gestoord,
en lonkte 't rimplend water na,
en sloeg uw zwakke stafjes ga,
en luisterde op het lieve lied,
dat gij mij zongt, o ruischend riet!

O! 't ruischen van het ranke riet!
hoe menig mensch aanschouwt u niet
en hoort uw' zingend' harmonij,
doch luistert niet en gaat voorbij!
voorbij alwaar hem 't herte jaagt,
voorbij waar klinkend goud hem plaagt;

maar uw geluid verstaat hij niet,
o mijn beminde ruischend riet!

Nochtans, o ruischend ranke riet,
uw stem is zoo verachtlijk niet!
God schiep den stroom, God schiep uw stam,
God zeide: „Waait…" en 't windtje kwam,
en 't windtje woei, en wabberde om
uw stam, die op en neder klom!
God luisterde… en uw droevig lied
behaagde God, o ruischend riet!

O neen toch, ranke ruischend riet,
mijn ziel misacht uw tale niet;
mijn ziel, die van den zelven God
't gevoel ontving, op zijn gebod,
't gevoel dat uw geruisch verstaat,
wanneer gij op en neder gaat:
o neen, o neen toch, ranke riet,
mijn ziel misacht uw tale niet!

O! 't ruischen van het ranke riet
weêrgalleme in mijn droevig lied,
en klagend kome 't voor uw voet,
Gij, die ons beiden leven doet!
o Gij, die zelf de kranke taal
bemint van eenen rieten staal,
verwerp toch ook mijn klachte niet:
ik! arme, kranke, klagend riet!

ZIELGEDICHTJES

Th. S., Uurwerkmaker 1880

God geeft den tijd bij dag en jaar,
ach neen, bij kleene tikskes maar,
en 't laatste tikske komt aleer
men 't peist of weet, eilaas, te zeer!

De wijzer wijst elke uur en tijd,
maar de uur niet dat gij schuldig zijt
te sterven! Zijt dus voorbereid,
de wijzer wijst naar de eeuwigheid.

C. D. S. 1883

De mensch en weet vandage niet
wat morgen hem kan bringen,

noch hoe, noch waar de felle dood
hem in den weg zal springen.

Gevreesde dood, hoe onbereid
moet gij er velen treffen,
die sterven, en wat sterven is
ach, nauwlijks en beseffen!

Zij wist en zij besief het wel,
die trachtte alzoo te leven
dat zij 't vermaan niet vreezen moest
dat haar de dood zou geven.

Zij stierf gerust, lijk iemand die,
bescheed in korte stonden,
heeft, vragend, naar het Vaderland
den rechten weg gevonden!

C. M. D. H. 1883

Hoe hooge en schoon
zij blad en kroon,
hoe vol van levenskrachten;
hoe fel gegroeid,
hoe blij gebloeid,
en wilt het al niet achten!

Het keeren van
den zomer kan
doen sterven en doen vallen
het jongste schoon,
de blijdste kroon,
de vroegste jeugd van allen.

Gij hebt, o Heer,
nog vooraleer
zij vallen zou, gevangen
heur schoone ziel,
en, eer ze viel,
bleef ze in uw handen hangen!

M. J. J. R. 1884

Waarom en toefde 't niet,
't zoo rijk begaafde,
't zoo liefdeweerd, 't zoo liefdewinnend hert,
dat ons en aller herten laafde
met blijdschap eens, en nu, eilaas, met bittre smert?

Waarom en toefde 't niet,
om groot te groeien,
om blij te zijn, om elk te maken blij?
Wat baat het, nog zoo snel te bloeien,
zoo niet de rijpe kroon de vrucht des bloeiens zij!

Het kind was rijpe alreê
voor klaardere oogen
als die des menschdoms, stedevast op de aard:
wilt, ouders, wilt uw tranen droogen,
en kijkt, daar wacht het u, en kijkt ten hemelwaard!

A. A. T. 1884

Braaf kind van twee brave ouders,
God nam van uwe schouders
den last des lijdens af;
de korte baan des levens
schaars in, en gij daarnevens
gevallen ligt in 't graf!

Wie zalder om u klagen,
die in zoo korte dagen
gewonnen hebt de poort,
terwijl wijlieden moeten
nog buigen lange en boeten,
en strijden immer voort?

De poort, ach, zijt gij heden
des tempels ingetreden;
daar bidt voor ons en beidt,
tot dat wij winnen mogen,
den tempel ingetogen,
de kroon ons toebereid!

TOT DE ZONNE

Zonne, als 'k in mijn groene blaren
en vol waterpeerlen sta
en dat gij komt uitgevaren,
schouwt mijn bloeiend herte u na.
Throonend op den throon gezeten
van den rooden dageraad,
wilt het blomke niet vergeten,
dat naar u te wachten staat.

Langs die hooge hemelpaden,
  zonne, nimmer klemmens moe,
volge ik u, van zoo 'k mijn bladen
  met den morgen opendoe:
komt en zoekt mijn herte en vindt het,
  u behoort het, te alder tijd,
u verwacht het, u bemint het,
  die mijn hemelminnaar zijt.

's Avonds, als het wordt te donkeren,
  als ge in 't gloeiend westen daalt,
schouw ik naar uw laatste vonkelen
  zinkend met u nederwaard.
Hangende op mijn staal gebogen,
  weene ik toen den nacht rondom,
van u niet te aanschouwen mogen:
  kom toch weêre, o zonne, kom!

GIJ BADT OP EENEN BERG

Gij badt op eenen berg alleen,
en... Jesu, ik en vind er geen
waar 'k hoog genoeg kan klimmen
om U alleen te vinden:
de wereld wilt mij achterna,
alwaar ik ga
of sta
of ooit mijn oogen sla;
en arm als ik en is er geen,
geen een,
die nood hebbe en niet klagen kan;
die honger, en niet vragen kan;
die pijne, en niet gewagen kan
hoe zeer het doet!
o Leert mij, armen dwaas, hoe dat ik bidden moet!

KOM E KEER HIER

Aan Pieter Busschaert van Damme

„Kom e' keer hier, fliefflodderke,
  'k hebbe u, 'k hebbe u zoo lief!"
Maar 't wipte, 't wupte, 't en wachtte niet,
  en 't liet mij alleene zijn.
't Was wel van dat lief fliefflodderke,

want, hadde ik het eens genaakt,
ik hadde 't, het lief fliefflodderke,
'k en wete niet wat gemaakt:
geen hand van 'nen mensche 'n mocht 'et ooit
genaken zijn lieve kleed,
of 't was en het wierd 't fliefflodderke,
het was en het wierd hem leed;
de hand van die 't miek alleene mag
't genaken en niet beschaân,
de wind van die 't miek alleene mag
er, wandelend, over gaan.
Dus, wakker en weg, fliefflodderken,
op planten en bloeiend gers,
alwaar dat u God geschapen heeft,
alwaar dat 't uw woning es! –
En zoekt gij nu, kind, een zin hierin,
't fliefflodderke, wie dat zij,
uw herte is het, alderliefste mijn,
ai, wat zou het anders zijn!
God miek het u, maakt dat God alleen
kan zeggen: Dit herte is mijn,
zoo zal het, en anders en zal 't, o neen,
het uw' noch gelukkig zijn!
Zoo zong hij, die lang en lusteloos
gezeten had, eenen dag,
wanneer hij, op de eerste lenteroos,
het eerste fliefflodderken zag.

—

Als de ziele luistert
spreekt het al een taal dat leeft,
't lijzigste gefluister
ook een taal en teeken heeft:
blâren van de boomen
kouten met malkaar gezwind,
baren in de stroomen
klappen luide en welgezind,
wind en wee en wolken,
wegelen van Gods heiligen voet,
talen en vertolken
't diep gedoken Woord zoo zoet...
als de ziele luistert!

—

Hoe schoon de morgendauw,
hoe schoon de versche blommen,
hoe schoon de zonnestraal,

die door dien dreupel beeft;
hoe schoon moet ginder zijn
dat hier wij schoonheid nommen,
en dat maar eenen glim
van de Opperschoonheid heeft!

—

JANNEKE,
mijn manneke,
mijn hert- en hemeldief,
kander,
wel een ander,
neen geen ander !— zijn zoo lief?

—

'K ZAT bij nen boom te lezen,
al in mijnen brevier;
de zunne kwam gerezen,
gelijk een kole vier;
de blijde vogels dronken
de dreupels van den mei,
de morgenperelen blonken
en brandden in de wei,
lijk vier:
'k zat bij nen boom te lezen,
al in mijnen brevier!

—

ALLES zweeg... mijne oog, geloken,
'n liet geen toegang naar mijn ziel
toen, al stormen losgebroken,
mij dit woord te binnen viel:
„Leveling, 't is uitgesproken,
sterven zult ge, en g'hebt een ziel!"

—

HEER, mijn hert is boos en schuldig,
maar Gij zijt bermhertig, en
duizendmalen meer verduldig
als dat ik boosaardig ben:
geeft mij dan, o Heer, ik vraag het,
geeft mij hulpe en staat mij bij;
'k heb gezondigd, ik beklage 't,
helpt mij, God! Vergeeft het mij!

—

'TWAS in de blijde mei,
ei, ei,

't was in de blijde mei!
En, komend achter 't land gegaan,
'k zag al de blijde blomkens staan:
't was in de blijde mei,
ei, ei,
't was in de blijde mei!

—

Hoe zoet is 't tusschen broederen twee
te wandelen, te wandelen,
bemint men van de twee den een,
den een gelijk den anderen;
bemint men ze alle twee, en zij,
beminnen ze ook malkanderen
gebroederlijk: 't is zoet erbij
te wandelen, te wandelen.

—

De vlaamsche tale is wonder zoet,
voor die heur geen geweld en doet,
màar rusten laat in 't herte, alwaar,
ze onmondig leefde en sliep te gaar,
tot dat ze, eens wakker, vrij en vrank,
te monde uitgaat heur vrijen gang!
Wat verruwprachtig hoortooneel,
wat zielverrukkend zingestreel,
o vlaamsche tale, uw' kunste ontplooit,
wanneer zij 't al vol leven strooit
en vol onzegbaar schoonzijn, dat,
lijk wolken wierooks, welt
uit uw zoet wierookvat!

—

Gij zegt dat 't vlaamsch te niet zal gaan:
't en zal!
dat 't waalsch gezwets zal boven slaan:
't en zal!
Dat hopen, dat begeren wij:
dat zeggen en dat zweren wij:
zoo lange als wij ons weren, wij:
't en zal, 't en zal,
't en zal!

—

'k Hoore tuitend' hoornen en
de navond is nabij
voor mij:
kinderen, blij en blonde komt,

de navond is nabij,
komt bij:
zegene u de Alderhoogste, want
de navond is nabij,
komt bij:
'k hoore tuitend' hoornen en
de navond is nabij,
voor mij!

—

Alleene, uit aller oogen
zitte ik, in den hoogen
hemel kijkend, sterrenvol;
alle ding is duister,
uitgeweerd den luister
van 't verheven stergerol.

Hoe kleen, o God, hoe kleene,
donker en alleene,
ligge ik in dien grooten al
van uw licht verloren,
lijk een ongeboren
kind, dat niemand baren zal!

o Ondoorgrondbre sterren,
die 'k niet overkerren,
die 'k niet overkijken 'n kan;
ziet gij, van de thronen
waar gij pleegt te wonen,
mij, of de aarde, of iet daarvan?

Aanschouwt uw licht en hev'et,
daar het zit en bevet,
ziele, of aême, of oogenstraal,
om mij te achterhalen,
in deze aardsche dalen,
mij, van in uwe opperzaal?

Wat ben ik u, o sterren,
die zoo hooge en verre en
wijd van mij zit? Ben ik iet,
dat gij kunt ontwaren,
daar ik u zie varen:
weet gij dat mijne ooge u ziet?

Gij roert, ik zie u wandelen;
leeft en kunt gij handelen?

Zijt gij geest? Onsterflijkheid?
  Of, is uw geflonker,
  lijk het eeuwig donker,
stom, en tot geen taal bereid?

Gesprakig is al 't wezen
  dat de wil van Dezen
die het Woord is worden liet;
  stom en zijn uw' stralen,
  sterren, niet, en talen
doen ze, meê in 't eeuwig lied!

Eenpariglijk omzingt gij,
  choorewijs omringt gij
't Wezen, dat nooit aan en ving;
  en, zoo ik een reke
  zingend ben, of spreke,
zingen doe 'k med alle ding!

Wij, – ik en gij – belijden,
  wij, door alle tijden,
wij, door alle ruimten heen,
  wij, van Hem begonnen,
  zielen, sterren, zonnen,
't woord van zijn almachtigheên!

Gekend, geloofd, geprezen
  zij dat eeuwig Wezen
van 't oneeuwige, en van al
  't doende, 't zijnde, 't staande,
  't stervende en 't vergaande,
dat ooit was of wezen zal!

—

Vol naalden vliegt de lucht,
  vol priemend ijsgekertel,
dat glinstert in de zon,
  en, met den asemtocht
gezwolgen, kilt en kerft
  de kele en 't haargespertel,
dat in de neuze temt
  den toevoer van de locht.

't Is bijtend koud. Een spree
  van witheid, ongemeten,
't zij waar ge uwe oogen vlucht,
  ligt overal gespreid;

't is snee' tot in uw huis,
't komt snee' door al de spleten.
't is snee', 't is immer snee',
en al sneeuwwittigheid.

De wind komt, wild en boos,
gesnoeid uit alle gaten;
geen ruste en wilt hij, eer
hij eenmaal weten zal
dat 't volk verdwenen is,
en hem wilt meester laten...
't Is bijster, bijtend koud,
en 't wintert overal.

—

Exiit qui seminat

Met kloeken arme, en hand vol zaad,
aanschouwt hoe hij zijn' stappen gaat
en zaait, vol zorgen,
de man, wiens hope en troost en al,
met 't stervend zaad, nu zitten zal
in 't land geborgen.

Staat op, o zaad, 't is God die 't zegt,
den winter en de dood bevecht:
de zonnestralen
verwachten al, met menigvoud
geverwde pracht en levend goud,
uw zegepralen.

o Winden, waait om 't groene kind
des lands, uw zacht-, uw zoetsten wind;
o dauwrijk dagen
des morgenstonds, o wolkenvloed,
verleent het koorn dat kenen doet,
uw welbehagen.

Het wasse en 't worde een geluw graan,
het bloeie en 't blijve buigend staan,
vol zaad geladen;
vol zegen, die geen' nijd en baart,
geen' zucht, geen' zoek omleegewaard,
geen' euveldaden!

Houdt af, gij, wind- en wolkgeweld,
die de akkerzaaite omverrevelt,
en bleeke ellenden

verspreidt alom: houdt af uw' hand;
wilt verre weg van 't dragend land
uw' geesels wenden!

Dan zal de landman, 't herte groot
van dankbaarheid, om 't daaglijksch brood
dat hij mocht winnen,
den ouden arbeid, zwart en zwaar,
zoo dit, zoo 't naaste en 't naaste jaar,
weêr herbeginnen.

—

De zonne zit
zoo snel en blinkt,
en bloeit alin
het westen,
dat wolkenloos
heur stralen drinkt,
in Lentemaand,
den lesten.

't Wil zomer zijn,
van nu voort aan:
vroeg morgen zal
ik meugen
– 't wil zomer zijn! –
vermeien gaan
mij, morgen, en
verheugen!

—

Alre creature sake ende yersticheit

RUUSBROUCK, BRULOFT

o Wilde en onvervalschte pracht
der blommen, langs den watergracht!

Hoe geren zie 'k u, aangedaan
zoo 't God geliefde, in 't water staan!

Geboren, arg- en schuldeloos,
daar God u eens te willen koos,

daar staat ge: en, in den zonneschijn,
al dat gij doet is blomme zijn!

't Is wezen, 't geen mijne ooge aanziet,
't is waarheid, en ge'n dobbelt niet;

en die door u mijn hert verblijdt
is enkel, zoo gij enkel zijt!

Hoe stille is 't! 't En verwaait med al
geen bladtje, dat ons stooren zal;

geen rimpelken in 't lief gelaat
des waters, dat vol blommen staat;

geen wind, geen woord: rondom gespreid
al schaduwe, al stilzwijgendheid!

Dan, diepe, diepe in 't water, blauwt,
half groen geblest, de hemelvaut;

en, priemend' hier en daar vergaat
een langgesponnen zonnedraad.

Hoe eerbaar, edel, schoone en fijn
kan toch een enkele blomme zijn,

die, al med eens, en zorgloos, uit
de hand van heuren Schepper spruit!

Door Hem, en door geen menschenhand,
lag hier een nederig zaad geplant;

door Hem, op dezen oogenblik,
ontlook het, en dien troost heb ik,

dat, blomme, gij mij bidden doet,
en wezen zoo ik wezen moet:

aanschouwende en bevroedende in
elk uiterste einde 't oorbegin,

den grond van alles; meer gezeid,
maar nog niet al: Gods eerstigheid!

—

WAAR zit die heldere zanger, dien
ik hooren kan en zelden zien,
in 't loof geborgen,
dees blijden Meidagmorgen?

Hij klinkt alom de vogels dood,
bij zijnder kelen wondergroot'
en felle slagen,
in bosschen en in hagen.

Waar zit hij? Neen, 'k en vind hem niet,
maar 'k hoore, 'k hoore, 'k hoore een lied
hem lustig weven:
het kettert in de dreven.

Zoo zit en zingt er menig man,
vroegmorgens op 't getouwe, om, van
goên drom, te maken
langlijdend lijwaadlaken.

De wever zingt, zijn' webbe dreunt;
de la klabakt, 't getouwe dreunt;
en lijzig varen
de spoelen heen, in 't garen.

Zoo zit er, in den zomer zoel,
een, werpende, op den weverstoel
van groene blâren,
zijn duizendverwig garen.

Wat is hij: mensche of dier of wat?
Vol zoetheid, is 't een wierookvat,
daar Engelenhanden,
onzichtbaar, reuke in branden?

Wat is hij? 't Is een wekkerspel,
vol tanden fijn, vol snaren fel,
vol wakkere monden,
van sprekend goud, gebonden.

Hij is... daar ik niet aan en kan,
een' sparke viers, een' boodschap van
veel hooger' daken
als waarder menschen waken.

Horkt! Langzaam, luide en lief getaald,
hoe diep' hij lust en leven haalt,
als uit de gronden
van duizend orgelmonden!

Nu piept hij fijn, nu roept hij luid';
en 't zijpzapt hem ter kelen uit,

lijk waterbellen,
die van de daken rellen.

Geteld, nu tokt zijn taalgetik,
als ware 't op een marbelstik,
dat perelkransen,
van 't snoer gevallen, dansen.

Geen vogel of hij weet zijn lied,
zijn' leise en al zijn stemgebied,
bij zijnder talen,
nauwkeurig af te malen.

't En deert mij niet, hoe oud gedaagd,
dat hij den zangprijs henendraagt,
en, vogel schoone,
mij rooft de dichterkroone!

Want mensche en heeft u nooit verstaan,
noch al uw' rijkdom recht gedaan,
o wondere tale
van koning Nachtegale!

—

De navond komt zoo stil, zoo stil,
zoo traagzaam aangetreden,
dat geen en weet, wanneer de dag
of waar hij is geleden.
't Is avond, stille... en, mij omtrent,
is iets, of iemand, onbekend,
die, zachtjes mij beroerend, zegt:
„'t Is avond en 't is rustens recht."

De boomen dragen gansch de locht
vol groen, nog onbestoven;
en 'k zie, zoo dicht hun' blaren staan,
nog nauwlijks deur de hoven;
'k en hoore niets, al om end om,
van 't zoetgekeelde vogelendom,
't en zij, het donker loof beneên,
den nachtegaal zijne avondbeên.

Hij zingt! Ach, wist hij zelf hoe schoon
hij zingt! Het is onwetend,
dat zingend hij mijne ooren boeit,
en aan zijn' kele ketent.
Ach, wist hij 't gene ik wetend ben:

dat dankbaar ik toch wete en ken
wie hem zijn' tale, en mij daaraf
't genoegen en 't genieten, gaf!

Hoe lieflijk zingt hij! Maar, wat hoor
 eensgangs ik ginder gekken?
Wat is 't, dat her end weder her
 verergerend gerrebekken?
Och, vorschenvolk, in 't waterwied,
houdt op! En stoort de stilte niet:
laat hooren mij dat leutig slaan...
en, kwelgediert, houdt op voortaan!

Hebt daar!... Het speit, den steen rondom,
 en, uitgestrekter schenen,
zijn al de vorschen, diepe in 't goor,
 in 't zwijgend goor verdwenen!...
Eilaas, de nacht en 't donker zijn
bezitten nu den zanger mijn:
noch nachtegaal, noch ruit noch muit,
en hoore ik meer... 't is uit, 't is uit!

—

JORDANE van mijn hert
en aderslag mijns levens,
 o Leye, o vlaamsche vloed,
 lijk Vlanderen, onbekend;
hoe overmachtigt mij
de mate uws vreugdegevens,
 wanneer ik sta en schouwe,
 uw' vrijen boord omtrent!

Hoe vaart gij welgemoed,
de malsche meerschen lavend
 met blijder vruchtbaarheid,
 te Scheldewaard, en voort
ten Oceaan, u, zelf,
een' diepe vore gravend,
 die 't oude en vrije land
 van Vlanderen toebehoort.

Wat zijt ge schoone, o Leye,
als 't helderblauwe laken
 der hemeltente wijd
 en breed is uitgespreid,
en dat, uit heuren throon,
de felle zunne, aan 't blaken,

vertweelingt heur gezichte
in uwe blauwigheid!

Dan leeft het rondom al
uw' groengezoomde kanten,
aanzijds en heraanzijds,
zoo verre ik henenschouw,
van lieden, die weêrom,
en nu in 't water, planten
den overjaarschen bloei
van hunnen akkerbouw.

Den bast, die, onlangs, toen
hij jong was, jong en schoone,
't gezicht verblijdde, maar
één levend legtapijt;
die, veel te lichte, eilaas!
de blauwe maagdenkroone
verloos, en bleef het lieve
en jeugdig leven kwijt!

Het vlas! Nu staat 't gedoopt,
Jordane, in uwe lanken,
gegord in haveren stroo,
dat branden gouds gelijkt;
bij duizend duizenden
van bonden, die vier planken
bewaren, ketenvast
en aan den wal gefijkt.

Hoe zucht gij, om weêr uit
dit stovend bad te komen;
hoe zucht gij, zoo de ziel,
de vrome kerstene, doet,
die, na gedulde pijn,
vol hopen en vol schromen,
verlangt het licht te zien
dat haar verlossen moet!

Verdraagt den harden steen
nog wat, die, korts nadezen,
gelicht, u helpen zal
ter vrijheid; en de dood,
die u gedwongen hield,
zal zelf gedwongen wezen,
u latende uit het graf
en uit den Leyeschoot.

Die steen heeft u gedempt,
g'ootmoedigd en gedoken,
tot dat uw taaie rug,
gemurruwd en verzaad,
geen' weerstand biên en zou
aan hem die u, gebroken,
tot lijn hermaken zal
en edel vlasgewaad.

Hoe krielt het wederom,
langs al de Leyeboorden,
van lieden, half gekleed,
die half in 't water staan,
en halen, lekende uit,
lijk lijken van versmoorden,
't gebonden, zappig vlas,
en 't spreidende openslaan!

't Verrijst! Het wordt alhier,
het wordt aldaar bewogen,
gestuikt, gekeuveld en
gehut. De zonne lacht
en speelt in 't droogend schif,
dat, 't water uitgezogen,
heur fijne stralen drinkt
en fijndere verruwpracht!

Wat zie 'k! o Israël,
lijk in de bibelprenten,
gekleend, den overtocht
van 't Abrahamsche diet;
gesmaldeeld en geschaard,
in lijnwaadgrauwe tenten,
ontelbaar, zoo 't den dwang
van Pharao verliet!

Beloofde land van God,
Jordane, in 't hooge Noorden,
hoe schoon 't gelegerd volk,
dat, God gehoorzaam, voet
en hand te zamen, zwoegt
naar uwaard, en de boorden
van 't stroomend waterkleed
strijdmachtig leven doet!

Ik hef, lijk Bala'am,
mijn woord op, en 'k bezegen

den arbeidweerden troost
dien 't neerstig Vlanderen vand...!
Zij 't immer God getrouw,
God dankbaar, God genegen,
en weerd de diere kroon
die hem de vrijheid spant,

zoo lang de Leye loopt,
zoo lang de velden dragen
den taaien lijnwaadoost,
die op heur boorden groeit;
zoo lang 't gestorven vlas
herleeft in kant en kragen,
en, sneeuwwit, op de borst
van jonk- en schoonheid bloeit!

—

Vanitas

HOE menigvuldig valt het loof
de boomen af!
't Ligt al omneêr, dat eertijds aan
de hoven gaf
dat heerlijk schoon, dat schaduwvol,
dat frissche loof,
dat, nauwlijks woei november, weêr
in de eerde stoof.

Verganklijk is toch alles! Ach,
uw' bladerkroon,
o boomgewas, en blijft maar half
een uurken schoon;
en, hoe zij verscher, vroegertijds,
was opgetooid,
hoe vuilder nu ze in 't vuile zand
is afgestrooid!

De wegen liggen vol; en, in
de velden gaan,
't is treên, eilaas, op dorre nu,
op doode blaên;
op lijken, als of 't ware, en op
verganklijkheid,
die, arme en eensch van verwe, alom
ligt uitgespreid!

Geen' groeite meer; geen' geile, geen'
gezonde macht
van leven; die in 't lenteloof
u tegenlacht;
maar arme en ongeholpen, vol
ellenden groot,
ligt alles dat toen leefde nu
in stervensnood.

Het weent, het zucht, ontzenuwd en
ten val bereid
in de oude en onvergankljke al-
vergankljkheid.
Bestaat er, Bron des levens, dan
geen leven? Neen,
't en zij datgeen dat Ik ben, en
dat Ik verleen.

Ik leve alleen, die 't leven gaf
aan al dat leeft
en zonder mij, noch leven iet,
noch licht en heeft;
dat leven is het leven, in-
derdaad gezeid,
en blijft mijne altijd *nu* zijnde on-
vergankljkheid!

—

Met zwart- en zwaren zwaai aan 't werken door de grauwe,
de zonnelooze locht, ik de oude rave aanschouwe;
die, roeiende op en dóór den schaars gewekten wind,
gelijk een dwalend spook, eilaas geen ruste en vindt.

Ze is zwart gebekt, gepoot, gekopt in 't zwarte; als kolen,
zoo staan heure oogen zwart, in hun' twee zwarte holen
te blinken; rouwgewaad en duister doek omvangt
het duister wangedrocht, dat in de nevelen hangt.

Ze is stom! Ze 'n uit geen woord en 't waaien van heur' slagers
en hoort gij niet. Alzoo de zwarte doodendragers
stilzwijgend gaan, zoo gaat zij zwijgend op de lucht,
en wendt alhier aldaar heur' zwarte ravenvlucht.

Wat wilt gij, duister spook! Waar gaat gij? Van wat steden
zijt gij, met damp en doom en 's winters duisterheden,
alhierwaards aangewaaid? Wat boodschap brengt gij? Van
wat rampe of tegenspoed zijt gij de bedeman?

Is ziek- of zuchtigheid, uit 's noordens grauwe landen;
is sterfte wederom, is hongersnood op handen?
  Is moordaanslag, verraad de zin van uw vermaan;
  of gaat de muil misschien des afgronds opengaan?

Geen woord! Dan, weg van hier, onzalige: gaat varen
alwaar nooit zonne en rijst; alwaar de grimme baren
  staan ijsvaste overende, als rotsen; en waar nooit
  noch blom noch blad den buik van moeder aarde en tooit!

Gaat aan! Of spreekt een woord, zoo de andere vogeldieren
te zomertijde doen, die in de bosschen zwieren:
  ja, 's winters, als de snee' heur laken heeft gespreid,
  nog vinkt en klinkt het hier, vol vogelvlijtigheid.

En gij! De rave trekt, met trage vederslagen,
voorbij mij, zwaar en zwart gelijk nen kerkhofwagen,
  en roept mij, onverwachts, terwijl zij henenvaart,
  al in één enkel woord, heur' winterboodschap: „Spaart!"

—

Tempus edax...

'T Is stille! Neerstig tikt het on-
  gedurig hangend wezen,
waarop de weg naar 't eeuwige, in
  twaalf stappen, staat te lezen.

't Is stille en middernacht! Alsof
  ik blind ware, om mij henen,
in donkere diepten schijnt het al
  verduisterd en verdwenen.

't Is stille! Niets te zien en niets
  te hooren, – 't doet mij beven! –
als 't altijd neerstig bijten van
  den tijdworm aan ons leven!

—

'T Eerste dat mij moeder vragen
leerde, in lang verleden dagen,
  als ik hakkelde, ongeriefd
nog van woorden, 't was, te gader
bei mijn' handtjes doende: „Vader,
  geeft me 'en kruisken, als 't u belieft!"

'k Heb een kruiske dan gekregen,
menig keer, en wierd geslegen

op mijn' kake, zacht en zoet...
Ach, ge zijt mij, bei te gader,
afgestorven, moeder, vader,
't geen mij nu nog leedschap doet!

Maar, dat kruiske, 't is geschreven
diep mij in den kop gebleven,
teeken van mijn erfgebied:
die den schedel mij aan scherven
sloege, en hiete 't kruisken derven,
nog en hadd' hij 't kruisken niet!

WINTERSTILTE

Een witte spree
ligt overal
gespreid op 's werelds akker;
geen mensche en is,
men zeggen zou,
geen levend herte wakker.

Het vogelvolk,
verlegen en
verlaten, in de takken
des perebooms
te piepen hangt,
daar niets en is te pakken!

't Is even stille
en stom, alhier
aldaar; en, ondertusschen,
en hoore ik maar
het kreunen meer,
en 't kriepen, van de musschen.

TUSSCHEN DE TWEE

Die binnen
de bergen
te wonen
verkiest,
des morgens,
zijn deel in
de zonne
verliest.

Des avonds,
nog eer hij
zijn bedde
     bezoekt,
te vroeg is
de zonne 'm
bedekt en
     bedoekt.

Die boven
de bergen
wilt huizen,
     en kan
den wind niet
verdragen,
en 't ruischen
     dervan.

Het zomert
er late en
het koelt er
     te vroeg;
zacht weêre is
er zelden,
en zoelte,
     genoeg.

't Is nat in
de leegten,
het zuipt er
     en 't zijpt;
't is drooge op
de hoogten,
het stuift er
     en 't nijpt.

Noch stijgen,
noch dalen
en es er
     mij lief:
geen beemden,
geen bergen,
is 't beste
     gerief.

Ik schuwe
de hillen,

ik vluchte
de wee:
daar, best van
al, jeune ik
mij, tusschen
de twee.

HET BORELINGSKE

Zijn tandelooze mond
lacht lieflijk; ongewonnen
zoo is het woord hem nog,
en 't weten onbegonnen
van mannelijk verdriet,
van vrouwelijk misbaar:
een kerstekind en is 't,
een borelingske maar.

o Mochte 't, immer voort,
eenparelijk verblijden;
een borelingske zijn,
dat lacht, ten allen tijden,
zoo 't nu doet; onbewust,
het muilke rood en rond,
waarom zoo lustig lacht
zijn tandelooze mond!

Zijn tandelooze mond
zal, eenmaal, tanden moeten;
't zal woorden spreken; 't zal,
't zoet wichtje, eens, wel ontzoeten;
't zal wakker worden, en,
gewassen, meer als eens,
zijne oogen wasschen, naast
de bronnen des geweens.

LENTEGROEN

't Is lentegroen genoeg,
voor honderdduizend oogen;
eilaas, 'k en hebbe er ik,
o grondig groene zee,
maar twee:
wie kander moedeloos,
den dwang mij doen gedoogen

van 't geen mij tegenhoudt
nen tocht in al dat groen
te doen?

Gij vlerkendragend volk,
gij allerhand gezwinde
doorvliegers van de lucht,
de lieve lente lacht,
zoo zacht;
en gij, gij vliegt haar in
't gemoet, bij lork en linde,
in 't nieuwgeboren gers,
in 't onkruid en in 't riet:
ik niet!

Gij bietjes ongeteld,
gij tienmaalhonderdduizend
in 't oord, in 't geel, in 't blauw
gepinte pepels, haait
en draait
en drentelt, op en neêr,
eer 't zonnelicht, verhuizend
van hier, u, 't lieve groen,
en mij, de moede nacht
ontkracht!

o Grondig groene zee,
'k ben visschende op de baren
van uwe oneindigheid
van groen, en mijn gewin
daarin
verheugt mijn arem herte:
om 't gene ik late varen,
om 't gene ik vangen kan,
en... God gebenedijd
mij zijt!

...DEN OUDEN BREVIER

Als zorgen mijn herte verslinden,
als moedheid van 's werelds getier;
dan zoeke ik weêrom den beminden,
dan grijpe ik den ouden brevier.

o Schat ongevalschter gebeden,
 brevier, daar, in 't korte geboekt,
Gods woord, en Gods wonderlijkheden,
 nooit een ongevonden en zoekt!

o 't Werk van gezetelde Pausen,
 wat zegge ik, Gods eigen beworp;
o sterkte, en, als 't lijden doet flauw zijn,
 onsterfelijk lavend geslorp!

o Weldaad wellustiger koelheid,
 o schaduwomschietende troost,
als 't vier, en de onmachtige zwoelheid,
 gestookt door den vijand, mij roost...

Dan zuchte... dan zitte ik alleene;
 dan biede ik den booze: „Van hier!"
dan buige en dan bidde ik, en weene...
 dan grijpe ik den ouden brevier!

DE NACHTEGALE

Och Moeder, is dat nu de
 nachtegaal,
daarvan gij, moeder, mij zoo
 menigmaal
verteldet dat hij vóór de
 zonne zingt,
en, na de zonne, zoetjes
 avondklinkt?
Dat bruin hij is van verwe, en
 eiers legt,
in leeggebouwde nesten?
 Moeder, zegt,
wanneer hij, vroeg en spade, uit
 minnen gaat,
is 't waar, dat hem een vooze
 reuk verraadt?
dat menig malgemutste
 speleman
daar schielijk kreeg een... kwade
 kele van?
Maar dat hij reuke, lucht noch
 lied en geeft,
zoo zaan hij eens zijn huis vol
 kinders heeft?

MEIDAG

De kerzelaar zijn trouwgewaad
heeft aangedaan:
vandage moet hij, meidag is 't,
ter bruiloft gaan.

Elk taksken is een priem nu, die,
bewonden, wit,
tot tenden, in een' witte schee
van blommen zit.

Beruwrijmd, was hij schoon, wanneer
de winter woei:
veel duizendmaal is schoonder nu
zijn blomgebloei.

Te winter was zijn' schoonheid als
een' beeltenis
des levens: koud en ijdel, zoo
de schaduwe is.

Geen schaduwbeeld en is hij nu,
geen schijn, maar al
dat schoon is, al dat levende, en
dat liefgetal.

't Is bruiloft, en 't is zonneweêr:
de zomermeid
den bruidegom verwacht, die haar
was toegezeid.

BONTE ABEELEN

Wit als watte, en teenegader
groen, is 't bonte abeelgeblader.

Wakker, als een wekkerspel,
wikkelwakkelwaait het snel.

Groen vanboven is 't en, zonder
minke, wit als melk, vanonder.

Onstandvastig volgt het, gansch,
't onstandvastig windgedans.

Wisselbeurtig, op en neder,
slaat het, als een' vogelveder.

Wit en grauw, zoo, dóór de lucht,
„bonte-abeelt" de duivenvlucht.

ZOMMER

Als de appels bloeien,
   – de schoone maand! –
en 't gers, aan 't groeien,
   de wegen baant,
de zoele winden
   zie 'k geren gaan
en blommen vinden,
   die openstaan.

Als, uit aan 't stroomen,
   half bloed, half melk,
zijn de appelboomen,
   zoo een, zoo elk;
als weeke zijde
   de takken blomt,
dan ben ik blijde:
   de zommer komt!

Als alle lieden,
   die gaan en staan,
„goendag!" mij bieden
   en spreken aan,
dan snoere en binde ik
   mijn kommernis:
dan ondervinde ik
   dat 't zommer is!

DE AVONDTROMPE

Heur' trompe steekt de koe: ze is moe
   van neerstig om te knagen;
van lange, in 't jeugdig grasgewas,
   den zwaren eur te dragen;
den zwaren eur, die, molkenvol,
   albij den grond genaakt;
die zwaait, die heur den tred belet,
   en 't lichaam lastig maakt.

Ze steekt de trompe en tuit, om uit
den meersch te mogen komen,
ter melksteê; om, ontlaan, voortaan
heur zog te zijn ontnomen;
heur zuivel, dat zoo zoet, zoo goed,
zoo zuiver is; en dat,
voor alle lieden, ate en bate,
en drinkbaarheid bevat.

De trompe steekt de koe, daartoe
verwekt, alzoo de menschen,
die, tegen avond, lam en stram
gewrocht , de ruste wenschen.
De mensch is moe, de koe is moe,
en iedereen betracht,
na 's zomers zware werk, ontsterk,
de zegenvolle nacht.

TWEE HORSEN

Ze stappen, hun' bellen al klinken,
de vrome twee horsen te gaar;
ze zwoegen, ze zweeten; en blinken
doet 't blonde gelijm van hun haar.

Ze stappen, ze stenen, ze stijven
de stringen: en 't ronde gareel,
het spant op hun' spannende lijven:
de voerman beweegt ze aan een zeel.

De wagen komt achter. De rossen,
gelaten in 't lastig geluid
der schokkende, bokkende bossen,
gaan, stille en gestadig, vooruit.

Geen zwepe en behoort er te zinken,
geen snoer en genaakt er één haar:
zoo stappen, hun' bellen al klinken
de vrome twee horsen, te gaâr.

Hoe helder klinkt
de klokkentaal
ten torren uit:
tot negenmaal
herhaalt, herhaalt
de klepel, op
den ronden boord,
zijn beêgeklop!

De landman laat
zijn' rossen staan:
naar huis zal hij,
en rusten, gaan!
Maar, eer hij stap
van stede zet,
zoo bidt hij nog
zijn klokgebed.

Een engel naar
Maria kwam:
de boodschap hij
van 't Boetelam
had medebracht:
en negenmaal
begroet haar nu
de klokkentaal.

Gods eeuwig Woord
het licht verliet
des hemels, en
Maria hiet
het moeder zijn
van Hem die, aan
den boom, voor ons
heeft boete ontvaân.

De landman, na
den laatsten klop,
van bidden houdt,
van werken, op;
zijn' rossen staan
op stal weerom,
en moeder wenscht
hem willekom.

TERUG

Scheef is de poorte, van
  oudheid, geweken;
zaâlrugde 't dak van
  de schure; overal
stroo op de zwepingen
  zit er gesteken;
vodden beveursten het
  huis en den stal.

Boven die vodden zijn
  blommen gesprongen;
onder die vodden zit
  volk en gezin:
blommen van vrede, zoo
  ouden, zoo jongen,
blommen van buiten en
  blommen van bin.

Daar is 't, dat moeder zat;
  daar is 't, dat vader
vond die hem arbeid en
  herte bracht; daar
knielden wij, kinderen,
  handen te gader,
baden wij, kleenen en
  grooten, te gaâr.

Daar is de schippe nog,
  daar is de tange;
't ovenbuur staat daar, zoo
  't vroeger daar stond;
't hondekot staat daar, en...
– 't is al zoo lange! –
Hoe is de naam van dien
  anderen hond?

Ach, hoe verheugen mij,
  ach, hoe verheffen
de oudere dagen mijn
  diepste gemoed!
Is er wel iemand, die 't
  ooit kon beseffen
wat gij, oud hof, mij nu
  zegt, mij nu doet?

Zalige lieden, al
   te arglooze menschen,
weinig begeerdet gij,
   groot was uw hert!
– Kon het maar helpen, met
   weenen en wenschen,
weêr ate ik roggenbrood!
   naast u, aan 't berd!

WIEROOK

Thus ardens in igne

   o Wierookgraan,
   geronnen traan
van ceder- en van lorkenstammen,
   gebedenbeeld,
   daar 't vier in speelt,
en 't vonkelen van 's herten vlammen.

   Geen gave van
   fijn goud en kan
mijn hand den Heer, geen myrrha bieden,
   maar wierook zal,
   en overal
en allen dag, Hem dank bedieden.

   o Wierookgraan,
   in 't vier gedaan,
en rookende uit mijns herten midden,
   van aardsch en grauw
   wordt hemelsch blauw:
gaat, wierookgraan, den Heere aanbidden!

HOE ZEERE VALLEN ZE AF

Hoe zeere vallen ze af,
   de zieke zomerblâren;
hoe zinken ze, altemaal,
   die eer zoo groene waren,
      te grondewaard!
Hoe deerlijk zijt gij ook
   nu, boomen al, bedegen;

hoe schamel, die weleer
des aardrijks, allerwegen,
de schoonste waart!

Daar valt er nog een blad;
het wentelt, onder 't vallen,
den alderlaatsten keer,
en 't gaat de duizendtallen
vervoegen thans:
zoo zullen ze, een voor een,
daarin de winden bliezen
vol luider blijdzaamheid,
nu tonge en taal verliezen,
en zwijgen gansch.

Hoe zeere vallen ze af,
onhoorbaar in de lochten,
en schier onzichtbaar, in
de natte nevelvochten
der droeve maand,
die, 't ijzervaste speur
ontembaar ingetreden,
die al de onvruchtbaarheid,
die al de onvriendlijkheden
des Winters baant!

Daar valt er nog een blad,
daar nog een, uit de bogen
der hooge boomenhalle,
en 't dwerscht den onbewogen
octobermist:
't en roert geen wind, geen een,
maar 't leken, 't leken tranen,
die men gevallen zou
uit weenende oogen wanen:
één kerkhof is 't!

Gij, blâren, rust in vreê,
't en zal geen een verloren,
geen een te kwiste gaan
voor altijd: hergeboren,
die dood nu zijt,
zal elk van u, dat viel,
de zonne weêr ontwekken,
zal met uw' groenen dracht
de groene boomen dekken,
te zomertijd.

o Zomer!... Ik zal eens
ook Adams zonde boeten,
gevallen en verdord
in 's winters grafsteê, moeten;
maar, 's levens geest,
dien Gij gesteken hebt
in mijn gestorven longen,
dien zult Gij mij voor goed
niet laten afgedwongen,
die 't graf ontreest!

SLAPENDE BOTTEN

Ten halven afgewrocht,
ontvangen, niet geboren;
gevonden algeheel,
noch algeheel verloren,
zoo ligt er menig rijm
onvast in mij, en beidt
den aangenamen tijd
van volle uitspreekbaarheid.

Zoo slaapt de botte in 't hout,
verdonkerd en verdoken;
geen blomme en is er ooit,
geen blad eruit gebroken;
maar blad en blomme en al,
het ligt erin, en beidt
den dag, den dageraad...
de barensveerdigheid.

NIEUWJAAR

Het jaar is uit-
en tendengeleefd:
van al zijne oude
ellenden en heeft
den last het ons ontgeven;
het nieuwjaar heeft,
van heden af aan,
voor elk ende een,
een schrede gedaan;
wie zal 't tot tenden leven?

RIJMSNOER

Een rijmsnoer ben ik rijk gebleven,
'k en weet newicht noch hoe noch waar
't mij inneviel, noch hoe malkaar
de staven zijn aaneengesteven
    zes of zeven,
    die ik even
vond alhier en ving aldaar.

MOEDERKEN

't En is van u
hiernederwaard,
geschilderd of
    geschreven,
mij, moederken,
geen beeltenis,
geen beeld van u
    gebleven.

Geen teekening,
geen lichtdrukmaal,
geen beitelwerk
    van steene,
't en zij dat beeld
in mij, dat gij
gelaten hebt,
    alleene.

o Moge ik, u
onweerdig, nooit
die beeltenis
    bederven,
maar eerzaam laat
ze leven in
mij, eerzaam in
    mij sterven.

ZEGEPRAAL

De zonne vecht! Het noordervolk
  komt woedend opgestoven,
de diepten uit, afgrijzelijk

verbolgen. Bergen boven
malkanderen zij werpen gaan,
in 's hemels aangezicht:
den al te schoonen dag uitdoen,
en dooden 't zonnelicht!

Het spettert, uit de wolken, vier
en vlamme; kwade steenen,
van rammelenden hagelslag,
en bliksem, al met eenen,
vergâren mij de reuzen in
hun vuisten vol geweld,
en ruien ze, onbermhertiglijk,
daarheen in 't zonneveld.

't Is donker nu, 't is donkerder,
nog donkerder! Gevaren,
als machtig, overmachtig groote,
en mammothsche adelaren,
omslaan de wolken alles, en,
voor 't nachtelijk bedwang,
onthemelt al dat hemel is,
in 's hemels zwart gevang.

't Is donker! Zal 't verwonnen zijn,
dat overheerlijk blaken,
dat altijd even schoone van
de schoone zonnekaken?
't Is nacht! En zijt voor goed nu gij
gedompt en doodgedaan?
Gij, beeld des Alderhoogsten, zult
gij, stervend, ondergaan?

Staat op! Het worde dag weerom!
Staat op, en slaat die booze,
die duistere onbedachten, gij,
des hemels schoone rooze;
gij, onverkrachte lichtvorstin,
staat op, uit uwen schans,
en plettert, onbermhertiglijk,
die domme reuzen gansch!

De zonne vecht! Zij duwt den spiet,
den onverwonnen gaffel
des zonnelichts, de reuzen in
den zwartgezwollen naffel;
ze bersten, en ze bulderen

malkander slaande, intween;
en, hersens in de kele, valt
het reuzenrot ineen.

Ze pletteren te grondewaard,
ze pletsen en ze plassen,
dat 't bommelt in de lucht alom:
lijk honden zijn 't die bassen.
De wereld stroomt, afgrijzelijk,
van 't bloed alsof het waar',
van de eindelijk verwonnen, en
verwenschte reuzenschaar.

Ze'n zijn niet meer,... ze'n zijn niet meer.
Ze waren!... In hun stede
komt helderheid, komt hemelsblauw,
komt goud, dat schittert, mede.
De zonne vocht, de zonne won,
en, tierende overluid:
„Hier ben ik!" roept ons zonneken,
„des vijands vonke is uit!"

TWIJFELZONNIG

Maar twijfelzonnig lente en is 't,
de wind en wilt niet zoeten;
't geboren loof zijn moeder mist
en wachten zal 't mij moeten,
zoo lange er buien bovenslaan,
om schielijk weêr zijn gang te gaan.

Zijn gang te gaan, in weide en bosch,
in heesters en in hoven,
begeert het, alle boeien los
en alle buien boven;
dan zal het al vol zonne zijn,
vol wellust en vol wonne zijn.

Vol wonne zijn mijn herte zal,
herlachen en herleven;
voor winden noch voor ongeval
van bange buien beven.
Och lente, weest mij willekom
en werkt uw edel werk weêrom!

Uw edel werk zoo wille ik dan
  een liedeken vereeren,
daar 't vogelvolk niet aan en kan,
  en zingen 't, duizend keeren;
maar, àl zoo lang 't uw wonne mist,
mijn herte, twijfelzonnig is 't!

EN DAARMEE AL

'k En heb vandage, o levensbronne,
geen eenen keer gezien u, zonne,
  't en zij te noene, en bij geval,
  een witte plekke, en daarmeê al.

Een witte plekke, in 't grauw gesteken,
der blind gedoekte hemelstreken:
  hoe is 't dat ik u heeten zal?
  Een witte plekke, en daarmeê al!

't Is duister ommentomme en 't leven
van 's werelds ooge is uitgewreven,
  op, over mij en 't aardsche dal,
  een witte plekke, en daarmeê al!

En, krijge ik, nu, dat Paaschen hier is,
dat levenslustig mensche en miere is,
  voor oosterlied en lofgeschal,
  een witte plekke, en daarmeê al?

Het deert mij zoo de zonne moeten
zien uitgaan en goênavond groeten,
  mij dezen dag! O, al te smal:
  een witte plekke, en daarmeê al!

Maar moet het zoo, heropgerezen
laat, morgen vroeg, uw aanschijn wezen
  mij zoete, o zonne, en liefgetal:
  geen witte plekke, en daarmeê al!

EGO FLOS...

Cant. II. I.

Ik ben een blomme
en bloeie vóór uwe oogen,
geweldig zonnelicht,

dat, eeuwig onontaard,
mij, nietig schepselken,
in 't leven wilt gedoogen
en, na dit leven, mij
het eeuwig leven spaart.

Ik ben een blomme
en doe des morgens open,
des avonds toe mijn blad,
om beurtelings, nadien,
wanneer gij, zonne, zult,
heropgestaan, mij nopen,
te ontwaken nog eens of
mijn hoofd den slaap te biên.

Mijn leven is
uw licht: mijn doen, mijn derven,
mijn' hope, mijn geluk,
mijn éénigste en mijn al;
wat kan ik, zonder u,
als eeuwig, eeuwig sterven;
wat heb ik, zonder u,
dat ik beminnen zal?

'k Ben ver van u,
ofschoon gij, zoete bronne
van al dat leven is
of immer leven doet,
mij naast van al genaakt
en zendt, o lieve zonne,
tot in mijn diepste diep
uw aldoorgaanden gloed.

Haalt op, haalt af!...
ontbindt mijne aardsche boeien;
ontwortelt mij, ontdelft
mij!... Henen laat mij,... laat
daar 't altijd zomer is
en zonnelicht mij spoeien
en daar gij, eeuwige, ééne,
alschoone blomme, staat.

Laat alles zijn
voorbij, gedaan, verleden,
dat afscheid tusschen ons
en diepe kloven spant;
laat morgen, avond, al

dat heenmoet, henentreden,
  laat uw oneindig licht
mij zien, in 't Vaderland!

  Dan zal ik vóór...
o neen, niet vóór uwe oogen,
  maar naast u, nevens u,
maar in u bloeien zaan;
  zoo gij mij, schepselken,
in 't leven wilt gedoogen;
  zoo in uw eeuwig licht
me gij laat binnengaan.

—

HOSANNAH zingt,
't is palmendag.
Jerusalem,
  slaat open
uw' deuren al,
komt uitewaard,
en kust, in 't zand
  gekropen,
het voetspeur en
de stappen van
het veulen, dat
  vol eer
is voerende in
Jerusalem
– Hosannah zingt! –
  den Heer!

T. KEIJZER

'S LEVENSHULKJE

Schipper! op de holle zee,
Wend den steven en ga reê;
't Wordt gevaarlijk voort te zeilen,
Onweêrsmagt is niet te peilen;
Hoor! de storm loeit reeds in 't want:
Schipper! keer terug naar land.

Maar de schipper acht het jok,
Zonder rif in zeil of fok,
Dobbert hij langs woeste golven,
En raakt in den vloed bedolven;

't Schoone rijkgetuigde schip
Ligt verbrijzeld op een klip.

Zondaars! ziet uw evenbeeld
In den schipper meêgedeeld,
't Zelfde lot staat u te duchten,
Zoo ge niet bij tijds gaat vlugten;...
Dobb'raars op de zondenzee,
Gaan uw hulkjes nimmer reê?...

E. LAURILLARD

BIJ DEN ZINGENDEN KETEL

Wanneer de ketel
In 't schemeruur
Zacht staat te zingen
Op 't glimmend vuur,

Dan zweeft de mijm'ring
Mij door den geest
En 't stil herdenken
Wat is geweest.

Verdwenen beelden
Zie 'k voor mij staan,
En 'k hoor nog stappen,
Die niet meer gaan.

'k Verneem nog stemmen,
Al jaren stom,
Ik zie mijn dooden
Nog eens weerom.

'k Voel vroeg're vreugd weêr
En vroeg re smart, –
De wolk en 't maanlicht
Zijn me in het hart.

En 'k denk bij 't letten
Op heil en ramp:
Ach! 't gansche leven
Is als de damp.

Maar, schoon 't zoo vluchtig,
Zoo ras ontwijkt,

Geen nood, als 't *hierin*
Naar damp gelijkt,

Dat zich de golving
Ten hoogen richt,
Dat in 't *vervliegen*
Het *stijgen* ligt.

C. P. TIELE

ZIET NIET OM

Zie niet om, maar zie vooruit!
Door geen enkle grens gestuit
  Moet gij immer verder streven,
Vóór u in het blauw verschiet
  Liggen vrijheid, heil en leven,
Maar in 't grauw verleden niet.

Zie vooruit, en zie niet om!
Vele menschen, dwaas en dom,
  Ontevreden met het heden,
't Heden vol van last en druk,
  Zoeken in het verst verleden
De eeuw van vrijheid en geluk.

Zie niet om, maar zie vooruit!
Slechts de toekomst is uw buit;
  Al wat achter is vergeten!
Voorwaarts! nimmer strijdens moe;
  Grijp slechts aan met stout vermeten!
Al wat vóór is hoort u toe.

JULIUS DE GEYTER

OP ZETTERNAMS GRAF

Wie helpt me nu een Grafstê bouwen?
VONDEL

Hier hebben wy den doode
Al weenend neêrgeleid.
Nog is met geene zode
Zyn grafterp overspreid;
Nog 't rouwkleed niet versleten
Waer ieder meê verscheen, –

En is hij reeds vergeten?
Ik sta hier gansch alleen...

Alleen van al zyn magen,
Van heel zyn vriendendrom;
Niet een komt medeklagen:
Een jaer is heden om.
En toch, hy is gevallen,
Door hoop op dank getroost,
Al strydend voor ons allen,
Al lydend voor zyn kroost!

'k Zie kostbaer praelgesteente
Hier ryzen t' allen kant:
Licht huldigt het gebeente
Van trots en onverstand,
Van magtigen op aerde,
Begraven met hun faem; –
Doch, heeft hunne eer geen waerde,
In goud toch prykt hun naem!

En hy, de rykbegaefde,
Die 't offer is geweest
Der broedren die hy laefde
Aen bronnen van zyn geest,
Geen zuil, geen zerksteen roemen
Wat martelaer hy was.
O, ik toch, ik strooi bloemen
Op zyn geheiligde asch!

Onvaderlandsche grooten
Die 't vaderland regeert,
Hem hebt ge altyd verstooten,
En bastaerdy vereerd.
Zyn graf wacht de offerande
Die men der Glorie biedt... –
Eilaes! gy kent, o schande!
Zelfs zyne kindren niet!

Gy, broedren, die zyn weezen
Zoo liefdryk voedt en kleedt,
Kan 't waer, kan 't mooglyk wezen
Dat gy nu Hem vergeet?
Wie vòòr Hem zyn bezweken,
In stryd vóór eer en regt,
Schonkt gy een huldeteeken;
Waerom het Hem ontzegd?

Denkt, – ondank is de bode
Van zelfverderf en schand...
Uit de asch van zulken doode
Herbloeit een vaderland;
Want heeft hy niet gegeven
Meer dan ons iemand gaf?
Telt zulk een jeugdig leven
Niet dubbel in het graf?

Of schynt de blyde zege
U, broedren, reeds gewis?
Herwint gy allerwege
Wat u ontweldigd is?
Geneest men reeds uw wonden,
En plant gy een' laurier?
Zoo komt dit hier verkonden,
Plant uwen lauwer hier!

Doch blyft men uw gemoederen
Vertrapplen als uw regt,
Dan zeker hier, myn broederen,
Een praelgraf opgeregt!
Gezworen op 't gesteente
Den stryd voor onzen stam;
En trillen zal 't gebeente
Van d' armen Zetternam!

ALLARD PIERSON

DE PROFUNDIS

Geen lichtstar blinkt
Op 't dorre pad naar 't eeuwig huis!
De kracht ontzinkt,
Te zwak, van de' aanvang, voor mijn kruis.
Geen plaats van rust
Om wat bereikt werd, gâ te slaan!
Zee zonder kust,
Het leven! Dobb'ren; straks vergaan!

't Vertrouwen brak!
Hoe is ze omfloerst, mijn levenszon!
Het oog staat strak,
Nu zelfs niet meer een tranenbron!
Een somb're klacht,
Beklemt, doorwoelt mij de enge borst!

o Vrucht'loos smacht,
Wiens dwaze geest naar 't hoogste dorst!

Of 'k traagheid smeek:
„Spreid mij het rustbed, ik ben moê":
Tot wuftheid spreek:
„Reik mij den zwijmelbeker toe!"
En 't wijsheid schijnt,
Te zeggen: „morgen sterven wij!"
Een wonde schrijnt
En spot met iedere artsenij.

J. E. BANCK

EEN REGENBOOG

Wanneer de hartstogt heeft gezwegen,
De weemoed, die mijn hart vervult,
Gelijk een wolk omhoog gestegen,
Mijn brein in neevlen heeft gehuld,
Dan stroomt een milde tranenregen
En ik gevoel mijn diepe schuld.

Maar eensklaps breekt uit vriendlijke oogen
De zonnestraal der liefde door
En toovert met haar lichtvermogen
Den schoonen kleurenboog mij voor,
Het vredeteeken van den hoogen,
Dat zich de Hemelheer verkoor.

Ik zie, terwijl de zonnestralen
Zich scheiden op het wolkengraauw,
Het gloeijend karmozijnrood pralen
Vereenigd met het groen en blaauw,
Die in het harte nederdalen,
Dat is gebroken door den rouw.

Ik kan het kleurenspel verklaren,
Dat voor mijn ziel is opgegaan,
Hoe liefde en trouw aan hoop zich paren,
Wanneer twee harten zich verstaan,
Dat kon uw blik mij openbaren,
Toen die zich spiegelde in een traan.

ROSALIE LOVELING

MOEDERS KRANKHEID

„Wat zal van de kindren geworden?..."
Zij zat in het klein vertrek
En zag ze buiten spelen;
Zij hoorde niet hun gesprek.

„Zoo moeder eens moest sterven,"
Zeî 't oudste van de drij,
„De groote klok zou luiden,
De kindren zeggen 't mij."

Zijn broêrken sprak: „Dan zouden
„Wij nooit naar school meer gaan
„En al de boomkens verplanten,
„Die in het hoveken staan".

En 't kleinste riep, wijl 't denkbeeld
Zijn hertje kloppen deed:
„'k Zou mijn pop een rokjen maken
„Uit moeders beste kleed!"

FRANS DE CORT

MOEDER EN KIND

Wanneer ik weeldedronken
Mijn rozig kind beschouw
En die 't mij heeft geschonken,
Mijne aangebedene vrouw,
Zoo vraagt niet wie van beiden
Mijn hart het meest bemint...
Mijn hart en kan niet scheiden
De moeder van het kind.

Ik doe mijne armen open
En sluit ze er in bijeen,
En vreugdetranen loopen
Mij langs de wangen heen...
Ach, wist gij, spreek ik stille:
Hoezeer gij wordt bemind,
Gij, kind, om moeders wille,
Gij, moeder, om uw kind!

EMANUEL HIEL

Hoort gij het heldere fluiten der vinken?
gadekens winken
hun zacht en zoet;
't jonge gebroedjen begint, om te paren,
't liefdeverklaren,
want minnegloed
glimt in hun gemoed.

Noemt me niet koekoek, o lustige vrinden,
haast zult ge vinden
een lieflijk kind;
haast zult ge heimlijk aan hoeken en straten
fluistren en praten,
en uwen zin
zetten op de min.

Noemt me niet koekoek, o oude gezellen,
durft ge vertellen
uw jeugdig verlêen?
toen u de meisjens met vochtige blikken
wilden verkwikken,
en uw gesteen
bij heur' lach verdween.

Noem me niet koekoek, o schoone der schoonen,
maar hoort de toonen
der vink in het riet;
klinkt het niet nieuw door de liefde bemeesterd
vrolijk begeesterd
't eentoonige lied:
dat zij geerne ziet.

C. DES AMORIE VAN DER HOEVEN

GOD IS MIJN ROTS, MIJN DEEL, MIJN HOOP

Gij zijt mijn Rots,
O God der Legerscharen!
In storm en golfgeklots
Zult Gij mijn voet bewaren,
Mij redden uit benaauwdheid en gevaren:
Gij zijt mijn Rots!

Gij zijt mijn Deel,
O Heer van dood en leven!
U geve ik mij geheel,
Gij hebt U mij gegeven;
Die troost zal mij in 't doodsuur niet begeven:
Gij zijt mijn Deel!

Gij zijt mijn Hoop,
O Vader vol genade!
In 's levens wisselloop
Slaat Gij mij zeeg'nend gade
En iedren dag komt mij Uw Geest te stade:
Gij zijt mijn Hoop!

C. des Amorie van der Hoeven

JAN VAN DROOGENBROECK

DE HAAN

Ziet gij hem op den mesthoop staan
Den fieren haan?
Zijn staart, – hij schittert als een vlam;
En rood als bloed, – zoo is zijn kam.
De lange sporen

Zijn scherper dan een doren;
Zijne oogen branden in den kop,
Hij zet een krop,
Als wou hij zeggen: „Pas hier op,
Of: klop!"

C. VERHULST

DE DOODEN

Beklaegt hen niet, zy hebben 't goed
Al is hun woon niet breed;
Zy kennen leed noch tegenspoed
In 't leste binnenkleed.

Nooit sliepen ze op een legerspond,
Al was het van satyn,
Zoo rustig zacht als in den grond
Schoon dáer geen kussens zyn!

En of de zomerzonne brandt,
En of de winter woedt,
Het is daer in dat donker land
Steeds even kalm en goed.

De maen komt op, – de maen verdwynt,
En lacht de bloemen aen,
Die daer veel teederer, zoo 't schynt,
Dan elders bloeijend staen.

JULIUS VUYLSTEKE

'S AVONDS

Soms nog als de avond is gevallen
en alles in stad reeds stil,
draagt mij mijn voet voor 't huis waar zij woonde,
ofschoon ik het zelf niet wil.

O bloemeken van mijn eenzaam leven,
mijn liefde, mijn lust, mijn vreugd!
Een andre geniet nu uw geuren en kleuren,
en doet zich deugd aan uw jeugd.

Dan bersten de donkere erinringen open
als hagelwolken, op mij;
dan loop ik zoo haastig mooglijk schuilen
in de herberg daar naastbij.

VIRGINIE LOVELING

HAAR LAATSTE WANDELING

Zij wandelde in de zonne –
Het loof ruischte over 't pad.
Ik ben het afgevallen,
Het vroeg verwelkte blad.

De zwaal'wen trekken henen,
Ik staar hen na en peis:
Ik ben een arme zwaluw,
Ik moet alleen op reis.

Zij trekken naar het zuiden.
Zij weten waar zij gaan,

Zij zullen wederkeeren
  Met loof en lenteblaân.

Het woud zal weer herleven
  In warmen zonneschijn,
De nachtegaal zal zingen –
  En ik, waar zal ik zijn?...

HET LIEDJE MIJNER KINDSCHHEID

Wat in de kinderjaren
  Het herte boeit en tooit,
Blijft eeuwig in 't geheugen,
  En men vergeet het nooit.

Als men 't eenvoudig liedje
  Van mijne kindschheid zingt,
Dan denk ik aan de liefde,
  Waarmede ik was omringd, –

Dan denk ik aan de stemme,
  Die 't liedje klagend zong,
Wanneer de zonne daalde,
  Wanneer het maantje blonk,

Wanneer de sterren schenen,
  Wanneer de zwaluw zweeg
En alles op den buiten
  In zachte sluimring zeeg.

Het lied weêrklonk zoo troostend
  In halve duisternis,
Gelijk de zucht van 't windjen
  In 't hangend waterlisch.

Het wiegde 't hert in ruste,
  Gelijk het zoet gezang
Van 't klokjen in de verte
  Bij zonnenondergang.

O zachte en stille tonen!
  Gij hebt mij vaak ontroerd
En in vervlogen dagen
  Van heil teruggevoerd.

O oud, eentonig liedje,
  Hoor ik u thans niet meer,

Toch klinkt gij in mijn herte
Zoo helder als weleer.

HEIMWEE

Der boomen kruinen buigen,
Ontbladerd van hun groen.
Nu gaat de winter komen
En alles treuren doen.

Het graan is in de schuren,
Het geurig hooi in 't droog,
En de appels op den zolder,
Op hoopen – o zoo hoog!

Wat hebt gij van den zomer
Vergaard en opgedaan?
– Gedachten zonder einde,
Vervlogen en vergaan.

Wat staat ons nog te wachten
Dan mist en hagel hier,
En koude, korte dagen,
En nachten eindloos schier.

De zwaluw is gaan vluchten,
De blaadren vielen toen,
En gij zijt heengevlogen,
Zoo als de vogels doen.

A. L. DE ROP

DE NAJAARSZONNE SPRANKELT

De najaarszonne sprankelt
Op 't gêlend looverdak
Haar schoonste tooverkleuren,
En speelt langs 't vijvervlak.

Een vlucht van bonte kraaien
Strijkt neder in het bosch,
En nog een enkle vlinder
Zweeft waprend over 't mos.

In 't effen water spieglen
  Twee zwanen, blank van veer,
Uit dons gewrochte gondels,
  Zacht wieglend op het meer.

De haan steekt op de hoeve
  Zijn heldere klaroen,
Terwijl nog tortels kirren
  In 't laatste beukengroen.

Hol ratelt op den straatweg
  De postkar door het woud,
En sijsje en vlasvink fluiten
  In 't dichte kreupelhout.

Maar ras daalt toch het donker,
  't Wordt tegen d' avond frisch;
't Zegt al, dat dit de laatste
  Der mooie dagen is.

En spoedig naakt de winter,
  Dan zingt geen vogel meer;
Dan ligt op bosch en vijver
  Het sneeuwen doodskleed neer.

Toch menigmaal in 't midden
  Der koude winternacht
Verneem ik in mijn droomen
  Die zoete tortelklacht.

Ik hoor een werfhond bassen,
  En 't kraaien van een haan,
En 't is me of ik het raatlen
  Der postkar had verstaan.

'k Doorleef de schoone stonden,
  Waarin ik dweepte in 't woud –
Ach, 's morgens bij 't ontwaken
  Is alles kil en koud.

KAREL DE GHELDERE

DE EEUWIGE JAGER

Des winters, binst den nacht,
  wanneer de wilde winden,

in 't woedende tempeest,
hun dolle kracht ontbinden;

Als, in hun somber kleed,
de spilde sparreboomen
gepijnd zijn en geplooid
dat ze op elkander droomen:

Dan hoort men door het hout
den Eeuwgen Jager rijden;
dan hoort men zijn getrek
van booze brakken strijden.

Oh!... Hoe ze jankend slaan
en met de winden huilen,
en tjalpen door het schuim
van hun bebloede muilen!...

Toen klinkt door 't galmend woud,
waarvan de boomen trillen,
des Eeuwgen Jagers roep,
gelijk een weeklankgillen:

Tjagouw! Zoo klinkt 't geroep
op zijn verwoede honden;
Tjagouw! Zoo klinkt het voort
tot aan des Oordeels stonden.

Hij draagt, de wereld rond,
op zijn verwenschte schouders,
den nooit ontlasten vloek
van zijn misprezene ouders.

En klagend jaagt hij voort,
hoe woest de winden snakken,
gevolgd door 't eeuwig lied
van 't huilen zijner brakken.

En in den laatsten nacht,
toen alles gaat verzinken,
dan zal 't benauwd Tjagouw!
de laatste maal weêrklinken.

HUGO VERRIEST

AVONDSTILTE

't Wordt laat, en 't zwijgen zinkt met stillen avond neder,
En stille navond dringt me in 't eindloos diepe hert,
En 't eindloos herte, moe van 't wentlen weg en weder,
Staakt 't wentelen en rust in stille zoete smert.
O smert, geen zoetheid kan aan 't rustend zoet genieten,
Het zoet genieten van uwe ijdele eindloosheid,
Uwe ijdele eindloosheid die 't droomen vol kan gieten,
Het stille droomen van des avonds eenigheid.
't Is eens en avond, en de duisternissen dalen
In halve duisternis doorschijnend in den nacht,
Waar schijnend' heldre sterren aan den hemel pralen,
Den hemel licht doorlaaid in heldre sterrenpracht;
Die sterrenpracht die ginds oneindig wendt en wiegelt,
Oneindig wendt en wiegt in 't meteloos gespan,
En meetloos in den kleenen klaren dauwdrop spiegelt,
Den dauwdrop, mijne ziel, die 't eindloos spieglen kan.
Het eindloos hangt daar hoog en ligt hier nêer te droomen,
Te droomen in de vlakte en in het zwijgend woud,
Het woud dat zwijgend rijst met halfverlichte boomen,
Die boomen vormeloos die schijnen eeuwenoud;
Want eeuwenoud is 't al en meteloos te samen
Als samen stilte ligt en nacht op de natuur,
Natuur, onroerbaar stil waar blad noch boomen aâmen
Noch de adem van den tijd waait in de drijvende uur.
De drijvende uur ligt stil op roerelooze boomen,
En roerloos voor den bosch strekt 't ongemeten land,
Het ongemeten land dat donkre verten zoomen,
Die verten meteloos lijk zeeën zonder strand.
En zeeën zonder strand van stille zoete smerte
Van smert onroerbaar, kalm en vrij van bitterheid,
Onroerbaar liggen, kalm, in 't zwijgend eindloos herte
Met 't eindeloos gevoel der eeuwige eindloosheid.

W. L. PENNING

OUDEJAARSAVOND

Alle kwaad zou 'k vergeten,
Kon 'k omzien naar 't jaar
Met zijn dagen zoo droef, en zijn nachten zwaar,
Met zijn uitzicht op bitterheidsbeten;

Enkel noodde ik bedroefden
En weldoeners uit
Tot een stille bijeenkomst en jaarsbesluit,
Aan den haard, waar ze menigmaal toefden.

En met broederslag komen
Ze in 't geesten-uur aan:
De nóg droeven, wie 'k geenerlei goed gedaan –,
De nóg gullen, wie 'k vreugd heb benomen.

Zoo vol schaamte als vol gasten
Is 't huis van mijn hart:
Waar and'ren naar omzien – mijn jaar van smart
Keert tot God als een smart'lijk verraste.

UITGELEIDE

Geen lauwer vraagt dit graf, geen palm,
Geen hulde woorden
Of rouw-akkoorden –
Hier gaat herdenking boven psalm.

Want zij, wier lijkbaar dragers vindt
Die al haar dagen
In 't harte dragen,
Eenvoudig was zij als een kind.

En de enk'le krans, ten uitgelei'
Den dood verbloemend, –
De doode roemend, –
In 't sterfhuis zelf verwelke hij.

Uit dorren krans zal met een lach
Haar beeltnis neêrzien;
Voor *ons* dat weêrzien –
Voor *haar* nu Rust of Nieuwe Dag!

LEVENSAVOND

Mijn oogstlied klonk –
Mijn avond zonk – –
En schuw, langs leêgen akker,
Riep nog een enk'le moede toon
Gedachten aan genoten schoon
En blijden arbeid wakker.

Nu wordt het kil
En eenzaam-stil,
In donker blijf ik droomen;
Ik tast naar handen die me ontgaan...
Ik roep de stille zielen aan –
Die nooit meer herwaarts komen...

En keer 'k mij af
Van dood en graf,
Dan droom ik droever dingen;
Een spooksel werd het leven mij,
De ontblaêrde tuin een woestenij,
Een kreet van pijn mijn zingen.

Doch eer 'k Uw leed
Voor 't mijn' vergeet,
Vergeet ik ons verleden;
Ons heeft de volle Dag bekoord,
Ons-saam ontving het stralend oord
Van schoonheid en van vrede!

Geen glinster nu
Verwerft gij u,
Of 'k deel in uw behagen;
En 'k gis uw raad bij 's levens last:
– Wij moeten de' ongewenschten gast
Verdringen of verdragen!

BEKENDHEID

Des dichters wereld is zoo groot,
Zoo klein, zoo stil zijn werk; waar zou hijzelf wel wezen?
De wereld ziet en zoekt hem niet:
En kent een rijpe geest zijn lied,
Nog moet hem na zijn dood zijn naaste omgeving lezen.

VERLOREN GAAN

Zoo lang we ons zelf niet overleefden in den dood
Van 's levens goed,
Vereerde ik weelde in arbeid, daaglijksch brood,
En 't onbezwaard gemoed.

Ons daaglijksch voedsel is sinds lang het brood der smart;
Mijn werk verging

Tot dor gepeins; en van den vrede in 't hart
Vergaat de erinnering.

TROOSTELOOS

Geen nacht gunt rust;
Geen dag brengt hoop;
Een foltring is uw lot en 't mijne;
Seizoenen komen en verdwijnen –
Wat gaan ze ons aan? wat 's werelds loop?
Ten ergste helt onze eigen baan:
Saam lijden bleef geen samen dragen...
Doodmoê vindt ons het licht bij 't dagen,
En levensmoê bij 't óndergaan.

WINTER

Grauwer dan bij 't woeste weêr,
Troostloos hangt de hemel neêr,
Grimmig zonder stormen;
Aarde! éèns blijde en grootsch,
Hoe ontdaan en doodsch
Huiv'ren thans uw vormen...

Wees gerust. In vlokkendans
Lichtend uit al valer trans,
Koomt om de arme leden
Blankheids warlend waas,
Blankheids sluiergaas,
Blankheids kleed gegleden.

Uitgesneeuwd en uitgezucht,
Spiegelt zich de blauwe lucht
Zonnig in uw stroomen;
Aarde! als laatste schat
Blinkt uw levend nat
Tusschen donzen zoomen.

Grijsheid voert ge ons voor den geest:
Bloei en stormweêr zij geweest,
Nog geniet zij 't leven;
Tusschen 't sneeuwwit haar
Blinkt haar oogenpaar –
Straks, als 't Nat, versteven!

Wij zaaien wat wij vinden,
En eenmaal zien wij bloei;
Maar die de schoof laat binden,
Gaf 't zaad en gaf 't zijn groei, –
En schiep, eer zon of regen
De kiem nog had gekust,
Als dubb'le wet van zegen
Den arbeid en zijn lust.

HERINNERINGSDAG

Nu staat mijn tuin gerijpt,
  De vrucht hangt vol en vredig;
Moe keer 'k naar 't huis der rust –
  Ach wat al plaatsen ledig!

En huivrend zit ik neêr
  Terwijl mij de oogen branden...
Doch zorgzaam opgewacht,
  Stil grijp ik trouwe handen.

Met onweerhouden traan
  Stil zegen 'k hen die bleven;
En alles, alles keert
  Wat wegviel uit mijn leven.

G. TH. ANTHEUNIS

KOM! DE LIEFDE LACHT

Lenteliedje wees niet bang,
  Kom maar vrij naar buiten;
Alles vraagt naar klank en zang
  Als de bloemen spruiten.

Beken ruischen immervoort,
  En de schoone rozen
Neigen 't kopken over boord,
  Spieg'len zich en blozen.

Jeugd en liefde wand'len stil
  Hand in hand en droomen;

't Vooglijn bouwt, naar lust en gril,
't Nestjen in de boomen.

Kom, de liefde wacht naar u,
Blijf niet langer binnen;
Kom, de liefde lacht naar u,
Zing van 't zoete minnen.

EUGEEN VAN OYE

De dag is ten ende,
de nacht komt aan;
nu wil ik mij wenden
ter hemelbaan.
De sterren die blinken
en staan zoo zoet
me bij te winken
met blijden groet.

Ik zie zoo geren
een sterreken staan:
O, laat ik me weren
om heen te gaan!
De ziel moet werken,
de ketens af!
Geslagen de vlerken
die God mij gaf!

Ik zwem, ik zweve
naar hooger goed,
Ik vlieg, ik leve
in aethergloed!
Vergaan is alles –
ik vaar op zee...
Waar God aan wal is,
dáár is de reê!

—

Fecisti nos, Domine, ad te; et inquietum
est cor nostrum, donec requiescat in te.
AUGUSTINUS

Altijd wenschen, altijd vreezen,
hoop en wanhoop in het hert;
rusteloos geslingerd wezen
van de vreugden naar de smert...
Altijd voorwaarts, voorwaarts haken,

zonder stuurman, zonder baken,
naar een steeds onzichtbaar strand;
en – bij 't moedig henenstoomen,
moedeloos, droefgeestig droomen
aan 't verloren kinderland!

Gistren wiegde ik heen in droomen
die vandaag vervlogen zijn;
andre zullen wederkomen
met hun valschen tooverschijn...
Ach! het onstandvastig wezen
van 't geluk dat, pas gerezen,
henenwasemt in verdriet!
Tusschen 't gister en het heden,
tusschen toekomst en verleden,
welk een stipje, welk een Niet!

'k Heb bemind en heb genoten,
'k heb geweeklaagd en gezucht,
't woelziek leven uitgegoten
op de winden in de lucht.
'k Zocht, gezweept door hunne roede,
't lokkend leven, levensmoede –
tot ik machtloos nederviel...
O! wie zal daarheen mij voeren
waar geen banden zullen snoeren
mijne vrijgeboren ziel?...

H. J. A. M. SCHAEPMAN

ZUCHT NAAR HET VADERLAND

Er is iets in de lucht,
Dat tranen drijft in de oogen
En uit het hart een zucht;
De bladeren bewogen
Door 't avondwind-gerucht,
De bloemen neêrgebogen
Door regendrop en drop
Zij laten 't hoofdjen hangen,
Als meê van smart bevangen
En beuren 't niet weêr op.

't Is of zij weemoedsvol
De wondre stemming deelen
Waarvan het hart mij zwol.

H. J. A. M. Schaepman

Gij, dartele gespelen,
  Hoe wisselt gij van rol.
Gij kwaamt mijn oogen streelen
  En vlocht een tooverband
Mij om vol geur en luister,
Wat spreekt nu uw gefluister
  Van 't lieve vaderland?

  Een zachte sluier hing
Uit neevlen saamgeweven
  Om berg en heuvelkling;
Waar is de lust gebleven,
  Die in dien breeden kring
Het jeugdig hart deed beven
  Van zaligend genot? –
De zon heeft uitgeschenen,
De nacht daalt om mij henen,
  En alle vreugd is spot.

  Ontzaglijk beurt de dom
Zijn rijk omkransten toren,
  Die straks in zonlicht glom;
Kan niets mij dan bekoren
  Is ook het schoone stom?
Iets ruischt er in mijn ooren,
  Iets is er in de lucht,
Zoo zoel en onbewogen,
Dat tranen drijft in de oogen
  En uit het hart een zucht.

  Daar bengelt de Ave-bel,
Daar trillen zilvren klanken,
  Zoo zacht, zoo fijn, zoo hel;
In bidden, juichen, danken
  Vergaat de weemoed snel.
Gedragen op de blanke,
  De geurige Englenwiek
  Dier hemelsche muziek
Voel ik mijn ziele stijgen
Tot waar de harpen zwijgen,
  Tot waar der Moeder hand,
Wier borst het zwaard doorgriefde
Ons opvoert naar de liefde
  Naar 't eenig vaderland.

MARIE BODDAERT

WROK

De lucht hing laag in geelgrauw vale broeiing;
Het land lag stil, als voelde 't dat daarboven
Wolken van strijd en onrust samenschoven,
Vol weerlichtvlamverzet en toornegloeiing.

En over 't land bewoog – één samenvloeiing
Van wrokkende gestalten, maatloos sloven
Van tallooze eeuwen op hun nek geschoven –
Een grauwe schare in ordlooze vermoeiing.

Daar brak een momplen uit hun stugge monden;
Vlamoogen laaiden of zij dooden konden;
Hun droge lippen stuwden donkre woorden.

En of de wolken wee en vloek verstonden,
Bogen zij dieper over 't land, en zonden
Donderend vuur tot zij den vloek verhoorden.

PIET PAALTJENS

Op 't hoekje van de Hooigracht
En van den Nieuwen Rijn,
Daar zwoer hij, dat hij zijn leven lang
Mijn boezemvriend zou zijn.

En halverwegen tusschen
De Vink en de Haagsche Schouw,
Daar brak hij, zes weken later zoowat,
Den eed van vriendentrouw.

—

Wel menigmaal zei de melkboer
Des morgens tot haar meid:
„De stoep is weer nat". Och, hij wist niet,
Dat er 's nachts op die stoep was geschreid.

Nu, dat hij en de meid het niet wisten,
Dat was minder; – maar dat *zij*
Er hoegenaamd niets van vermoedde
Dat was wel hard voor mij.

—

HEM, die mij grof beleedigt,
  Mij overlaadt met schand
En openlijk mij belastert,
  Hem reik ik de broederhand.

Maar die mij voorkomend bejegent,
  Die mij aan zich verplicht
En zich mijn vriend durft noemen,
  Dien spuw ik in 't gezicht.

—

O, SPREEK mij niet van liefde,
  Van vriendschap en van trouw;
Die zijn al sinds lang overleden,
  'k Ben lang er al van in den rouw.

Neen, spreek mij van 's menschen ellende,
  Van al zijn kommer en nood,
En hoe hij zijn broeders leven
  Verbittert, – dan lach ik mij dood!

SOERA RANA

GEDROOGDE BLOEMEN

Dáár, waar door boomen,
  Diep in de sneeuw
Levend begraven,
Rondgaat der raven
  Somber geschreeuw,
Zwerven mijn droomen.

Dáár, bij de hagen,
  Diep in den hof,
Krone der rozen,
Stond het te blozen,
  Geurde dit stof
Luttele dagen;

't Prijkte in heur haren,
  Dartelend kind!
Lutt'le seconden…
Heimlijk verzwonden
  Had het – de wind
Wis doen ontblâren!

Ieder geloofde;
  Eéne slechts niet:
't Zalig, verstolen,
Allen verholen
  Lachje verried
Wie het haar roofde...

Schoonste aller rozen,
  Snellijk vergaan!
Meibloemen keeren,
Ach, maar u leeren
  Klachte noch traan
Immer meer blozen.

CORNELIS HONIGH

EVEN ALS VOORLEDEN JAAR

Even als voorleden jaar
Brengt de lente een zwerverschaar
  Die hun lied doen hooren.
Luid weerklinkt hun blijde toon;
Ach, één stemme, zacht en schoon,
  Mis ik bij die koren.

Even als voorleden jaar
Schitt'ren bloemen, waar ik staar,
  Rijk in geur en kleuren.
Ach, de schoonste uit mijne gaard,
Meer dan de and'ren saam mij waard,
  Mag ik niet bespeuren.

Even als voorleden jaar
Straalt de hemel blauw en klaar,
  Door geen wolk betogen.
Ach, dien hemel zie 'k niet meer,
Die mij tegenloech weleer
  Uit twee minlijke oogen.

Even als voorleden jaar –
Ja, het waar' zoo, zage ik haar,
  Die in 't hart zich prentte.
Wat baat, nu 'k haar missen moet,
Zang en bloem en stralengloed...
  Treurig zijt ge, o Lente!

GEDAALDER ZONNE

Aan het golfgeruisch huwt
't Westewindje, dat luwt,
Zijn klaag'lijk, melodisch gefluister,
En de scheem'ring slechts rest,
Nu de zon daalde in 't west,
Een poos nog – en de aard ligt in 't duister.

En geen stem meer in 't rond,
Die nog leven verkondt.
'tIs stil in het woud, in de weide,
En onzichtbaar, maar zacht
Daalt een weldoende macht,
De Sluim'ring met zeeg'nend geleide.

Met heur vleug'len beroert,
Met heur droomen ontvoert
Zij het menschdom aan zuchten en zorgen,
In heur armen vergeet
Elke lijder zijn leed,
Vindt vrede en vindt rust tot den morgen.

Aan het oost baadt de trans
Schoon als ooit dan in glans
En zullen de voog'len haar prijzen,
Die na 't duister steeds lacht –
Maar wanneer na mijn nacht,
Wanneer zal mijn zon weer verrijzen?

HERFSTAVOND

Reeds verkleurt het berkenblad,
Geel is 't wingertloover;
Van den ganschen bloemenschat
Bleef slechts de aster over.

Nog een matte zonnestraal
Komt door neev'len henen
't Dor plantsoen een enk'le maal
Flauwe tinten leenen.

Doodsche stilte heerscht alom.
Met de najaarsbuien
Werd het koor der wouden stom,
Of ontvlood naar 't zuien.

In het woud slechts, waar ik dwaal,
Ruischen wond're woorden:
Herfstwind, 't is uw droeve taal,
't Zijn uw somb're akkoorden.

Ook in mijn gemoed verstierf
't Lied van lust en weelde,
Sints ik de engelreine dierf,
Die mijn leven deelde.

In mijn hart als in mijn lied
Blijft, bij nacht en dagen,
Stil, maar steeds het zielsverdriet
Als de herfstwind klagen.

G. W. LOVENDAAL

AVONDLIEDJE

Het avendt stil en zoetjesaan
Is ook de zon aan 't ondergaan;
Ze kleurt den blauwen hemel rood
En violet de blanke sloot.
De popels langs het weidepad
Verroeren niet een enkel blad;
Ze kijken naar de zon, die wijkt
En zachtkens laag en lager strijkt.

De molen op den hoogen dam
Gaat zwaar. Hij rekt zijn roeden stram.
En loomer, loomer, loomer gaan
De wieken, tot ze stille staan.
Zoo roerloos staat hij aan de wiel,
Alsof de slaap hem overviel;
Wat avondrood gloeit nog omhoog
In 't donker van zijn vensteroog.

Nu is het alles wijd en zijd
Verwaasd in vale donkerheid,
En alles wordt zoo vaag, zoo ver;
Maar klaarder tintelt ster na ster;
De hemel spant zijn starrenkleed
Weer over 's werelds last en leed
En schenkt aan al wat zorgt en strijdt
De weldaad der vergetelheid.

JACOB WINKLER PRINS

WEERSPIEGELING

't Licht verflauwt tot purper aan de kimmen;
Pinken teeknen donkerzwart zich af;
De ankertouwen, wit gebleekt en straf,
Leiden her en der, naar plassen, zwimmen.

Lichtjens ziet in 't want men weldra glimmen;
't Zijn lantarens, die de schipper gaf,
En, weerspiegeld in de weeke draf,
Uitgerekt tot lange, bleeke schimmen.

Meisjes zitten schomlend op de touwen...
Jongens, die de meisjes gadeslaan,
Jeugd en grijsheid, kindren, mannen, vrouwen,

Alles ziet weerspiegeld men er staan;
En men zou het spel voor ernstig houën,
Bracht de deining geen verandering aan.

BUI

Grimmig snellen rondgerolde wolken,
Eindeloos groote kluwens, aan door 't blauw.
Doodsche stilte! Toch, ze naadren gauw,
Scherp weerspiegeld in de molenkolken.

Schelle fonkling van millioenen dolken;
Dan de donder; en, van regen lauw,
Schudt de wind den hechten molenbouw,
Loeit het rund, dat wegvlucht, ongemolken.

Zuiver, als geslepen edelsteenen
In een rand van donker goud gevat,
Spiedt de klaproos door de halmen henen,

Glanst de koornbloem helder na het bad;
En het paard, met glimmend stijve beenen,
Scheert de klaver, koel en druipend nat.

WERKING DER MUZIEK

Wat is mijn hart toch,
Wanneer gij, o klanken,

Mij met 't geluid overspuit
Uwer spranken? –

Is het een gaarde,
Waar bloemen, die bloeien,
Door 't felle steken der zon bezweken,
Van dorst verschroeien? –

Is het een bloemperk,
Waar goudgele bijen,
De geuren stelen der paarsfluweelen
Violen-reien? –

Is het de boekweit,
Waar hommelhorden,
Wit bestoven van 't bloemenrooven,
Gonzende snorden? –

't Mugje, dat zingend,
In de orchis gedoken
Vast er bleef kleven en moet sneven,
De oogen geloken? –

Wellicht een beek,
Zoo snel aan 't vlieten,
Dat boschanemonen en duizendschoonen
Weerspiegeld verschieten? –

Is het een meer,
Een kristallijnen,
Waarin de sterren, dichtbijzijnde en verre,
Verdubbeld schijnen? –

Een waterval soms,
Tusschen de rotsen
Voort zich wringend en vroolijk zingend
Met spattend klotsen? –

Is 't een fontein,
Zilverkolom,
Opwaarts bruisend neerwaarts ruischend,
Fonklende alom? –

Neen, 't is de zee!
Waarover henen
Stemmen schateren en zuchten klateren
Met lachen en weenen! –

Jacob Winkler Prins

PLOMPENBLAD

O, plompenblad, dat schommelt
Al op en neer als 't water deint;
Doch groener nog dan 't kroosveld schijnt,
Wanneer ge er opsteekt overeind,
Tot gij verzinkt, verschijnt, verdwijnt,
Als 't onweer, nu het daglicht kwijnt,
Schor rommelt!

O, groene bies, bewogen
In de onbewogen avondlucht
Door 't vallen van een beukevrucht,
Door 't suizen van een vlindervlucht,
Door 't koeltje dat uit 't Zuiden zucht,
Maar tot den grond door 't stormgerucht
Gebogen!

O, paardebloem aan 't bloeien!
Zoo vroolijk geel, zoo zonnig teer,
Op 't weiland aller bloemen heer;
Maar blaast het kind straks op u neer,
Dan zie ik, hoe zich keer na keer,
De zaadjes, als de donzen veer,
Voortspoeien!

O, plompenblad, bies, bloemen!
Gij spiegels van mijn zielsverdriet,
Van al wat 't leven bitters biedt
En wat men zelden duidlijk ziet;
Gevoelens waar men vol van schiet;
De wondere dingen, die men niet
Kan noemen!

UIT MISTIG GRIJZE MORGENSTREPEN

Uit mistig grijze morgenstrepen,
Een onbewogen meer gelijk,
Verschijnen vormelooze reepen:
't Zijn boomen op een hoogen dijk.

Nu 't lichter wordt, zie ik iets blinken
Als sikkels, opgaande uit den mist;
En klokjes hoor ik droomrig klinken:
De herder met zijn koeien is 't.

En meer en meer komt 't groen der weiden
Te voorschijn uit den morgendamp;
't Zijn bloemen, die mijn oog verblijden,
Geel als een stralend helle lamp.

Jacob Winkler Prins

Reeds flonkren hoog de popeltoppen
En lager 't groen der beukenheg;
De dauwdrop vonkt aan windeknoppen,
De morgenwind waait nevels weg.

Gezegend licht, uit nacht gestegen,
Zoo vriendlijk lacht uw oog mij aan;
Ik sta op 't kruispunt van veel wegen –
O, zeg mij welken kant te gaan!

SPIEGELING

In 't venster van mijn buurman is een tuin...
In 't bochtig glas zie 'k schelle groene vlekken,
Die krimpen of langwerpig vierkant rekken,
Al naar de wind suist door den dichten kruin

Der wit-bethyrste blâre-boombazuin,
Waaruit doorvonkte groene wuivers strekken,
Die 't pad met wieglend schaûw-gewoel bedekken,
Nu 't avondlicht al schuiner valt en schuin.

Maar 't licht verdwijnt en scheemring komt nu ras.
Mijn buurman treedt aan 't venster, trekt aan 't koord
Van 't valgordijn... het valt met stroef gekras.

Hij steekt de lamp op, kleedt zich ongestoord
En in den spiegel zie ik hem zijn das
Vaststrikken rond den hoogopstaanden boord.

WOLKBREUK

In een wilde suizelende wieling
Gudst volmondig, als een zee van droppen,
Dampgordijn van water, stralen-stroppen,
In één lange door-elkander-krieling;

Overstelpend alles, wat in knieling
Angstig neerligt en de, bange koppen
Onder vlerken als beschutting stoppen
Voor de nader komende vernieling.

Neergegeeseld ligt smaragden klaver,
Platgeslagen 't blauw en 't fladderend rood
Van de koornbloem tegen de papaver

Door de rogge, als lijkkleed langs de sloot,
Maar de wilde, kleine gele klaver
Tart van 't heftig straalgevlaag den stoot.

BERGMEER

Wie op den spiegel drijft weet niet, wat hij moet denken
Of onder boven is, nu boven onder schijnt,
Want heel de gladde wand, die in het meer verdwijnt,
Staat met zijn dennenlast in 't zonnelicht te wenken.

En waar de wateren de groene kegels drenken,
Volgt 't oog, diep in het nat, de duidelijke lijn
Van uitgestoken tak in water-zonneschijn,
Wiens onbewogen rust geen stormen kunnen krenken.

Geen kabling komt er in. De stralen, die zich deelden,
Weerkaatsen 't bodembosch tot in den vollen dag.
Men ziet hoe rond den stam de groene mossen geelden

Tot kussen van fluweel, alsof een lijkkleed lag
Op den verdronken boom. Zoo zijn er spiegelbeelden.
Die boven schijnen, door wat men diep onder zag.

OVERVLOED

De boomen hebben overvloed van blaren...
De wind komt aan in speelschen tuimeldraf
En schudt het bloemblad bij miljoenen af
En doet ze als scheepjes op de luchtzee varen.

Uit hauw en doos van orchidee en varen
Stuift wolk aan wolk van poeirig goudbruin kaf
Neer op den harden klinkerweg als graf...
Niets wordt er, niets, uit veel miljoenen paren.

De menschen hebben overvloed van woorden
En groote steden overvloed van poenen,
En strenge heeren overvloed van koorden,

Verliefde kindren overvloed van zoenen,
En overvloed van bloemen waterboorden,
Niets wordt er, niets, uit talloos veel miljoenen.

Jacob Winkler Prins

FIORE DELLA NEVE

ROEMERSWALE

Daar ligt, zoo klinkt een sage van weleer,
Een rijke, trotsche stad in zee verdronken.
En waar de gouden torenspitsen blonken,
Daar kabbelt rustig thans het blauwe meer.

Des avonds zit de visscher mijm'rend neer.
't Is als werd van het goud, daar lang verzonken,
In golf op golf een scheem'ring hem geschonken...
Maar niets geeft van den schat de diepte weer.

Zoo mijne liefde; schoon ge in lied bij lied
Haar lichten schemer telkens blinken ziet,
Als 't gouden schijnsel in de blauwe golven;

Vrees niets, de glans wordt nimmer uitgebluscht,
De schat verdwijnt niet, die in 't harte rust,
Maar blijft er, rijk en kostbaar, diep bedolven.

P. A. M. BOELE VAN HENSBROEK

ONVERGETEN

Soms is het of ik het vergeten ben;
Of er niets is geweest, dat niet meer is.
Mij zelven is het een geheimenis,
Zóó diep, dat ik mij zelven niet meer ken.
Dan lach ik, doe ik, of er niets ontbreekt,
Of alles voort leeft, zooals het moest zijn,
Of nooit de dood iets van wat ik eens mijn
Noemde wegnam. – Maar de ure komt, die wreekt.

P. A. M. Boele van Hensbroek

Als ik een knaapje zie, dat hem gelijkt,
Dan zie ik hem weêr lachend voor mij staan,
In al zijn kinderlijke minlijkheid;
Dàn welt vol weemoed in mijn oog een traan
En als het beeld, het droeve, van mij wijkt
Voel 'k toch des doods onoverwinlijkheid.

W. G. VAN NOUHUYS

OCHTEND

De hemel is zoo troosteloos grijs,
    Het wil niet dagen...
De wind zingt in de boomen een wijs
    Van klagen...

Ik hoor de droppelen nedergaan
    In 't neevlig duister, –
Voor 't open venster blijf ik staan
    En luister...

Zoo stil is 't overal om mij heen
    Op donkere wegen...
Alleen het troosteloos geween
    Van regen...

F. L. HEMKES

LEVEN

Verlang niet naar den boozen stond,
Waarin de band verbroken wordt,
Die u sints uw ontstaan verbond
Aan al wat leeft en bloeit en dort,
Het uur waarin gij scheiden zult
Van vogellied en zonneschijn,
Geen vreugd, geen liefde uw hart vervult
En ge ophoudt langer mensch te zijn.

Gij hebt geleefd, uw tijd is uit –
De winter ga, de lente komm',
Geen, die uw donker huis ontsluit;
Voor u zijn veld en bosschen stom;
De madelieven tooien weêr

De weiden met haar wit en rood,
En lokken 't kind als u weleer; –
Het leven bleef, slechts gij zijt dood.

En rekt zich uw bestaan nog voort,
Toch spreken nimmer tot uw ziel
Weêr kleur en lied, weêr daad en woord
Als eens, vóór 't leven u ontviel;
Van uit een andre wereld dringt
Het lied der schepping tot u door,
Verward, zooals de zeehoorn zingt –
Voor u ging 's levens zin te loor.

Een was op aarde uw lust, uw lied;
Van 't wezen waar uw ziel aan hing
Scheidt u een wereld; grimmig stiet
De bleeke dood u uit den kring;
Zweeft nog uw geest langs de oude baan,
Schoon niemand van zijn bijzijn weet?
Wat leeft kan slechts wat leeft verstaan;
Gij deelt niet meer in vreugde en leed.

o Vest niet staâg den blik op 't rijk
Door 's menschen blinde waan gesticht,
Dat straks verdwijnen zal gelijk
De neevlen voor het morgenlicht;
Heb lief met heel uw ziel en kracht
Wat leeft en wast, wat bloeit en dort;
Dan is uw levenstaak volbracht,
En hebt gij vrede als 't avond wordt.

„Wat leeft kan slechts wat leeft verstaan"
Zij 's menschen leus – ach, strijdt niet meer
En voedt geen haat om ijdle waan,
Om duister schrift en sombre leer;
Ziet, allerwege lokt Natuur
Met bloesempracht en zonneschijn,
Uw heerlijk erfgoed tot het uur,
Waarin gij ophoudt mensch te zijn!

STILLE GETUIGEN

Al denkt gij ook: „Wij zijn alleen!"
De sterren houden wacht,
De wind strijkt door de linden heen,
Die fluistren in den nacht;

Er zijn getuigen bij uw eed
In 't rustige avonduur,
En wat geen mensch bekend is, weet
De zwijgende natuur!

En schendt gij d'eed van liefde en trouw
Dan is uw rust verstoord;
Verwijt u 't reine hemelblauw
Het breken van uw woord,
Dan huivert ge als het koeltje zacht
Door 't lindeloover stoeit,
En mijdt uw oog de gouden wacht,
Die aan den hemel gloeit!

DAAR RIJST ME IN 'T HART...

Daar rijst me in 't hart een droef gedicht,
Terwijl de hemel straalt en lacht:
„Een bloem ontluikt bij stervend licht
„En leeft – een enklen lentenacht.

„De wind is stil en alles rust;
„De bloemen knikken, fluistren zacht
„En droomen dat de zon haar kust –
„Nog ééne bloem slechts waakt en wacht.

„Zij waakt en wacht, totdat de trans
„Gekleurd wordt door het morgenrood;
„Dan sterft zij met der sterren glans;
„De dag breekt aan, de bloem is dood."

Waartoe in dezen tijd een klacht,
Terwijl de dagen zonnig zijn? –
Mijn liefste is als een bloem, die wacht
Op levensvreugde en zonneschijn!

VICTOR DELA MONTAGNE

Ik denk somtijds, als 't avond wordt,
Hoe wij 't geluk met voeten
Vertraden om een nietig woord,
En hoe we daarvoor boeten.

Ik denk me een huizeken klein en rein
Met bloemen in alle hoeken,

Een gouden zonnestraal op den vloer,
En hier en daar wat boeken.

Daar midden, geurend en fleurend in,
Uwe schoonheid, de schalke, de blonde:
Ach neen, 't geluk lag niet ver, mijn kind,
Toch hebben we 't niet gevonden.

De zoetgekruide wijn, hij laat
In den beker bitteren droesem,
En telkens laat die herinnering
Meer bitterheid in mijn boezem.

WILLEM ZUIDEMA

VÓÓR DEN DOM TE STRAATSBURG

Vier pijlerreuzen rekken zich omhoog,
Waarop het beitel-kantwerk mag vertrouwen,
Dat poort en venster tusschen hen komt bouwen,
En 't beeldenheir, dat dicht geschaard in toog

En trans en torennis, voor 't scheemrend oog
Der kerke leergeheimen mag ontvouwen,
Rondom de Roos, voor 't uiterlijk aanschouwen
Slechts lijnen – binnen méér dan regenboog.

'k Zie kraagsteen, gevel, kruisbloem opwaarts dringen,
En waar de vlakke trans hun streven knot,
Een steen geworden: „Hoog, omhoog!" ontspringen,

Dat met den loggen trek naar d'aarde spot.
Ik zie – en hoor 't bewiekt gesteente zingen
Het één en aldoortrillend lied van God.

JAC. VAN LOOY

AVOND OP HET FORUM ROMANUM

De Nacht is komend met een heir van droomen;
Zij volgen meê met wijd-geopende oogen;
Ver van het Westen af kwam zij getogen,
In 't vreemd blauw kleed met breede zwarte zoomen.
Daar de verzoenlijke Avond lag in vrome
Gepeinzen neêr, op haren arm gebogen,

In licht opaal en klaar goud onvertogen,
En zag nadenklijk naar 't verloren Rome...
Laag hoolt het al in schemering van duister;
Nu gruwt de steen der monumenten-luister,
Nu rijst de ziel der oude steding bloot.
't Gekeldert' leeft, 't verbrokkeld puin gaat grimmen;
Miauwend gaan er om de wulpsche schimmen,
Rumoerend nachtlijk door het Rome dood.

OUD LIEDJE

Het licht is bleek en traag,
De dag is arm en kort.
Wat leeft beweegt zoo vaag...
't Is of geleefd niet wordt.

Een ondoorzicht'ge hang...
Een leeftijd arm en kort...
Maar 't oogenbliks-leven is lang
En stilkens eindeloos wordt.

NACHT

In 't wijd gedachtenlooze ruim der nacht
Ligt er mijn ziel als een te blazen veder,
Die, opgenomen, kwam op de aarde weder
Na 'n winde-vaart gevallen schommel-zacht.
Gelijk met donzen pluizen gansch omzwacht,
In molge schaûw ter rust gelaten neder,
Schouwt zij in 't aanzichtlooze en volgt het teeder
Geadem van 't gekamerte der nacht.
Blosloos ze ligt, als met gevouwen zwingen;
Volkomen wel in hare nacht volkomen;
Mijn ziel, die nochtans kent veel duistre dingen,
En veel nacht leed om vele levensdroomen;
Zóo, helder-klaar aanhoort ze in 't onverstaan
't Koele gekraai van een ontwaakten haan.

NACHTEGAAL

Hoor het verheven roepen in het dagen,
Nu er de nacht nog is, de geur'ge, zoele,
Overal-stille nacht; door 't wellend, zwoele
Gefilomeel, dat donker is als klagen. –

Nu tjuikt het henen over lage hagen,
En slaperige keeltjes komen joelen:
Zoo op een meer veel scherpe zeiltjes kroelen
Den dag gemoet, den dag met al haar vragen.
O, flonker-vochte stem die sloeg bewogen,
Uit zwaarmoed riep mij naar den lichten hooge;
Hoe hing mijn aandacht aan Uw diep geschater;
Keer, zingende dwang, zacht geweld dat kliefde
De smachting van den nacht, keer liefde, o liefde,
Hermaak mijn hart tot een diep-orglend water.

—

ONTZAGLIJKE eindloosheid; bewustelooze nacht,
Doorzocht en ongeraakt, baaierd van hoogte' en dalen; –
O diepe achtergrond, bespookt millioenen malen;
Geheim dat niet laat af door uw ontzetbre pracht.
Mijn zwaar-beproefde geest, vergeefs, verdroomt zijn kracht, –
Verzinkt in U het leed om al ons levens-falen...
O afgrond, waaruit welt wat drupt uit de oogen-kralen; –
Sterren-doorvroozne nacht, die niet en kent de nacht.
Weêr bukte ik onder U en hoor mijn adem gaan,
Als van een klein, warm dier dat voor het slapen-gaan
Zijn geestje suste wat op een gewild gewiegel.
Maar is het wijsje uit en gaan er de oogleên toe,
Weet ik wel wat ik vind en zonder waarom, hoe;
Wat daar zoo klaaglijk staart uit uw geduchten spiegel.

VOGELENZANG

Het is het feest der vogels en der koren
Geboorte en der welluidende gedachten;
't Vergeten zijn der eindelooze nachten,
Toen in de borstjes lag de stem bevroren.
Hun vlucht is heel de wereld door te hooren;
Als uit de veêren keeltjes trilt het jachten,
Schieten de tonen wieken aan en krachten...
Bedil den zang niet, open wijd uw ooren.
De onschuldigheid is 't lieflijkst in 't geluid;
Het is het eeuwig voorjaar dat er uit
Hen roert en rept en kwinkeleert en trekt,
Uit ieder vogeltje naar 't is gebekt.
Aan bosch en duin ze ontzweven, plag en riet.
Hun is het licht en 't onuitspreeklijk lied.

—

GELATEN lig ik neder in den nacht,
Een vonk die glimmert nog in 't dof omringen,
Een ziel die uitdooft in nalichtend zingen,
Pijnlijk, vol wonden en verzaad van klacht.

Vergaan in 't vuur! waarom er in gebracht?
Laaier, waarvoor? om asch niet te doordringen;
Bedoeler van veel ongedane dingen,
En dader van zoo menig ongedacht.

Zottebol van den nacht, waar bleef het vrome
Om onverhoord ter eindelijkheid te komen
Waar geen vernietging is van iets tot niet.

Aanzie de vonk om haar vergaande pracht,
En laat u liggen neder in den nacht,
Vol diepen hunker dat het zij geschied...

AAN DEN DICHTER PENNING DIE JAAPJE'S VERTELLEN PREES

Mijn alleroudst verhaal heb ik verzwegen,
Bevreesd misschien voor al te vlugge traan,
Wijl 'k niet vermocht tot de uiterste armoe gaan,
Of zelf het meest behoefte had aan zegen.
't Verhaal eens kinds, dat, als den grond ontstegen,
Getild, op vaders schouders was gedaan,
Voor hem moest kijken bij het duistre gaan,
En hem waarschuwen voor verkeerde wegen.
Het oudst verhaal en zelve weet ik niet
Het te vertellen naar het is geschied:
Mare of herinnering of al te gader;
Maar 'k weet een kind het van een blinden vader,
Hoe meer ik kijk, hoe dichter ik hém nader,
Die diep in mij, achter zijn oogen ziet.

OP EEN PAUWOOG-VLINDER

Door 't licht kom ik aangedwerreld
In doovende nazomer-wereld,
Luchtig gelijk een veêr,
Een daal als een sprookje neêr,
En wenk als een fabel op
Met mijn gespriete kop.

Als 't woord in een arme dichter,
Kom ik al voller en lichter:
'n Spraakloos, een roerend nietsje,
Een vlammetje, beeldje, een ietsje,
Dat monkelt en oogelt groot,
Ruimtelings, ongenood.

Ik weet niet hoe dat ik werd;
'k Houd wapperwijd uitgesperd
'n Flonker-donker verhaal:
De runen en raadseltaal
Van mijn ontbonden duister,
Toen ik verstierf tot luister.

Er zijn er die op mijn vlerken
De teekens van tranen merken,
Die in mijn stem'ge dracht
Hervinden de toon der klacht,
En aan mijn onwichtig zweven
De naam van grillig geven.

Maar kom ik ter fleurige drempels
Der woningen, blinkend van stempels,
Spieglen tijds rijpen pronk
Waarvan ik betokkeld vonk,
Blijft menig bewogen staren,
Zijn jeugd weêr aan voeld' varen.

Wijl spreken zij doen tot het hart
Mijn vleugels als avond bestard;
Wijl uit hun stille vlam
Een lonken plotseling kwam
Als wijn-gloei, knoppen van rozen:
Dat 's mijn metamorfose.

Dan maken mijn vluchtige blaadjes
Al wiegelend verliefde praatjes;
Onttoovren stroeve lippen
Geparel van tanden-tippen,
En roemen purper gespreid
Nacht's wonderbaarlijkheid.

Of dwalen mijn smachtende schijnen
Door droomers en peinzende breinen;
En brandt van mijn teêr fluweel
Een glans op papier, in penseel,

Een nagloed van zon en maan,
Lust-vol en troost-belaân.

'k Ben somber en ik ben vroolijk,
Zwaarmoedig-ernstig en oolijk,
Bloed-warm, vol van azuur;
Een eindloosheid, kort van duur,
Een gave, een gever, een schat,
Een praler, 'n hemelsche fat.

Zoo ben ik; mijn feestelijk zwerven
Leeft in de sfeer van staêg sterven;
Al mijn geluk, mijn rood,
Zweemt naar het blauw van mijn dood,
En zwijmt op mijn blaadjes broos
Als 'k klep bedoelingloos.

Van woorden leeft enkel de zin,
Van 'n bloem is honig 't gewin,
En die mij werd gegeven;
Dus ga ik weêr verder zweven,
Dus volg ik slechts mijn natuur,
Rol ik mijn tong uit en puur.

PAPAVER-BED

Blank, scharlaken, woest en vredig,
Franjig, strookig, effen, ledig,
Wapenig, vol walmen;
Staan zij naar den zomer luchtend,
In een windeloozen uchtend,
Opgericht als palmen.

't Rustelooze vliegendom
Gromt en glinstert al alom
En beweegt zich vinnig
Om het groene tonnetje
Met het straalswijs zonnetje
In elks midden innig.

Even buigen ze als de last
Van een stoeren hommelgast
In hun weelde wentelt,
Maar zoodra de grabbelpoot
Gaat, bevracht met bijenbrood,
Staan zij weêr gekenteld.

Als een vlinder uit zijn pop
Botten zij uit lob na lob,
Tuimlend langs de stengels;
Waar de zwak-gehalsden tinklen,
Zilverharig en ontkrinklen,
Worden bolle bengels.

Blozend als een jongenswang,
Meisjesmond en rood als 't bang'
Ruischend karmozijne...
Op hun hooge stelen prat,
Met hun diep verholen schat,
Lonken zij als wijnen.

En zij fonklen en zij tieren
In het heete middagvieren
Van het licht getij;
Als de gonzers, neêrgezonken,
Hangen aan hen, zat en dronken,
In een droomerij.

Aan de witte, aan de roze,
Zwart-geharte, roode, booze,
Inkarnaat en glad;
Die maar pronken en maar krinken,
Die maar lonken, laten zinken
Bladervlag na blad...

Tonnetje naast bolle ton,
Spookt er in de late zon
Uit het ijle loof;
Steen-gelijk en opgestrekt,
Met het kroontje toegedekt,
Paars en bleek en doof.

Eer het schemert zijn zij allen,
Allen zijn zij uitgevallen,
Lijkt de grond beplast;
Maar een drom van nieuw geknopt'
Staat er naast elkaâr gepropt,
Palmrecht... en toen was 't:

Of er daar toen schrijden kwam,
Tarquin de Superbe, stram,
Na het felle davren;
Purperzwaar, met peinzerstred,

Achterom het duistrend bed
Bloeiende papavren.

AVONDWOLK

Voor een heemling op van groen-blauwe zwaart'
Kwam ze opgelaaid uit een smeulende aard';
Uit ijs-kil gestapelde horden,
Van bulten en bonken en borden,
Van vormsels, gekanteld als zerken,
Als schaliedaken van kerken,
Uit strooken, banden en dammen
Van muren, bedwingende vlammen.

Aan het looden gevang ontsneld zij is; gevleugeld,
Oer-oud gedierte gelijk, dat onbeteugeld
Bemorste haar eigene krop,
Zoo stevent zij bloederig op,
In duister gestriem, als van snavel,
Verpluizende rafel na rafel
Van veêren, van geel en rood,
Van vlambeeld en vlam-genoot.

In het stomme gekrijsch van haar kleuren vuurs,
Zij spookte een oogwenk van tijden duurs,
En nestte zich in het gezinder
Als een zich zonnende vlinder,
Gebed in kolkingen sulfer,
Van gloeiend en gulden pulver,
En lokte in 't stralend venijn,
Een vleermuis van karmozijn.

Nu verzwonden zij is... naar waar gevlogen?
Naar waar zij van kwam? was 't waarheid, logen?
Verdook zij achter de lijning
Van avond-gestreep en dreining?
Was 't waarheid? was het geen droom?...
Wanneer niet in het gedoom,
Wanneer ik niet ginds nog zag
De glimp van haar rooden lach.

ZEE

O, 't leven van de zee, waarbij ik was gezeten,
Dat aanzwol uit een ruimt' waaronder bergen staan,

En tot mijn voeten kwam met dreun en kolking slaan,
En in een zwalp uitzwom van ruiseling verreten.

Het doffe strand was rood als leeme, antieke vazen,
Beklompt met steenen, grijs, als schaalgedierte donker,
De lange leeking straalde en droop met grot-geflonker,
Tot ze onderdompten in het witte waterrazen.

Geen vogel en geen zeil, niets dan het kookheete zeeën,
Als uit de blauwe wijdte een groene golf weêr joeg,
Een opgespalkte baar zijn frons van bruis neêrsloeg,
En in de brijzeling der branding was verleeën.

O, deze zee en 't oceanische bezielen,
Dat aanzwol uit een ruimt' waaronder bergen staan,
Dat aldoor slaande sleet en slijtende kwam slaan,
En voor mijn voeten bleef als koud schuim na het wielen.

EERSTE SNEEUW IN DEN TUIN

Verhelderd ligt en overal omzwacht,
En tinteljong en toch zoo eindloos oud,
Dat 't bijna angstig maakt en onvertrouwd
Dit daaglijksch plekje nu in winterdracht.
Gedekt zijn alle sporen, kalm en zacht,
En alle onwilligheên en stutten boud,
Met veêrtjes blank als bijenvlerkjes koud,
Belegen werden uit den hemelnacht.
Van 't hart uit wit tot de einden als de droomen,
Die, woord na woord, uit dichters neêrgekomen,
Zich levend schikten in het stilst der nachten;
Zoo ligt de tuin gestrekt nu in het heden;
Wie zal er zetten komen de eerste schreden?
Anders dan musschen die hun kruimkens wachten.

H. C. MULLER

TROOST DER LIEFDE

O spreek, mijn hart, waarover wilt gij klagen?
  Ik dorst naar liefde, en haat is om mij heen,
  Ik zoek naar recht, en onrecht heerscht alleen –
Wees sterk mijn hart, haat, onrecht kunt gij dragen!

Spreek weer, mijn hart, ik wil u telkens vragen:
Ik vorsch naar waarheid, leugen heerscht alom,
Ik snak naar vrijheid, en elk buigt zich krom –
Wees sterk, mijn hart, en poog nog meer te dragen.

Breek niet, mijn hart, er rijzen schoone dagen
Voor ieder, die het gansche leven leeft,
Voor ieder, die volhardend strijdt en streeft –
Heb lief, mijn hart, dan kunt gij alles dragen!

ALBRECHT RODENBACH

ZONDAG

Over dorp en over veld
't helderklingend kloksken schelt;
oud en jong, de dorpelingen
naderen langs de wegelingen,
ieder op zijn best gepint,
vro en welgezind.

Wierookwalm en orgelklang,
stille bede en kinderzang
smelten in harmonisch stijgen
t'midden een godvruchtig zwijgen,
en eenvoudig wordt aanhoord
Gods eenvoudig Woord.

Later zit de mannenschaar
in der linden schaûw te gaâr,
en zij klappen, smooren, drinken;
bachten d'hage wederklinken
vreugdekreten bij 't gerol
der geschoten bol.

Door de reine blauwe lucht
rijst er menig blij gerucht;
kinderreien zingen, klingen
op het hof in bonte kringen
onder breeden eikentrans,
lustig aan den dans.

Over dorp en over veld
de avond spreidt, de beêklok schelt;
de avond heeft zijn vreugden mede
voor des braven landmans stede:

ziel tevreden, hert gerust,
stillen avondlust.

A. Rodenbach

LODEWIJK MERCELIS

MIDDERNACHT

Somber, middernachtlijk uur,
Galmend langs het wijd azuur,
Waar, door d'aangewezen baan,
Maan en sterren henengaan; –
Dreunend door den hollen nacht,
Als een lange liefdeklacht,
Die, wijl 't menschdom droomde en sliep,
God van uit den hemel riep. –
Zeg mij, zeg mij, wonder bommen,
Langzaam over veld en woud,
Waarom wordt mijn hert benauwd,
Telkens dat uw galmend brommen,
Over 't slapend dorpje vaart,
Alsof gij de stemme waart
Van de Dood die spreekt aan de aard?...

POL DE MONT

IK WEET EEN SIMPEL LIEDJE...

Ik weet een simpel liedje,
heel klein, maar diep van zin;
ik weet een simpel liedje,
– mijn smarte weent daarin.
Klaagt zoetjes, vedelsnaren!
De Lente is lang voorbij,
de Zomer is heengevaren,
Herfst en Winter nabij...
Klaagt zoetjes, vedelsnaren!
Al-treurnis is nabij
voor mij.

Ik weet een simpel liedje,
heel klein, maar zoo vol smart...
Ik weet een simpel liedje
van een gebroken hart!
Klaag zachtjes, vedel droeve,
wek niet, wat slapen mag...

Och! Wist ik de diepe groeve,
waarin mijn smarte lag!...
Klaagt zoetjes, vedelsnaren!
De Lente is lang voorbij,
de Zomer is heengevaren,
Herfst en Winter nabij...
Klaagt zoetjes, vedelsnaren!
Al-treurnis is nabij
voor mij.

Ik weet een simpel liedje!...
Gelijk een heel klein kind
heb ik mijn pijn vertroeteld,
en als een bruid bemind.
En nu zij, reuzin geworden,
tóch wil gedragen zijn,
kan ik – wat anderen morden! –
verraden de lieve pijn?...
Klaagt zoetjes, vedelsnaren!
De Lente is lang voorbij,
de Zomer is heengevaren,
Herfst en Winter nabij...
Klaagt zoetjes, vedelsnaren!
Al-treurnis is nabij
voor mij...

Ik weet een simpel liedje...
Twee woorden zijn genoeg,
om 't liedje saam te vatten:
te laat eerst, dan *te vroeg!*
Een vlinder, al lang gestorven,
eer de mooiste roos ontbloeit...
Een roosje, verflenst en verdorven,
eer de vlinder het vlerkje ontplooit...
Klaagt zoetjes, vedelsnaren,
de Lente is lang voorbij,
de Zomer is heengevaren,
Herfst en Winter nabij...
Klaagt zoetjes, vedelsnaren,
Al-treurnis is nabij
voor mij...

Speelt zachtjes, vedelsnaren,
weent zoetjes, zoetjes uit!
Speelt zachtjes, vedelsnaren...
– Snikt diepe smart wel luid?
De snaren zijn al gesprongen...

De Zomer is voorbij...
Mijn liedjen is uitgezongen...
Herfst en Winter nabij...
De snaren zijn al gesprongen:
Al-treurnis is nabij...
nabij...

MIJN HART IS DOOD...

Mijn hart is dood! – Wie zal het begraven?
Wie zal het kisten? – Mijn hart is dood!
Vaak schroeide 't van dorst, en géen kwam 't laven;
de honger verteerde 't, géen schafte brood...
Mijn hart is dood! Wie zal het begraven?
Wie zal het kisten? – Mijn hart is dood.

Mijn hart is dood...! Men legge 't te rusten,
te rusten in 't eerste, beste graf.
Komt ál nu, mijn liefden, mijn jonge lusten,
komt allen nu nader en legt het af...
Mijn hart is dood...! Men legge 't te rusten,
te rusten in 't eerste, beste graf!

Mijn hart is dood... Komt allen nu samen,
mijn jonge liefden, een laatsten keer.
En noemt het éens nog met de oude namen,
en koost en vertroetelt het als weleer...
Mijn hart is dood... Komt allen nu samen,
mijn jonge liefden, een laatsten keer.

Van alle de oudste, Gij, bruine blonde,
Gij eerste liefde en de reinste mee,
sluit Gij, zacht zoenend, zijn breede wonde,
zoen weg al 't kwaad, dat het éens U deê,
van alle de eerste, Gij, bruine blonde,
mijn oudste liefde en de beste mee.

Gij, donkre Fee, met uw zeediepe oogen,
Gij liefde van vuur met uw kussen van vlam,
raap Gij het lijk op, uit mededoogen,
draagt Gij het mede als een arm dood lam,
Gij, donkre Fee, met uw zeediepe oogen,
Gij liefde van vuur met uw kussen van vlam.

En Gij, o slanke, Gij, ranke, blanke,
Gij schoonste en zoetste, die 't heeft bemind,

leg Gij het te slapen, – o 'k dank U, danke! –
    leg Gij het slapen gelijk een kind...
o Gij, mijn slanke, mijn ranke, blanke,
    leg Gij het slapen gelijk een kind.

Dek Gij het toe met cypressentwijgen
    en strooi heel zachtjes er aarde op neer,
en keer dan huiswaart met plechtig zwijgen,
    vergeet zijn graf, en keer nimmer weer...
Dekt Gij het toe met cypressentwijgen,
    en strooi, voor eeuwig, er aarde op neer.

ARNOLD SAUWEN

HET VADERHUIS

Ginder in de delling,
onder 't blaârgeruisch
van die hooge beuken,
ligt mijn vaderhuis.

Lang reeds dood is vader,
moeder wordt zoo oud,
en de gansche hoeve is
mijner zorg vertrouwd.

Gij, de bloem der meiden,
knap, van leden struisch,
wilt gij met mij wonen
in mijn vaderhuis?

Moeder heet u welkom
aan den stillen haard;
gansch mijn liefde zijt gij,
haren zegen waard.

Ligt de hoeve verre,
van het dorp zoo wijd;
strekken rond de velden
eenzaam, wijd en zijd;

'k Voer u met de huifkar
naar de kerk ter mis,
als de klokken luiden
en het zondag is.

'k Leid, bij stillen avond,
u ter looverbank,
als de velden slapen
van den meidauw blank;

Als de hooge beuken
stil, met zacht geruisch,
rond den gevel wiegen
van mijn vaderhuis.

OP GODS GENADE

Vedelspelers, orgelkramers,
drijft de nood uit muffe kamers
ons door 't land met wijf en kind;
door de zwerverszucht gedreven
gaan we blijgemoed door 't leven,
zonder zorg, door weer en wind.

Onze planken huizen trekken
wij, geduldig als de slekken,
voort langs dal en heuveltop.
Naar het noorden, naar het zuiden,
waar de kermisklokken luiden,
slaan wij onze tenten op.

Rijk aan kindren, arm aan zegen,
gaan we langs des Heeren wegen,
gaan we klagend onzen nood.
Voor ons spelen, voor ons zingen
reikt men ons, verworpelingen,
gaarne toch 't genadebrood.

Wordt ons spel niet steeds geprezen;
wordt het wijf soms afgewezen
met den korf, aan deur of poort;
klinkt het barsch: „God wil u bijstaan!"
vloekend spelen we in 't voorbijgaan
toch ons klagend deuntje voort.

Heerenhuizen, boerenerven
zien ons komen menigwerven,
als het feest of bruiloft is.
Licht wordt van het middageten
ons de kruimel toegesmeten,
die daar afvalt aan den disch.

Waarom ploegen, waarom zaaien?
De akker voedt de wilde kraaien;
koren wast er overal.
Beedlend langs de deuren, vragen
wij het kleed dat, afgedragen,
onze naaktheid dekken zal.

Langs de wegen, vroeg en spade,
dolen wij, op Gods genade,
dorpen in en dorpen uit,
tot ons, oud en onverdroten,
eens de slagboom wordt gesloten
die ons rustloos zwerven stuit.

ZWERVERSLEVEN

Wat norsche wrevel legde in uwe borst
dien wondren drang om, met uw kinderbende,
jaar in jaar uit te zwerven zonder ende,
uw orgel draaiend voor de schrale korst;

Gij die u nooit aan werk of tucht gewende;
met onbezorgdheid uw bestaan omschorst,
en willig op uw sterke schouders torscht
den jammerlast der dagen van ellende?

Van d'arbeid wars, trekt gij door dorp en steê
en speelt uw lied en voert uw have meê,
uw dempig peerd en uw gehuifden wagen;

En vraagt der wereld niets dan 't bedelbrood
en 't plekje gronds waar, bij elk avondrood,
voor éénen nacht uw tent wordt opgeslagen.

KLOKKENKLANK

'k Zit zoo vaak in 't avondgrauwen
over 't veld naar u te schouwen,
waar ge nog in gouden schijn
ligt te scheemren, dorpje mijn!

Boven uwe roode daken
zie 'k uw hoogen toren waken,
die de schaduw van zijn kruis
afwerpt op mijn vaderhuis.

'k Hoor van ver uw klokken galmen,
feestlijk soms als vreugdepsalmen
en soms klagend, naar en droef,
als toen men mijn kind begroef.

Klokken, over weide en akker
luidt ge mijne jonkheid wakker,
luidt ge in klanken, droef van zin,
mij uw stillen weemoed in.

Wen uw bronzen stemmen, klokken,
't landvolk naar zijn haardsteê lokken,
is 't als riepen zij mij meê
naar mijn dorp, in de avondvreê.

Moeder wachtte eens op den drempel
daar van 't huis, haar liefdetempel...
Wie heet mij nog wellekom,
vader, in dat heiligdom?

'k Ben als een die, 't land ontweken,
weerkeert ongekend ter streke en
vóór geen vriendenhuis of hut
't stof van zijne voeten schudt.

Liefde, vriendschap... zij verdorden...
Dorp, ik ben u vreemd geworden;
maar uw verre klokkenklank
roert me diep, mijn leven lang.

DE HERBERG

Herbergzaam huis, dat wel een eeuw daar ligt
den landweg langs die leidt naar verre steden,
hoe velen hebt ge, als tot een gastvrij sticht,
uw uitgesleten dorpel op zien treden.

Wie moê zijn stap den avond tegenricht
en loomheid zwaar voelt wegen in zijn schreden,
groet blijder hart van wijd uw lampelicht,
waar zoete nachtrust wacht zijn matte leden.

Wel hem die eens, langs zijne levensbaan,
het huis van zijn verlangen in mag gaan,
waar teedre zorgen zijne komst verbeiden;

waar, als waardin, ten drempel Liefde wacht,
het welkom spreekt bij disch en haard en zacht
haar blanke handen 't warme bedde spreiden.

DE BLADEREN VALLEN

De bladeren vallen
stil, een voor een.
De vogelkens alle
die gaan nu heen.

Leêg liggen de velden,
zoo kaal en bloot;
de stoppelen melden
den zomerdood.

'k Hoor 't roepen van kranen,
die trekken voorbij;
een stil vermanen:
ook gij... ook gij...

A. E. VAN COLLEM

GEBED TE WAALWIJK

O Christus met Uw zacht gelaat,
Marye, die daarneven staat,
  Wil U tot ons bezinnen.
Gij, die den hemel overziet,
Van daar uw milde oogen biedt,
  Zie onze wereld binnen;
Verhef Uw eens gehoorde stem,
En Uwe hand, en ga tot hem,
  Den meester in de zalen,
Die over onze dagen wikt,
Die over onzen nacht beschikt,
  Van Wien wij arbeid halen.

Zeg hem het klein betaalde loon,
De dagen lang, de korte woon,
  De altijd vochte muren,
De krankheid en het kinderbed,
Het schamel lichtje, neergezet
  Om op het leer te turen,
Waarop mijn man te hamer gaat

En kloppende zich zelf verslaat,
  Totdat hij ligt versleten.
Zeg hem, dat elk paar schoenen heeft,
Voordat het in zijn handen beeft,
  Het bloed van ons gegeten.

O Jezus, kenner van den weg,
Ga tot den rijken meester, zeg:
  Mijn man is gansch onkrachtig.
Zijn vel is rul, zijn oog staat geel,
Een kort geluid komt uit zijn keel,
  En ik ben weder drachtig.
Gijzelve zei toch: Ga, vermeer
Ulieden als het zand zoo zeer,
  En even menigvuldig;
O Jezus, lieve Jezus zoet,
Mijn âren hebben gansch geen bloed,
  Mijn schoot blijft steeds geduldig.

Marye met Uw hemelkroon,
Geeft Uwe voorspraak tot den Zoon,
  Dat Hij ons koom' te hooren.
Op Uwe zachte trede ga,
Dat hij met hemelsche genâ
  In onze hut mag gloren.
Een beetje ruimte, en wat licht,
En op mijn armen man's gezicht
  Een weinigje van blijheid,
Dat op zijn arbeid zegen zij, –
O, zoete Jezus, zeg er bij
  Het loon; – en wat meer vrijheid.

De Christus met het zacht gelaat,
Marye met het rein gewaad,
  In Waalwijk's woning binnen,
Zij, die de wereld overzien
En haar de milde oogen biên, –
  Zij staan zich te bezinnen.

MATTEN VLECHTEN

Het kleine vrouwtje, rond gebukt,
Het mannetje, in stoel gedrukt –
  Ze grijzen in het kotje;
Hij rukt de biezen uit de schoof
En reikt ze vrouwtje, staand' op stoof, –

Zij reikt naar het schavotje. –
Schavotje is een hoog toestel,
Daar schuift men biezen aan, op tel. –
De biezen groeien aan de kreek,
In 't binnenland, de heidestreek,
Nabij ons Genemuiden;
Zij waaien, ongeteld en steil,
Zoo maar den grond uit, tot het heil,
Het heil van Genemuiden.

Uit geel' en bruine biezen kan
Een oude vrouw en kleine man
Saamvlechten een karpetje;
Hij dekt den ketting, zij den slag, –
En als de avond haalt den dag,
Dan gaan zij naar hun bedje.
Het bedje staat van biezen vol,
Het bedje is een biezenhol. –
De biezen groeien aan de kreek,
In 't binnenland, de heidestreek,
Nabij ons Genemuiden;
Zij waaien, ongeteld en steil,
Zoo maar den grond uit, tot het heil,
Het heil van Genemuiden.

Het bedje ligt in diepe scheur
Van grijzig muurtje, bij de deur,
Behangen met gordijntjes.
Daarin te slapen, zijn gekromd,
Totdat de nieuwe morgen komt,
Twee oude menschenlijntjes.
Op hunne handen, klein en teer,
De biezen staan in rijpe zweer, –
De biezen groeien aan de kreek,
In 't binnenland, de heidestreek,
Nabij ons Genemuiden;
Zij waaien, ongeteld en steil,
Zoo maar den grond uit, tot het heil,
Het heil van Genemuiden.

Van biezen stram, van biezen moe,
De beide zieltjes vallen toe
En worden dan begraven;
Voorbij de kreek, daar wacht de hof,
Waarin geborgen wordt de stof
Der beide biezenslaven.
Zij liggen achter biesgeruisch,

Gevouwen, in hun doodenhuis, –
De biezen groeien aan de kreek,
In 't binnenland, de heidestreek,
Nabij ons Genemuiden;
Zij waaien, ongeteld en steil,
Zoo maar den grond uit, tot het heil,
Het heil van Genemuiden.

DE MAN MET DE SPADE

De avond valt, het wijde land wordt donker,
Maar in mijn doffe hersens brandt een licht,
Was het der zonne scheidende geflonker,
Die als een schat in mij gezonken ligt?

Ik zie mijn beeld zich aan mij openbaren,
Ik zie mij bukken als een dampend beest,
Ik zie mij spitten tusschen wonderbare
Kleurspelingen van een wegstervend feest.

Mijn handen zijn gemetseld aan de spade,
Daarmee sla ik den grond die openbreekt,
Mijn handen zijn twee sterke stalen bladen,
Met harde bulten die de zon niet weekt.

Ik kan met hen niet anders doen dan breken,
Wat zij aanvatten in hun hengsels, kraakt,
En nochtans zou ik willen dat zij leken
Zooals mijn hoofd, door iets zeer zachts geraakt.

Mijn hoofd, dat werd van morgen toegefluisterd,
Door een zeer milde stem die trok voorbij,
Ik heb aandachtiglijk in haar geluisterd,
Van haar muziek verbleef gezang tot mij.

Ik weet niet hoe dit werd, de om mij staande
Boomenalleeën in haar wijde kom,
Zij waren allen eensklaps henen gaande,
En trokken op, ginds waar de verte glom.

Ik keek hen na, ik trok niet met hen mede,
Ik stond gemetseld aan den harden grond;
En toch geleek het of ik werd vergleden,
En mij met hen in zaligheid bevond.

Mijn oude moede oogen werden levend,
Zij keken over tak en bladen uit,
Ik kuste deze en zij, antwoord gevend,
Waren als het zingen van een fluit.

Ik zag mijn grove trekken zich ontspannen,
Ik hoorde naar mijn keel een stil geklop,
Ik was niet meer aan d'oude plek gebannen,
Daar was een teeder iets, dat nam mij op.

Dat liet mij spreuken van de bladen lezen,
Dat zei een vreugdewoord dicht aan mijn oor,
Het was alsof ik werd een menschenwezen
En 't oude leem van mijn bestaan verloor.

Ik hoorde om mij heen de kleuren spelen,
Mijn goore looden handen werden licht,
Ik wou de wolken aan den einder streelen,
Ik werd als naar den hemel heengelicht.

Toen zag ik neer, ik stond nog bij de spade,
De beide voeten in den grond geplant,
Mijn handen overdwars en zwaar geladen;
En boven mij was avondzonnebrand.

SLACHTVELD

De heengelegde lijken der soldaten
Zijn aangeraakt door den goudpaarsen nacht,
Er kruipen lijnen over de gelaten,
Waarop de Dood zijn teeken heeft gebracht.

Sommigen hunner liggen als bedronken,
Het was ruim véél, de wijn uit déze kan,
Hun arme lijven werden volgeschonken,
Zij dronken zich de eeuwigheid daaran.

Eén hunner ligt verdwaasd omhoog te turen,
Een ster staat op zijn blauw glazuren oog,
Het zou wel eeuwigheden kunnen duren,
Voordat dit open turend oog bewoog.

Zijn makker is gevallen fel voorover,
Hij schijnt te slapen en zijn bloed loopt uit,
Zijn linkeroog bleef half geopend over,
Daar kijkt hij nu stil uit, die looze guit.

In zoete vreugde liggen jonge dooden,
Zij toeven in een ongestoord geluk,
Mocht uit de gele hel losbarsten looden
Kogelregen, hun deert scherf noch stuk.

Ze zijn als zelfbeheersten dichtgesloten,
Zij zijn tevreden met wat hun gewerd,
Eén hunner zijn de oogen uitgeschoten,
Daarom heeft hij zijn mond opengesperd.

Een ander lacht, hij had zich vastgegrepen
Bij het vooroververvallen aan wat gras,
Hij werd een kind, hij hield het dichtgenepen,
Hij dacht, dat het de hand van moeder was.

Bij bundels liggen dooden uitgegleden,
De ransels om, den stormhoed op het hoofd,
Zij worden door mortieren overreden,
Dat was toch niet, wat hun werd toebeloofd.

Zij trokken uit, ik zag ze door de straten,
Het was bij avond, in de Seine-stad,
Of was het in Berlijn, of hoorde ik praten
Londensch, in de straat, die ik vergat?

Ik weet het niet, ik weet niet de kleedijen,
Die zij zich kleurig hadden omgedaan,
Ik weet het rythme niet meer hunner rijen,
Noch de muziek die klinkend ging vooraan.

Ik weet alleen maar Jongens, de gelaten
Van Prachtigen, Menschwezens, schrijdend voort,
Vermomd in apenpakjes van soldaten,
Niet wetende het land waarheen of oord.

Zij droegen aan de schouders de geweren,
En in den loop een kleine veldboeket,
Voordat zij traden aan, te gaan marcheeren,
Hadden de bruiden die daarin gezet.

Het zou de liefste groet zijn van het leven,
Het laatste afscheid en het wellekom;
O hand van mij, waarom gaat gij nu beven,
O mond van mij, waarom wordt gij nu stom?

De heengelegde lijken der soldaten,
Zijn aangeraakt door den goudpaarsen nacht,

Er kruipen lijnen over de gelaten,
Waarop de Dood zijn teeken heeft gebracht.

Sommigen hunner liggen als bedronken,
Het was ruim veel, de wijn uit deze kan,
Hun arme lijven werden volgeschonken,
Zij dronken zich de eeuwigheid daaran.

Staat op, staat alle' op, mijn vroege Dooden,
Herleeft, gekruisigden langs weg en veld,
Doorschotenen, voorover in de Zoden, –
Herkrijg' uw stem' haar vroegere Geweld.

Rijst langzaam uit, vloeie over uw trekken,
Het beven van een nieuwen Dageraad,
Moge mijn Roep U tot nieuw leven wekken.
Herleeft, herleeft, gesneuvelde soldaat.

Grijpt uw geweren in de doode handen,
Werpt uit den zadel hem die u beval
Dat uwe makkers waren uw vijanden,
Verbroedert U, soldaten, overal!

Blaast een signaal, gestorven menschenmonden,
Dat Aarde beve en doodsvreeze kom
Over de heerschers die U hadden uitgezonden,
Voor Vaderland, Bezit en Christendom.

Dood aan dit drie-tal en de menschheid leve,
En alle heerschappije ga te niet; –
Vertelt wie U den dood heeft ingedreven,
Rijst op, soldaten, zingt uw Doodenlied.

—

LIEVER dan mensch te zijn, werd ik een wolk,
Te drijven tusschen woeste vlammenzeeën;
Zij groeien aan het ochtendfirmament.

Liever dan wolk te zijn, werd ik een boom,
Hij staat hoog op in het heet licht te kijken,
Iedere gedachte is een blad.

Liever dan boom te zijn, werd ik een zee,
De zee wordt door oud gouden licht begoten,
Duizende gestalten neemt zij aan.

Liever dan zee te zijn, werd ik een God,
God maakt zonnen, manen en de sterren,
Met zijn hand raakt hij den einder aan.

Liever dan God te zijn, werd ik een mensch,
Ik zou de menschheid maken tot een God
Van alle goden, zonnen en planeten.

—

De dag stond stralende, gesponnen klank,
De hemel lag, schedel van God, vol wonderen,
De zee zette zich om, en goot zich uit,
En joeg zich op, en stond, en bolderde.

Het was al vreugd', een mild geraas ging uit
Van golven, die de castagnetten sloegen,
Van wolken, die het zijd gewaad verschoven,
Van onzichtbare strijkers door het Ruim.

De aarde lag, een weggedokene,
En luisterde, en ademde verstild,
In overgave naar het warende,
Niet eindigende klankenwonder Gods.

Dit was dus God, het in elkander over-
Schuiven der verschijnselen, tot eene
Rustigheid en onbedwingbaar Iets,
Dat kolkte en kastijdde zoet en fel.

En boog zich dalende tot de zeer kleine
Verschijnselen, die het met hand aan stiet,
En fluisterde, noem mij, met veêl en stem
En zing mijn duizendvoudig wezen, duizendvoudig.

—

Toen blies uw adem, en de zee sloeg stijf,
En open stond de donkre muil der aarde
En slikte het alom gepantserd lijf,
Des jagers die uw adem achtervaarde.

O Heer wie blonk als gij in strijdbaarheid,
O Heer wie ging als gij door de aonen
Gij zwevende, die voor ons heeft bereid
Den uittocht door het land der Faraonen.

De volkeren hoorden 't aan, en vielen stom,
Beving besloeg den stam der Moabieten,
En der Pelasgen, en dien van Edom,
Ontsteltenis en schrik den Kanaieten.

Voortaan o Heer, uw volk zal zijn gewijd
En ingeplant en door U aangewezen
De hooge Erve uwer heerlijkheid
Waarin gij troont en hen nabij zult wezen.

—

NIEUWE jeugd, als uit een kan gegoten
Gele wijn, gist mijn schedel binnen
En ik voel mij opgeheven en gestooten
Naar de wieling van een nieuw beginnen.

Lachend ligt de wereld, en volkomen
Weet ik mij aan al wat leeft verbonden,
Wat mij scheidde werd mij afgenomen
En ik heb mijzelve teruggevonden.

Is nu eene godheid nog van noode,
Met mijn hand kan ik den einder raken
En ik schrijf mijzelve de geboden
En verboden, die gelukkig maken

Jeugd en nieuwe schoonheid aan U allen
Die als ik in nieuwe godheid gelooven
En vertoeven mogen in de hallen
Harer tempelen en arbeidshoven.

—

DE geest rijpt aan de stof, zooals een bloem
Die zich voelt door de hemelstof begoten,
En hoort het kloppen aan haar donkren doem
En springt den kelk uit, die haar hield besloten

Stof is het Al, de geest is hare roem
En alderfijnst sieraad, uit licht gegoten
En zwevend erts, dat ik te zamen noem
Muziek, der aarde zee en lucht ontvloten,

Hoort hoe omwaart haar blinkende tempeest
Dat nog in stilte laat een adem hooren
In golving op en aan en nimmer moe.

Wij doen van klanken dronken d'oogen toe
En worden lichtende als nooit te voren
En zweven weg naar een onzichtbaar feest.

—

Zijn wij te zamen God? het overkomt
Mij in den nacht, of aan den lichten morgen,
Wanneer ik lig van alle dingen weggeborgen,
Dat er iets opstijgt in mij, en ik wacht

Te worden toegesproken, door een naam,
God, of natuur, – een, wien ik mij niet schaam
Te zeggen, dat ik ben het dwaze ding,
Dat zich een God weet, en een nieteling.

Oproer is in mij, en ik spreek mij uit
Onevenwichtig, hortend van geluid,
Ik weet mijzelf niet meer, mijn handen beven,
Het is alsof mijn hart mij wil begeven.

—

Volkeren des kruins, de komende,
De straks geboren wordende, hoort hij.

Ik wil, zegt hij, en bij den adem van
Zijn mond, verschuift de atmosfeer,
En maakt een jaagpad open voor zijn woord,

Ik wil ontvangen van den nacht en schemer,
En van den gouden ochtend het geheim,
Ik wil het nog niet zichtbare doorzien,

Ik wil doordringen dit oneindige,
Altijd wijkende, en fluisterende
Hoog mysteriespel, dat Leven heet.

Dronken van kracht neem ik den nieuwen dag,
Waarop de goudbevachte wolken drijven,
Neem ik de schubbig rinkelende zee,

Neem ik de ronde aarde met mijn handen,
Buig haar tot schip, te varen in het ruim,
Bij het gejuich der vanenrijke sterren.

Helpt mij broeders, want de zee is machtig,
En het licht klimt nog niet aan den einder,
En de woeste elementen dreigen.

. . . .

U te maken heerlijker dan ooit
Goudbesponnen bloeiend rijke aarde,
Eindloos blauw heelal, grijp ik U aan.

JACQUES PERK

AAN DE SONNETTEN

Klinkt helder op, gebeeldhouwde sonnetten,
Gij kindren van de rustige gedachte!
De ware vrijheid luistert naar de wetten:
Hij stelt de wet, die uwe wetten achtte...

Naar eigen hand de vrije taal te zetten,
Is eedle kunst; geen grens, die deze ontkrachtte;
Beperking moet vernuft en vinding wetten...
Tot heerschen is wie zich beheerscht bij machte.

De geest, in enge grenzen ingetogen,
Schijnt krachtig als de popel op te schieten
En de aard te boren en den blauwen hoogen

Een zee van liefde, in droppen uit te gieten,
Doch één voor één, ziedaar mijn heerlijk pogen...
Sonnetten klinkt! U dichten was genieten!

SANCTISSIMA VIRGO

'Εὔπλοκαμος, αὐδήεσσα

't Was bladstil, en een lauwe loomheid lag
En woog op beemd en dorre wei, die dorstten;
Zwaar zeeg en zonder licht een vale dag
Uit wolken, die gezwollen onweêr torsten.

Toen is het zwijgend zwerk uit-een-geborsten,
En knetterende donders, slag op slag,
Verrommelden en gromden. Vol ontzag
Look ik mijne oogen, die niet oogen dorsten.

Een schelle schicht schoot schichtig uit den hoogen
En sloeg mij. Ik bezwijmde... ontwaakte en zag
De lucht geschraagd door duizend kleurenbogen.

Daarboven, in een kolk van licht te pralen,
Stond reuzengroot de Jonkvrouw, en een lach
Voelde ik van haar verengeld aanschijn stralen.

De purpren avond was in 't West verdwenen
  En glanzend zilver droomde op donkere aarde.
Toen is de blonde Muze mij verschenen:
  Mijn ziel werd vuur, toen haar mijn oog ontwaarde.

Geknield strekte ik mijne armen naar haar henen – ...
  'k Omhelsde... louter lucht; ik viel aan 't weenen...
Haar blik was eindloos teêr, toen ze op mij staarde;
  'k Gevoelde een kus op 't voorhoofd; ze openbaarde:

„Een hooge liefde zal uw hart doordringen.
  Gij zult beminnen, wederzien en scheiden,
Gescheiden zwerven, zwervend liefde zingen.

  En peinzend zult gij 't wederzien verbeiden
  En naar een vrouw gedachte en smachten leiden
En mijmrend leven van herinneringen." –

EERSTE AANBLIK

En peinzend zie 'k uw zee-blauwe oogen pralen
  Waarin de zachtheid kwijnt, de liefde droomt
  En weet niet wat mij door mijne âren stroomt:
Ik zie naar u en kan niet ademhalen.

Een gouden waterval van zonnestralen
  Heeft nooit een schooner aangezicht bezoomd...
  't Is of me een engel heeft verwellekoomd,
Die met een paradijs op aard kwam dalen.

'k Gevoel mij machtig tot u aangedreven
    En buiten mij. 'k Was dood, ik ben herrezen
En voel mij tusschen zijn en niet-zijn zweven.

  Wat hebt gij tooveres, mij goed belezen!
Aan u en aan uwe oogen hangt mijn leven:
  Een diepe rust vervult geheel mijn wezen.

OCHTENDBEDE

De nacht week in het woud en bij haar vluchten
  Heeft ze op struweel en roos een dauw-kristal

Geweend, dat glinstert in de zon, en zuchten
Luwt ze uit het woud langs berg en beemd en dal.

En daar, op 't smalle pad, in hooger luchten,
Ontwaar ik haar, die wuift, mijn ziel, mijn al:
Doch uit mijn hart rijst naar die hooge luchten
De klacht: hoe klein, hoe klein is mijn heelal!

Maar neen! Haar lokken zijn van zonnegoud
En hemelblauw is 't blauw dier hemelsche oogen;
Heur boezem is de berg en 't golvend woud.

O Zomer, zonneschijn en hemelbogen
Waarin haar aangezicht mijn liefde aanschouwt:
Heelal, waarvoor ik biddend lig gebogen! –

HET LIED DES STORMS

Door 't woud der pijnen zucht en kraakt de wind
En machtig wuiven de gepluimde toppen
En strooien hars en zware schilferknoppen
Die stuiven over 't knerpend naaldengrint.

En uit de hemelzee der ruige koppen,
Die schudden: ja en neen, van woede ontzind
Daalt daar een lied op 't bevend menschenkind,
Dat van een grootsch ontzag de borst voelt kloppen:

„De duizend, die zichzelf nooit wezen konden,
Die hebben saâm één waarheid die hen bindt
Hun is 't geloof, dat spreekt uit duizend monden.

Maar wie, wat menschlijk waar is, zelf ontgint,
Voelt zich aan zich door zich alleen verbonden,
En weet – dat hij voor zich slechts waarheid vindt."

HEMELVAART

Est deus in nobis

De ronde ruimte blauwt in zonnegloed
En wijkt ver in de verte en hoog naar boven:
Mijn ziel wiekt als een leeuwriklied naar boven
Tot boven 't licht haar lichter licht gemoet.

Zij baadt zich in den lauwen aethervloed,
  En hoort met hosiannaas 't leven loven;
  Het floers is wèg van de eeuwigheid geschoven
En goddlijk leven gloeit in mijn gemoed.

De hemel is mijn hart en met den voet
  Druk ik loodzwaar den schemel mijner aard',
En, nederblikkend, is mijn glimlach zoet.

Ik zie daar onverstand en zielevoosheid...
  Genoegen lacht... ìk lach... en met een vaart
Stóot ik de wereld weg in de eindeloosheid. —

Sect IV

SLUIMER

Stil! – Duizendoogig spiegelt zich in 't meir
  De nacht en laat haar bleeke luchter beven,
  Die gloeiend witte glanzen neer doet zweven
Om 't, rond de diepte reiend, rotsenheir.

En naar het rillend wak daalt sluimer neêr,
  Die, op zijn vlinderwieken aangedreven,
  Met droppen sprenklend rijs den dauw deed leven,
En zweefde in schaduw, peinzend, heên en weêr.

En in mijn droomend hulkje, dat er glijdt
  Langs 't bevend zilver, zet hij zich; ik zie
Hem teederblikkend over mij gebogen.

Hij lacht mij aan, ontplooit de wieken wijd...
  Ik hoor een sluimerende melodie,
En weet niet wat mij loodzwaar viel op de oogen.

DANS [DORPSDANS]

De vedel zingt waar roos en wingerdranken
  Verliefd omhelzen 't huis des akkermans
  En gloeien in den avondpurperglans.
En twintig menschen rijzen bij die klanken.

Het avondmaal heeft uit; van disch en banken
  Verdween der jonkheid blijgeschaarde krans,
  De vlugge voeten reien zich ten dans,
En de arm buigt om de leesten heen, de slanken.

Daar tripplen zij en stampen naar de maat
Terwijl de kroezen op den disch rinkinken;
En naar de wangen stijgt het vroolijk bloed.

En de' oude, die daar op den dorpel staat,
Ziet men de vreugd uit lachende oogen blinken,
Tevreden dat hij leeft en leven doet. –

Δεινὴ Θεὸς

Olla

Met weekblauwe oogen zag de oneindigheid
Des hemels naar den donzen rozenglans,
Waar Zij in daagde: een breedgewiekte krans
Van zielen had zich ónder haar gereid.

Een geur van zomerbloesems begeleidt
Den zang der zonnen – duiven – die heur trans
Doorglóren in eerbied'gen rondedans
Om haar, wier glimlach sferen groept en scheidt.

„Schoonheid, o, Gij, Wier naam geheiligd zij,
Uw wil geschiede; kóme Uw heerschappij;
Naast U aanbidde de aard' geen andren god!

Wie eenmaal U aanschouwt, leefde genoeg:
Zoo hem de dood in dezen stond versloeg...
Wat nood? Hij heeft genoten 't hoogst genot!" –

—

IRIS

Ik ben geboren uit zonne-gloren
En een zucht van de ziedende zee,
Die omhoog is gestegen, op wieken van regen,
Gezwollen van wanhoop en wee:
Mijn gewaad is doorweven met parels, die beven,
Als dauw aan de roos, die ontlook,
Wen de dag-bruid zich baadt, en voor 't schuchter gelaat
Een waaier van vlammen ontplook.

Met tranen in 't oog, uit de diepte omhoog,
Buig ik ten kus naar beneden:
Mijn lichtende haren befloersen de baren,
En mijn tranen lachen tevreden:
Want, diep in zee, splijt de bedding in twee,

Als mijn kus de golven doet gloren…
En de aarde is gekloofd, en het lokkige hoofd
Van Zefier doemt lachend te voren.
Hij lacht… en zijn zucht jaagt mij, arme, in de lucht,
En een boog van tintlende kleuren
Is mijn spoor, als ik wijk naar het droomerig rijk,
Waar ik eenzaam om Zefier kan treuren.
Hij mint me als ik hem…, maar zijn lach, zijn stem,
Zijn kus… is een zucht: wij zwerven
Omhoog, omlaag; wij willen gestaêg,
Maar wij kunnen nòch kussen, nòch sterven. –

De sterveling ziet mijn aanschijn niet,
Als ik uit-schrei, hoog boven de wolken,
En de regen-vlagen, met ritselend klagen,
Mijn onsterflijken weedom vertolken.
Dan drenkt mijn smart het dorstende hart
Van de bloem, die smacht naar mijn leed,
En, met dankenden blik, naar mij opziet, als ik,
Van weedom, het weenen vergeet.
En dàn verschijn ik door 't nevelgordijn,
Dat mijn Zefier verscheurt, als hij vliegt –
Somber-gekromd… tot de zonneschijn komt,
En op 't rag mijner wieken zich wiegt.
Dan zegt op aarde, wie mij ontwaarde:
„De goudene Iris lacht"!…
En stil oversprei ik de vale vallei
Met een gloed van zonnig smaragd. –

Mijn handen rusten op de uiterste kusten
Der aarde, als, in roerloos peinzen,
– Eén bonte gedachte – ik mijn liefde verwachte…
Die mij achter de zon zal doen deinzen.
'k Zie, 's nachts, door mijn armen de sterren zwermen
En het donzige wolken-gewemel,
En de maan, die mij haat, en zich koestert en baadt
In den zilvren lach van den hemel. –
Mijn pauwe-pronk… is de dos, dien mij schonk
De zon, om den sterfling te sparen,
Wien mijn lichtlooze blik zou bleeken van schrik
En mijn droeve gestalte vervaren.
Nu omspan ik den trans met mijne armen van glans,
Tot mij lokt Zefier's wapprend gewaad,
En ik henen-duister naar 't oord, waar de luister
Der lonkende zon mij verlaat. –

Ik ben geboren uit zonne-gloren
  En een vochtige zucht van de zee,
Die omhoog is gestegen, op wieken van regen,
  Gezwollen van 't wereldsche wee. –
Mij is gemeenzaam, wie even eenzaam
  Het leven verlangende slijt,
En die in tranen zijn vreugde zag tanen...
  Doch liefelijk lacht, als hij lijdt!

WILLEM KLOOS

Ik denk altoos aan u, als aan die droomen
  Waarin, een ganschen, langen, zaalgen nacht,
  Een nooit gezien gelaat ons tegenlacht,
Zóó onuitspreek'lijk lief, dat, bij het doomen

Des bleeken uchtends, nog de tranen stroomen
  Uit halfgelokene oogen, tot we ons zacht
  En zwijgend heffen met de stille klacht,
Dat schoone droomen niet weerommekomen...

Want álles ligt, in eeuw'gen slaap bevangen,
  In de' eeuw'gen nacht, waarop geen morgen daagt –

En héél dit leven is een wond're, bange,
  Ontzétbre dróom, dien eens de nacht weêr vaagt –

Maar in dien droom een droom, vol licht en zangen,
  Mijn droom, zoo zoet begroet, zoo zacht beklaagd...

—

Zooals daar ginds, aan stille blauwe lucht,
  Zilveren-zacht, de half-ontloken maan
Bloeit als een vreemde bloesem zonder vrucht,
  Wier bleeke bladen aan de kim vergaan, –

Zóó zag ik eens, in wonder-zoet genucht,
  Uw half-verhulde beelt'nis voor mij staan, –
Dán, met een zachten glimlach en een zucht,
  Voor mijn verwonderde oogen ónder-gaan.

Ik heb u lief, als droomen in den nacht,
  Die, na een eind'loos heil van éénen stond,
    Bij de eerste schemering voor immer vloôn, –

Als morgen-rood en bleeke sterren-pracht,
  Iets liefs, dat men verloor en niet meer vond,
    Als alles, wat héél ver is en héél schoon.

—

Ik droomde van een kálmen, bláuwen nacht:
  De matte maan lag laag in mistig glimmen –
Maar hóóg scheen van de schemerende kimmen
  Der klare starren wolkenlooze wacht.

Toen, tusschen maan en starren, rees Zij zacht –
  Mij zoeter dan de Muze! – en scheen een schimme,
Wijl 'k om haar hoofd als diademen klimmen
  En dalen zag der starren gouden pracht.

O Liefste Mijne! éér ik een gróete vond –
  Ave Maria! ruischte 't door mijn ziele,
    En heel mijn ziele ruischte U toe – één zucht...

Totdat op eenmaal, door de stille lucht,
  Al die millioenen gouden droppels vielen,
En Ge als een heilige in die glorie stondt...

—

Ik ben een God in 't diepst van mijn gedachten,
  En zit in 't binnenst van mijn ziel ten troon
  Over mij-zelf en 't al, naar rijks-geboôn
Van eigen strijd en zege, uit eigen krachten, –

En als een heir van donker-wilde machten
  Joelt aan mij op, en valt terug, gevloôn
  Voor 't heffen van mijn hand en heldre kroon:
Ik ben een God in 't diepst van mijn gedachten.

En tóch, zoo eind'loos smacht ik soms om rond
  Uw overdierbre leên den arm te slaan,
    En, luid uitsnikkende, met al mijn gloed

En trots en kalme glorie, te vergaan
    Op úwe lippen in een wilden vloed
Van kussen, waar 'k niet langer woorden vond.

—

Nauw zichtbaar wiegen, op een lichten zucht,
  De witte bloesems in de scheemring – ziet,
Hoe langs mijn venster nog, met ras gerucht,
  Een enkele, al te late vogel vliedt.

En ver, daar ginds, die zacht-gekleurde lucht
  Als perlemoer, waar ied're tint vervliet
In teêrheid... Rust – o, wonder-vreemd genucht!
  Want alles is bij dag zóó innig niet.

Alle geluid, dat nog van verre sprak,
  Verstierf – de wind, de wolken, alles gaat
    Al zacht en zachter – alles wordt zoo stil...

En ik weet niet, hoe thans dit hart, zoo zwak,
  Dat al zóó moê is, altijd luider slaat,
    Altijd maar luider, en niet rusten wil.

—

Ik wijd aan U dees Verzen, zwaar geslagen
  Van Passie, en Verdoemenis, en Trots,
  In doods-bleek marmer of dooraderd rots,
Al naar mijn kunstnaars-wil en welbehagen.

Zij zijn doorleefd: 'k heb daarin neêrgedragen,
  Rijk-handig, al wat, in den loop des Lots,
  Aan menschen-liefde of hooge Liefde Gods,
Dit dood-arm Wezen heeft te voelen wagen.

Ik, die mijn Leven uit-te-zeggen zoek,
  Heb al mijn lieve voelen, zoeken, tasten
    En weten in dit somber boek gevat.

En 'k bied, met dit mijn eerste en laatste boek,
  Een laatsten groet aan U, die met uw vasten
    Stap naast mijn àl te wankle schreden tradt.

—

Gij, Die mij de eerste waart in 't ver Verleên,
  Toen alles was één schoone somberheid,
Gij zult mij de allerlaatste zijn. Ik wijd
  Dit stervend hart U, met mijn laatste beên.

Want àl mijn dwalingen en àl mijn strijd,
  En wàt ik heb geliefd en heb geleên,
Het waren allen slechts als zooveel treên
  Tot waar Gij eeuwig troont in Heerlijkheid.

Eéne, één' moet zijn aan Wie ik alles gaf,
  En leven kan ik niet, dan als ik kniel,
    't Zij voor Mij-zelf, een Godheid of een Droom:

De Godheid stierf... Ikzelf ben als Haar Graf:
  Kom Gij dan, nu ik val... Ziel van mijn Ziel,
    Die *niets* dan droom zijt... 'k roep u aan: O, koom!

—

O, DAT ik haten moet en niet vergeten!
  O, dat ik minnen moet en niet vergaan!
Ach! Liefde-in-Haat moet ik mijzelven heeten,
  Want geen kan de andere in mijn hart verslaan.

In droef begeeren heb ik neêrgezeten,
  In dreigend gillen ben 'k weêr opgestaan...
Wee! dat ik nooit dat bitt're brok kon eten,
  Van stil te zijn en héél ver weg te gaan.

Eén hoop slechts, één, éen enkel zoet vermeenen,
  Eén weten, maar ik kàn het niet gelooven...

Ach, dit: dat rusten onder groene steenen
  Een eeuwig rusten is, in één verdooven,

En dat de dooden niet in donker weenen
  Om 't zoete leven met hun Lief daarboven.

—

IK heb U dit te zeggen, dat Uw naam,
  Zóó dier, zal prijken tot het eind der dagen,
Niet door U-zelf, maar door dit Boek, welks faam
  Zal groeien met den Tijd; – als 't verre dagen

Van eene Zon, zwak uit zich-zelf, in tragen
  Opgang opkomend aan de kim, om saam
Met haar Aanbidder, door het ruim, in staêgen
  Vuurgloed te branden, in een hoog verzaam.

Gij kúnt niet van mij af: ik zal U heffen,
  Tot waar ál volkren biddende op u zien,
    Eeuwig als een verdoemden brand in 't blauw.

Wánt Gij waart valsch: maar dat Gij Mij kondt treffen
  In Dit Groot Hart is waard om U te biên
    Een eeuwge Glorie om uw eigen grauw.

—

IK had zoo gaarn dit Boek in vreugd geschreven,
  Een boek voor U, mijn Lief, die 't Lief niet zijt,

't Met zoete woordjes tot een krans geweven,
Een krans van licht, om Uw schoon hoofd geleid.

O, 't waar zoo schoon geweest, dat Lied van 't Leven,
Bloemen van Passie, met een hand gespreid,
Zóó teêr, dat zij van teêrheid zacht ging beven, –
En 'k had mijn *liefste* Zelf éèns uitgezeid.

Het móćht niet zijn: dit Boek is Hooge Trots,
Een Glorie om mijn eigen bleeke slapen,
Nu weldra bukkend naar de donkere aard.

En láter, láter zal men 't zien: een Rots
Van schrik'lijke Ikheid, met den dood als wapen,
Mijn Hooge Zelf, dat Gij niet hebt bewaard.

—

De boomen dorren in het laat seizoen,
En wachten roerloos den nabijen winter...
Wat is dat alles stil, doodstil... ik vind er
Mijn eigen leven in, dat heen gaat spoên.

Ach, 'k had zoo graag heel, héél veel willen doen,
Wat Verzen en wat Liefde, – want wie mint er
Te sterven zonder dees? Maar wie ook wint er
Ter wereld iets door klagen of door woên?

Ik ga dan stil, tevreden en gedwee,
En neem geen ding uit al dat Leven meê
Dan dees gedachte, gonzende in mij om:

Men moet niet van het lieve Dood-zijn ijzen:
De doode bloemen keeren niet weêrom,
Maar *Ik* zal heerlijk in mijn Vers herrijzen!

—

Ik zal mooi dood-gaan, als een vlammend vuur,
Dat ééns nog flikkerde in zijn schoonsten gloed,
Eer 't gansch gebluscht was. Want, als éénig goed,
Rest mij de Schoonheid nog, een korten duur.

Hoe zalig is dat nu, wanneer ik tuur
Naar mijn gedachten in hun breeden stoet,
Die àllen schoon zijn, en niet één die doet,
Of zij woû vlieden uit Mijn Hoog Bestuur.

Wat is dat goed, de groote rust van God,
  De heerlijkheid eens kunstnaars, en 't geluk
    Van mensch, vereenigd in één oogenblik!

Ik ben nu verder koud voor mijn Aardsch Lot:
  Der aarde vreugden sterven, maar ik druk
    Mij-zelf aan mijne borst, en lach noch snik.

—

ALS 't latere geslacht dees woorden leest, –
  Want dit geslacht zal lachen om dit vers,
  De zotte poppen van pratte pers
In de aller-aller-eerste plaats, dán 't Beest,

Voor niets méér dan een groot gevoel bevreesd,
  Dat zich Beschaafd Publiek noemt, dat een kners
  Hoort in een gil of klacht, maar van elk versch
Rijm-zottertje maakt een familie-feest; –

En ook véél andren zij dit hier gezeid
(Menschen met hart zijn schaarsch in dezen tijd)
Maar zoo één *is*, dan heb ik 't hem gewijd:...

Wees hard, èn koud, èn vreemd, met iedereen.
En ween nooit meê, 'dat *gij* niet later ween',
Rond u-zelf krimpend, op den grond, alleen.

—

STRAKS zong ik trotsche dingen
  Van menschen-pracht en -gloed...
Nú kan ik niets meer zingen
  Dan dat ik sterven moet.

O, éénmaal nog te weenen!...
  Als men gestorven is,
Dan gaan de menschen henen,
  En meê de droefenis...

Dan lachen en dan praten
  Zij weder, als van ouds...
Vèr van de drukke straten,
  Daar ligt alleen iets kouds.

—

DE Zee, de Zee klotst voort in eindelooze deining,
  De Zee, waarin mijn Ziel zich-zelf weerspiegeld ziet;

De Zee is als mijn Ziel, in wezen en verschijning,
  Zij is een levend Schoon en kent zich-zelve niet.

Zij wischt zich-zelven af in eeuwige verreining,
  En wendt zich altijd òm, en keert weer waar zij vlied·
Zij drukt zich-zelven uit in duizenderlei lijning
  En zingt een eeuwig-blij en eeuwig-klagend lied.

O, Zee was *Ik* als Gij àl uw onbewustheid,
  Dan zou ik eerst gehéél- en gróót-gelukkig zijn:

Dan had ik eerst geen lust naar menschlijke belustheid
  Op menschelijke vreugd en menschlijke pijn;

Dan wás mijn Ziel een Zee, en hare zelf-gerustheid,
  Zou, wijl Zij grooter is dan Gij, nóg grooter zijn.

—

Ik ben te veel een ménsch geweest,
  Een mensch, die gilde en klaagde en schreide,
Die dronk zijn glas en vierde feest
  En diep-gevoelde dingen zeide,

Nú ben 'k een delikaat artiest,
  Verliefde van zijn fantasieën,
Maar die zich 't aller-liefst verliest
  In zijn kokette melancholieën...

Melancholie – om wie? om wat?...
  Ik weet niets meer, kan niets meer voelen
Dan zoet gespeel met dit en dat
  Van rijmen, zachte, klare, koele.

—

O, Rozen, droef en schoon,
  Ik heb u uitgekozen
Voor àl mijn koude doôn,
  Roode en witte rozen.

Rozen om 't doode haar,
  Rozen op arme' en borsten
Vallen met zacht gebaar,
  Of zij niet vallen dorsten.

Rozen voor ieder, die
  Met lachen, of kussen, of groeten,

Of schoone melodie
  Mijn leven woû verzoeten.

Rozen voor *mij* slechts niet,
  Voor *mij* geen bloemen, die geuren.
Voor *mij* mijn eenzaam Lied
  En wat stil treuren...

—

De blâren vallen zacht...
  Ik kan alleen betreuren,
Dat ik niet eens verwacht,
  Wat eens nog kan gebeuren...
De blâren vallen zacht...

—

Ik ga mijn leven in orgieën door
  Van vol muziek en vreugden onuitspreeklijk,
Daar 'k àl smart in losbandigheid verloor,
  Want dít lijf en mijn trots zijn onverbreeklijk;

'Wijl achter me aan een óp-zich-drommend koor,
  Heel 't schoone lijf bewegend wild en weeklijk,
Luid-feestende optocht, danst en *ik* dans voor –
  O, mijn los-voetigheid is zéér aansteeklijk!

Hoor, hoor naar mij, gij allen die daar gaat
  Met koud gelaat en stappen zoo bedachtig:

Brand òp in gloed het leven dat u slaat,
  U-zelf òp-slaánd in vlammen hoog en prachtig...!

Droom wég in weelde: ijdel is alle daad –
  Over ons allen koom het Niet-zijn machtig!

—

Ik ween om bloemen, in den knop gebroken
  En vóór den uchtend van haar bloei vergaan,
Ik ween om liefde, die niet is ontloken,
  En om mijn harte dat niet werd verstaan:

Gij kwaamt, en 'k wist – gij zijt weer heen-gegaan...
  Ik heb het nauw gezien, geen woord gesproken:
Ik zat weer roerloos, nà dien korten waan,
  In de eeuwge schaduw van mijn smart gedoken:

Zoo als een vogel in den stillen nacht
Op ééns ontwaakt, omdat de hemel gloeit,
En denkt, 't is dag, en heft het kopje en fluit,

Maar éer 't zijn vaakrige oogjes gansch ontsluit,
Is het weer donker, en slechts droevig vloeit
Door 't sluimerend geblaêrte een zwakke klacht.

—

Ik hield u dierder dan mijzelf. Ik had
Geen dierbaar Zelf meer, want ik wierp mijn trots,
Mijn donkren trots, mijn álles, wat ik had,
Vóór uwe voeten, als de voeten Gods.

Ja, gij waart God, maar God mij van veel spots,
Geen God van liefde, – die mijn ziel vertradt
Totdat zij sterven wilde; – toen daar, plots,
Een lichte schaduw door mijn duister trad:

Ik zag dat bleek gelaat, de siddering
Dier lippen, – dàt waart *Gij* – uw open hart
Bloedde en die oogen weenden van terzij...

Toen wist ik àlles en op eens verging
Al mijn verlangen en mijn wilde smart
In mijmering en eindloos medelij...

—

Daar ge onverbidbaar waart voor tranen, klachten,
En spot, die scherper dan de smarte wondt, –
Daar deze ziel, die gij niet gansch verstondt,
Vergeefs zich wrong in wrokkend zelf-verachten

Voor ú, wier harte niet, maar lippen lachten: –
O, daar ge in lange, diepe stooten kondt
Mijn ziel en *Uwe* ziel, en die ze bond,
De Liefde, om 's werelds koele lonken slachten:

Zoo zal ik langer niet mijn wonden keeren
Naar 't Lot en U, die 'k als mijn Lot erken,

Maar, tusschen Graf en Waanzin wanklend, leeren,
Of men zich lachend aan de wanhoop wenn', –

En, met den dood in 't bloedend hart, bezweren,
Dat ik gelukkig – zéér gelukkig ben...

—

De gek lag onbeweeglijk op zijn leger
En 't was of daar een lijk in staatsie lag,
Zóó wezenloos. Nauw scheen de vale dag
Door 't schuine raam daarboven op dat leger.

Soms slechts wat laken-ritseling als teeg er
Door 't lijf een jicht-scheut: 't was of hij niets zag:
Maar o! daar gleed op eens een breede lach
Langs 't bleek gelaat. Op rees hij van 't vreemd leger:

De houding van den gek was scheef en drukkend,
Den arm hield hij omhoog, de blik stond stijf:
De romp schoof heen en weer in dronken slingeren:

Dan plotseling het schurftig, schokkend lijf
Met gram en schuin-ziend oog voorover bukkend,
Grabbelde hij in 't bed daarnaast met greetge vingren.

—

O komt daar nooit, als gij, ternêergelegen
Op 't donzen leger, van 't verleden droomt,
Een stil gelaat met zachten blik u tegen,
Dat klagen wou, maar om 't verwijten schroomt?

Zie, hoe dat oog zijn tranen-storm betoomt,
Zie, hoe die lippen in gebed bewegen,
En, schoon het bloed er als een vloedgolf stroomt,
Het eenge, wat zij murmlen, is: een zegen...

O, sla dan 't oog niet neer: de tijd schrijdt voort, –
Eens zal het bloed verbleekt zijn in die wangen,
De glans dier oogen door den dood verdoofd...

En op een strenge zerk staat slechts dit woord:
Hij leefde in leed en lied en sterk verlangen,
Hij stierf, maar heeft ten einde toe geloofd...

VROEGER BESTAAN

Ik heb geleefd, een eeuw-of-wat geleden,
Vóórdat men gas-lantaarns of tramway's had,
In een oer-oude, stille Duitsche stad,
Waar steeds al menschen vroom-bedaardjes treden,

Zooals hun vadren, en dier vadren, deden,
'Of elk mensch, langzaam, met de voeten, mat

't Eng, tusschen kleur'ge huizen draaiend, pad,
Dat soms zich tot een pleintje gaat verbreeden...

Daar leefde ik onder de andren, stil... ach! ik,
Die mijn diepst Zelf toen was, die fijn doorvoelde
't Handschrift met teêr-getrokken miniatuur.

En vaak ook zond ik een getroosten blik
Naar wat, daar ver, op hooger streken doelde
Der kathedraal trotsch-bogige structuur...

HÉLÈNE SWARTH

DE POP

Gelijk een spelend kind, in zoeten waan,
Haar pop aan 't liefdevolle hartje drukt,
Van 't zielloos mondje menig kusje plukt
En meent haar kindjes hart te voelen slaan,
Het vlassen haar met bloem en lintje smukt,
De klêertjes aantrekt, die zoo mooi haar staan,
De wassen wang, wier rooskleur haar verrukt,
Warm streelt – de verf hangt lipje en vinger aan –

Zoo deed ik, dwaze, met mijn dichterdroom.
Mijn leven leende ik aan de lieve pop.
O glimlach niet: ik was zoo jong, zoo mild!

Mijn popje doste ik uit en sierde ik op
En kuste en minde ik, o zoo têer, zoo vroom,
Zoo lang! – Wee mij! ik heb mijn ziel verspild.

STERREN

O, de heilige onsterflijke sterren, hoog boven mijn sterfelijk hoofd,
Waar 't geloof met zijn kindervertrouwen mij een hemel eens had beloofd,
Als mijn oogen zich sluiten voor eeuwig en mijn lijf wordt ten grave gebracht!
O de stille onbegrijplijke sterren! o 't mysteriënheir van den nacht!

Lief, de dag is zoo druk en zoo nuchter, zoo voor 't kleine en voor 't stofflijke alleen
En de menschen verloochnen hun ziel en naar 't eeuwige leven vraagt geen.

Kom met mij waar de heilige nacht met haar oogen van sterren ons wenkt, *Hélène Swarth*
Waar een adem van liefde ons omzweeft en de hoop met haar beker ons drenkt.

Lief, eens zullen wij sterven, wij beiden, wij samen of ieder alleen,
En het graf is zoo diep en de hemel zoo hoog en of God leeft weet geen,
En 'k heb niets dan de stem van mijn hart, die mij 't eeuwige leven belooft,
En de heilige onsterflijke sterren, hoog boven mijn sterfelijk hoofd.

CHRISTOPHOROS

En in de beek stond reeds mijn voet gebaad
– Een beek, door dubblen dorst van zon en zand
Half leeggezogen – toen een kinderhand
Mij vasthield bij den zoom van mijn gewaad.

En als een rooswolk in een gouden rand
Lachte in een lijst van goudhaar zijn gelaat,
Terwijl hij sprak; – „Zoo gij door 't water waadt,
Draag me op uw schoudren naar dat schoone land!"

En alzoo deed ik, doch, toen ik hem droeg,
Werd wat mij licht leek, middlerwege, als lood.
En 't water zwol zóó dreigend dat ik vroeg:
– „Moet ik nu sterven en zijt gij de Dood?"
Hij sprak: – „De Dood niet, maar uw Meester wel!"
Toen zweeg de storm en 'k zei: – „Emmanuël!"

VREDEMEER

Nu ligt mijn ziel zóó grondloos diep verzonken
In 't zondoordrongen blauwe Vredemeer,
Waaruit mijn droomen dorstig laving dronken,
Dat ik wel nimmer tot de wereld keer.

Licht drijft ze in licht en speelt met zonnevonken,
En laat zich dragen als een zwaneveêr.
Van de aardestemmen, die zoo klagend klonken,
Bereikt haar rust geen enkele echo meer.

De dorre heide van 't verloren leven,
Vol eenzame' angst, ligt vér in donkren nacht,
Zóó ver dat mij geen heugnis kan doen beven.

Lelie in 't water, slaapt in weeldemacht
Mijn stille ziel en weet van wil noch streven...
Is dit nu dood-zijn, dan is sterven zacht.

KLEINE VOGEL...

Kleine Vogel, lentezieltje aan 't zingen,
  Kweelekeeltje zwellend van muziek!
Geef me een zang vol adem van seringen,
  Kleine Vogel, zie, mijn hart is ziek.

Grootsche Wind, o zomerziel der boomen,
  Ruischend droef uw droom van melodie!
Geef me een zang vol koele boome-aromen.
  Grootsche Wind, zoo gij niet wilt, dan wie?

Eeuw'ge Zee, o ziel van elk getijde,
  Bruischend brekend elken golvenwil!
Geef me een zang, die me uit mijzelv' bevrijde,
  Eeuw'ge Zee! mijn hart is krank en stil.

WIND

O wolkendrijver, bladerstrooier Wind!
  Die 't ruischend woud maakt tot één reuze-orkest,
  Vol fluitgeluiden als een vogelnest,
Vol somber-rollende' orgeldonder! Wind!

Gij, die uw zwiepend zwaard tot aan 't gevest
  In 't zwoegend hart van 't woud plant, gij die vindt
  Den koensten boom deemoedig als een kind,
Dat, bang voor Vader, zich aan Moeder prest!

O koele Wind, woel wild het loover los!
  Ik wend tot u, in 't jagend zilverlicht,
Het vragend branden van mijn wangenblos.

O zing voor mij 't geweldig herfstgedicht,
  't Lied van Mysterie zonder woordendos,
Het eeuwig lied, waar 't klein verstand voor zwicht!

KLOKGETIK

'k Wil niet meer luistren naar het klokgetik:
't Klinkt me als gelek van dropplen bloed zoo bang.
Hoor hoe zij klettren, één voor één, zoo lang
Als ik bewust ben van mijn eigen Ik!

En langzaam kronkelt, als een klamme slang,
Rond keel en hart die angst... 't Is of ik stik...
Ik hoor aldoor der stonden stervenssnik,
Ik voel zoo zoel hun adem op mijn wang.

O stalen voetjes van den renner Tijd!
Wat holt ge uitzinnig over 't Leven heen,
Dat kleine veld, mijn streven toegezeid!

O stalen handjes! gretig, één voor één,
Neemt ge elke vreugd mee, die mijn zijn verblijdt,
En trekt ten lest mij onder de aarde – alleen!

POPULIEREN

O populieren!
Langs slapende kanalen weeft ge uw wuifgordijn.
Over uw kruinen laat ge vrij de orkanen gieren,
Geen doet zijn lange takken langs de waatren slieren,
Wel zwiept gij als de wind u zweept, maar trotsch in pijn.

O populieren!
Langs ál mijn levenswegen vond ik u geplant.
In zwart moeras, waar myrth noch oleander tieren,
Waar ernstige eik noch teedre linde hoogtij vieren,
Daar valt uw donkre voorhang vóor 't Beloofde Land.

O populieren!
O wereldvliedende in verheven hemelzucht!
'k Zie goudlicht gloren door uw blauwe bladerkieren,
Uw ruischen roert me als reizang van gewijde lieren...
O leert mij ruischend rijzen, hoog in reinheidslucht!

KLAPROZEN

Klaprozen, brandend tusschen 't halmenblinken,
Als barstte 't barnend tarwegoud in vlammen!

Klaprozen, fel-scharlaken als de kammen
Van daagraads' hanen, die gekraai doen klinken!

Ik strook uw rood met vrome liefdelippen,
Ik raak uw broosheid licht met eerbiedsvingren.
O laat me uw schoonheid rond mijn slapen slingren,
Eer al uw blaadjes, veertjesteêr, me ontglippen!

Neen, stil nu, wind, speel niet uw speelnoot parten!
Jaag niet mijn klaproze-oogst als roode vlindren
Door 't blauwe luchtruim! – dichters zijn als kindren –
Wat ving ik aan met enkel zwarte harten?

Klaprozen, zwaaiend zacht uw zomervanen
Van roode zijde in 't gele graangewemel!
Ik hef u hoog ten puur-azuren hemel:
Dit zwarte hart, wil 't blij tot bloeien manen.

HERFSTBOOM

Ik weet een boom, die staat alleen te sterven,
  Zijn ijle twijgen spreidende op de luchten,
Als vleuglen van een reuze-vogel: – vluchten
  Wil hij van de aarde, waar hij vreugd moet derven.

O teedre boom versmadend zware vruchten
  En bonte oranje en incarnate verven!
Etherisch licht, als bleeke veedren, zwerven
  Uw broze loovren heen op windezuchten.

O boom! ik voel uw bladerval doorbeven
Mijn droomenblauw, als droeve erinneringen.
Ik voel verwant uw leven en mijn leven.

Ik breid, als gij, mijn armen uit tot zwingen,
Ik kan er nooit ten hemel heen mee streven.
't Zijn donkre wortlen, die mijn wil bedwingen.

HERFSTROOD

In rouwzwart groen een vroolijk vlekje rood:
Een blozend dak, een gladiolusvlam,
Een rozige appel of een hanekam,
Zal dat mij troosten over zomerdood?

O tragisch traag laat vallen van den stam
Scharlaken bladen in de bruine sloot
De wilde wingerd, of in gulpen vloot
Zijn bloed, gelaten najaars-offerlam.

Een huivrende angst bevangt me en jaagt mij voort,
Grijpt bij de keel me en steelt mijn levensmoed.

In 't Westen praalt een karmozijnen poort,
Waarachter 'k misdrijf, vreemd en wreed, vermoed.

De booze October heeft de Zon vermoord:
Zijn zwaard is rood, zijn mantel druipt van bloed.

CIRCUS-RIJDEN

Op melkwit paard, met telkens wuifgewiek
Van d' open kelk der rose rokjes, rijdt
Een tenger meisje, als vleugelen gespreid
De ranke lelie-armen, bij muziek
Brutaal van koper-schetter-jool, bereid
Tot vogelzweven, voor verwend publiek,
Door linte'-omwoelden ring die, star-comiek,
Een clown hoog óphoudt, dat zij 't blank doorrijt'.

In 't ronde renperk, arglooze oogenprooi,
Een kind nog, ijdel, soms wel heimlijk bang,
Rijdt zij voor 't eerst, verblijd door eigen mooi.

Zoo zweeft de dichter, blij met eigen zang
En blank gevoel en kleur'ge woordentooi,
In duizelvaart, door levens cirkelgang.

SLAPENDE KAMER

De kamer slaapt. – Droomerig langgerekt
Geroep van tortels vult de loome lucht.
Ver, lijk geklapwiek, latjes-klepgerucht
Van zonneblinden, die men opentrekt.

Citroen-aroom van gele zuidervrucht,
Adem van perzik purperdons-bedekt
En ziel van lelie tragisch bloedbevlekt
Smelten bedwelmend tot éen geurenzucht.

Door 't rietgordijn, dat in de kamercel
Gevangen houdt warmgouden schemering,
Zwevende en bevende als een goudkapel,
Verdwaalde een zonvonk, uit een kamerding
– Kristal of koper – tooverende een wel
Van kleurenvreugde en stralenflonkering.

O GODEKNAAP

O godeknaap! o zonneblonde April!
  Ik hoor uw kloppen aan mijn vensterruit
  En 't fladdren van uw blauwen mantel! Fluit
Uw merelzang en wek mijn levenswil,
  Die grijzen winter weerloos viel ten buit.
Aromige jacinth, violen pril,
Jonquillegoud en vlam van amaryl,
  Strooi al uw bloemen vroolijk voor mij uit.
Raak met uw loover-tooverstaf mij, laat
  Me u lang in 't blauw van de oogen zien, vertel
    Me een oud verhaal, waarbij ik weenen moet.
O laat me uw lokken streelen, uw gelaat
  Bedonzen met mijn liefde als vroeger wel
    En zoen mij weer en geef mij levensmoed.

DOODEWAGEN

  De wagen zwart, met één chrysantenkrans,
Voert traag een doode waar hij rust zal vinden.
Als weenend mee met wie dien mensch beminden,
  Vloeit droeve regen uit d' omfloersden trans.

Stil ritslen neer van bleekvergeelde linden,
  Te regenzwaar voor wilden werveldans,
  De laan bevloerend met hun matten glans,
 De bladren, zacht gedragen door de winden.

Slaap, doode, slaap, uw leven is voorbij –
Maar rond den rouwkrans fladdert, als in Mei,
  Een blanke vlinder tusschen 't bruin der bloemen.

Op 't eenzaam pad, waar 'k twijflend droom en dool,
Ontroert mijn ziel dat eeuwigheidssymbool:
  God zal den geest tot ondergang niet doemen.

HERFSTHEIDE

Vol grijze dreiging hangt het zware zwerk
  Op 't rossigbruin van de uitgebloeide hei.
  Langs 't bleeke zandpad zeult een kar voorbij
Een donker schonkig paard – Eén tengre berk
  Rijst rank op 't grauw met siddrend bladgesprei.
En plechtig ruischt, 'lijk 't orgel in een kerk,
De wind door 't woud van sparren lenig sterk
  En sombre beuken, 't heideveld terzij.

'k Vlij me in een kuil en dek mijn leden moe
Met geurend blad en ros ruig heikruid toe
  En luister, oor en hart aan heideschoot.

Nu waar 't wel zoet, terwijl ik d'aardgeur dronk,
Zoo stil dit hart werd en hier zacht verzonk
  In 't lang verlangd mysterie van den dood.

FREDERIK VAN EEDEN

DE WATERLELIE

Ik heb de witte water-lelie lief,
daar die zoo blank is en zoo stil haar kroon
uitplooit in 't licht.

Rijzend uit donker-koelen vijvergrond,
heeft zij het licht gevonden en ontsloot
toen blij het gouden hart.

Nu rust zij peinzend op het watervlak
en wenscht niet meer...

DE LENTE

Reeds is het statig eiber-paar gekomen,
't geduldig rijs wringt stil de knoppen los,
de zoele lente luwt door 't zonnig bosch
en wiegt mijn geest in weemoeds-zoete droomen.

Violengeur stijgt op uit vochtig mos,
een bronzen gloed verjongt de dorre boomen,
en primula's en dotterbloemen zoomen
de groene wei met gouden voorjaarsdos.

Wat heb ik, milde! naar uw komst gesmacht!
wat scheen uw toeven lang! – is 't niet mijn leven
dat door uw donzen adem wordt gewekt?

Eens zult ge niet meer keeren, als ge trekt,
des weerziens zaligheid mij niet meer geven
en grimmig grijnst dan d'eindelooze nacht.

AVOND IN DE STAD

De groote stem der stad verstomt
en de nachtwind die in mijn venster komt
brengt een vaag en wonderlijk suizen
als zuchten der slapende huizen.

Mijn lamp brandt stil en suizelt zacht
en peinst zijn gepeinzen den langen nacht.
Ik staar in het heldere branden,
mijn katje speelt met mijn handen.

Hoe waren de dagen die verre zijn
toen mijn hart ontwaakte in den zomerschijn?
toen de geuren mij wekten der linde?
toen de kelken knikten der winde?

Waar heb ik de roze het eerst gegroet,
de bleeke, die groeit aan der duinen voet?
Mijn katje speelt in de schauwen
der gordijnen, met ritslende klauwen.

Zie, bloemen en gras op mijn kleed, mijn boek,
een meidoorn bloeit in den kamer-hoek,
zie, bleekroode rozen omringen
mij rings, en dichte seringen...

Maar een schaduw valt en alles wijkt. –
Op de vensterbank zit mijn katje en kijkt
in de donkere diepte neder,
zijn staart slingert heen en weder.

Nu komen van over de zwarte stad,
nu stijgen op uit het wiegelend nat
van de kille, duistere grachten,
de kille, zwarte gedachten.

Ze zweven zwijgend door 't venster heen,
op iedere schouder zet zich één,
op mijn hoofd, mijn borst en mijn brauwen,
ze drukken met klemmend benauwen.

En dof hoort mijn oor het vaag gerucht
der nachtwind die weeklagend zucht,
de angstige droomen der huizen.
Mijn lamp blijft peinzend suizen.

NA ZONS-ONDERGANG AAN ZEE

Zonne stervend zonk in zee, –
en een wijde wade spreidde
op de breede kimme neer
't wolkenheer.

Eenzaam ruischt de duistre zee, –
langs der duinen ruige kruinen,
als met droeve doodenklacht
zucht de nacht.

Eenzaam, eenzaam ruischt de zee,
slaat de kuste zonder ruste, –
moeder aarde ligt alom
doodsch en stom.

Op het woelend vlak der zee
wislend dansen kille glansen –
starre lach der doode maan
staart mij aan.

Dreigend, dreigend druischt de zee! –
'k Zie een grijzen nevel rijzen –
komt uit 't groote zonnegraf
op mij af!

Red mij, red mij van de zee!
Red mij, aarde, die mij baarde! –
Vaal-gewiekte oneindigheid
naderschrijdt! –

'T HERTEKEN

Hebben ze je 't weien voor altijd versperd?
Herteken! Herteken!
Docht je maar hongrig om groenigste loten,
tot je in de breeklijke poten geschoten
vangeling werd?

Is je nu 't meien voor altijd versmert?
Herteken! Herteken!
Blijven de groene revieren versloten? –
Donker-oog staart, óverwijd van grooten
jammer gesperd.

STEM VAN GENERZIJDS

Het was zoo licht toen ik moest scheiden,
de spreeuwen kweelden luide en teer,
en een onnoemelijk verblijden
vervulde veld en atmosfeer.

Een plechtig en verblindend wonder
verrees, – als waar 't voor 't eerst, – de zon,
en bloem op bloem ontsloot zich onder
haar zeegen, naar zij kracht gewon.

De waereld scheen verbaasd te ontwaken
als vond haar 't licht voor d'eerste maal.
'k Zag zwaluwen hun nestjes maken
en zwieren in den morgenstraal.

Ik zag de kiewiet om zijn jongen
klapwieken met bezorgd gerucht –
ik hoorde hoe de meerlen zongen
hun welkom in de luuwe lucht.

De wind bestreek de fonkel-vlieten,
de golfjes plapperden in 't lisch,
't ging al van 't zoete licht genieten
en blonk van dauw en ruischte frisch.

Ik was niet angstig om te sterven,
maar 't zag zoo luisterrijk op aard,
als had al 't schoon, dat ik ging derven,
zich in één uiterst uur vergaard.

Genooten goed, dat ging begeeven,
had ik u wel genoeg bemind?
Verheeven weelden van het leeven
nam ik u dankbaar, als een kind?

Wist ik mijn korte leevenswijding
te vieren als een heilig feest?
Is mij 't ontwaren tot verblijding,
't bepeinzen tot een lust geweest?

Als vaagde ik zwarte spinneraggen
van oud en kostbaar schilderij,
zag 'k onontgonnen vreugden lachen
voor 't eerst van duistre spinsels vrij. –

O angst, o waan, o booze krankte
der menschen, die ons elk besmet,
die den hartstochtelijken dank te
bewijzen onzen God, ons let,

die ons doet weifelen en doet ijzen
en wroegen, klaaglijk en bedrukt,
waar 't leeuw'rikje' in zijn luchtpaleizen
omhoogvaart, juub'lend en verrukt. –

Hoor gij, die nog in 't licht moogt woonen,
dit woord uit 't eeuwig droomrijk aan:
„verdrijf die schimmige demoonen"
„die voor Gods lieflijk aanzicht staan!"

„Hard drukt de spijt om noodloos lijden,"
„Om gloorie, door een waan gemist"...

De aard was zoo licht, toen ik moest scheiden,
en zooveel schooner dan ik wist. –

EDWARD B. KOSTER

AVONDLAAN

'k Loop in de koele lafenis der laan,
De tarwe wiegelt langzaam 't bruin-geel goud,
Er waren fluisteringen door het woud,
Geruisch van vogeltjes, die huistoe gaan.

Koel-ruiz'lig schuif'len siddert door de blaân,
Waar wind zijn luchte tenten heeft gebouwd;

En sterrelend doorblinkt de hemelblauwt'
Der hooge kruinen langgestrekte paân.

De zon is dalend; rustig-roode gloor
Glijdt sober-pralend langs de stammen door,
En doopt in vreemden gloed het avondwoud.

Een laatste rosse streeling, eer het licht,
Ten avonddood gedoemd, zacht-vallend zwicht; –
Stil staat het bosch te staren, grijs en koud.

HEIN BOEKEN

BRIEVEN AAN EENE ONBEKENDE I

De verre wind, die over de aarde ruischt,
  Het smachtend ritslen fluisterend door de blaaren
  Die van geen zwijgen weten of bedaren,
Daar eene ziel, begeerend, in hen huist, –

Hoe wordt dit één op ééns met wat er huist,
  Diep in mijn ziel: begeerte om op te varen,
  De vlakten ver, verschieten te overstaren
Tot waar dit land de luide zee ombruischt.

Dan niet tevreê met trekken over golven,
  Die brachten, ach! wellicht naar schooner kust,
    Tot lichter glans van wereldsche tooneelen,

    Met and'ren geest in schoonst verzaam te deelen
  – Tot scherpsten strijd in strengste tucht gerust, –
De diepste kern den wereld-schijn ontdolven.

TOT DE ZONNE-STRALEN

Die gevel-toppen gunt uw zachte schijnen,
  Dien eeuwig weer in ons te wekken lust,
Der schoonheid pelgrims, de' eeuw'gen trekkens-lust,
  Zon-stralen, gij, 't zij, waar in de woestijnen

Of land-, of zeeë-vlakten en eindloos deinen,
  Uw rustloos licht op leêge leegten rust,
't Zij gij de heil'ge kracht of 't teeder kwijnen
  Van uwer liefste kindren schoonheid kust, –

Geen nieuwe staten stichtte ik, want ze vallen
  Luchtiger dan kaarthuizen in elkaar;
Geen nieuwen gods-dienst vestte ik: als zeep-ballen
  Spatten hun wetten, kerken en autaar;

Maar aan der schoonheid heemlen helpt mij bouwen,
  In eeuwig smachten heur gestalten schouwen.

VOOR MIJNEN 63STEN VERJAARDAG 2 DEC. 1924

Geen klacht om 't vlieden van de snelle jaren,
  Noch zelfs om 't naadren van den zwarten dood.
Zóó min als, stralend goud door gouden blaêren,
  De zon treurt, daar zij zinkt in 't gloeiend rood.

Slechts Eéne weet, daar andren op mij staren,
  Meelijdend, met mijn eenzaamheid en nood,
Slechts Eéne weet wat heuchnis ik mocht garen,
  Wat gouden oogst dit gouden jaar mij bood.

't Verga me als hem, die op de zwarte zee
  Den ganschen nacht gekampt heeft met de golven,
Dan wetend 't eindlijk naderen van 't land,

Bij 't eerste licht, dat over 't zee-vlak gleê
  De schuimpracht ziet, waaronder hij bedolven
Dra vredig aanspoelt aan 't gewenschte strand.

NIEUW AMSTERDAM

In jonge wijk van de oude stad gekomen
Waar eindloos straat aan nieuwe straat zich reit,
En langs de banen steenloos geplaveid,
De nieuwe waagnen zonder paarden stroomen,

Gevalt mij vaak een vreemden droom te droomen
Door een verwisseling van tijd en tijd,
Dat zij, die 'k ging door 't lange leven kwijt,
Mij konden hier, weer levend, tegen komen.

Ja, als ik zie in Babyloonsche maten,
De menschen-nestjes staaplen zich tot straten
Naar de eeuw'ge drang van liefde en leed gebood,

Is 't mij als deelde ik in der toekomst groeien,
Als kond ik nog in de oude liefde bloeien
Met wie vóór mij naar 't scheemrig rijk ontvlood.

PROSPER VAN LANGENDONCK

SCHEPPING

Omruischt van zangrig bladgefluister,
door 't mystisch spel van licht en duister
  omtinteld met een stralenkrans,
komt ge als een nevelschim gegleden,
nog vormloos ver... maar diep aanbeden
  in uw aanstaanden schoonheidsglans.

'k Voel uw bezielende adem waaien
van verre. Zie! de bloemen zwaaien
  u 't kleurig, reuzig geurenvat.
't Hosannah dreunt van boog tot bogen
of 't woud, in twijg en stam bewogen,
  met mij u huldigde en aanbad.

Gij zijt gekomen... heel mijn wezen
trilt vreugdedronken... 'k grijp – gerezen
  tot u – naar u, zoo trouw verwacht,
ter vuurge omarming... vruchtloos pogen!
Uw vorm is wind... uw schijn is logen...
  een hersenschim... een droomgedacht...

O! heerlijk beeld der ijdle droomen!
'k Wil u doen leven, u doorstroomen,
  u sterken met mijn levensgloed:
mijn vleesch zal smelten, 't harte bloeden,
om u te vormen, u te voeden,
  mijn eigen kind, mijn vleesch, mijn bloed!

En 'k juich, daar de adem mijner longen
uw borst doet golven, – opgedrongen
  van al wat mij daarbinnen beeft;
daar u de bloedstraal van mijn harte
dooradert, – u mijn liefde en smarte
  en hooger hoop in de oogen leeft.

Uw blik, waar donkre glanzen zweven,
voert op een stroom van wonder leven
  mijn ziekelijken schoonheidszin.

Kom! laat het waas der stille droomen
zachtlokkend om uw teerheid doomen
en treê, hooghartig, 't leven in.

P. van Langendonck

Mijn kind! Geen liefde moet ge er winnen,
geen kan u toch, als hij, beminnen,
wiens hart u sprong tot levensbron;
maar, hem begrijpend in uw wezen,
zal m' in uw sprekende oogen lezen
al wat hij-zelf niet zeggen kon.

HEEL DEN MORGEN

Heel den morgen draafde ik doelloos
en voor aarde en àl gevoelloos
door het spichtig sparrenwoud,
draafde ik, draafde ik uren, uren,
in gestadig verder turen
en in droomen duizendvoud.

En nu, moe van 't doelloos dwalen
zonder ruste of ademhalen,
zonk ik, zacht, ter ruste neêr: –
diepe rust hier, in die diepe
wouden, of daar alles sliepe
en nooit ontwaakte, – nimmermeer...

En ik dacht, o woud, o heide,
magere akker, schaarsche weide
van die Kempen, dor en schraal,
aan 't bedachte en kloeke volk, dat,
– zacht van zede en aard – geen tolk had
van zijn hart dan zijne taal;

– hoe dat volk hier eeuwen leefde,
voor zijn karig leven streefde, –
over d'oorlogskling gejaagd,
uitgebrand, -gemoord, -gezogen,
en weer arbeidde, ingetogen,
stoer, halsstarrig, onversaagd;

– hoe, tot steun en weer gedreven
van zijn innig zieleleven,
toch eens, uit dat rijk gemoed,
effen als de vlakte en wonder-

diep als 't sluimrend woud, van onder
   't bloed omhoog joeg, ziedend bloed;

– hoe de ziel dier stille Kempen,
door geen macht of list te dempen,
   opstoof als het heidezand,
met een toomeloos geweld en
over heiden, bosschen, velden
   uitsloeg als een zomerbrand.

. . . .

Grootsche strijd, zoo kloek gestreden!
Grootscher nederlaag, geleden,
   – Boeren! – onder de overmacht!
op der heide bloemenbaren
zie 'k uw groote schimmen varen
   als een stomme paardenjacht...

. . . .

Door der wouden heimlijkheden,
plechtig ruischend van 't verleden,
   waar de toekomst zich bereidt,
kwam ik droomend, ingetogen,
vol van de eeuwen die vervlogen
   en van 't lot dat ons verbeidt.

En ik droeg in 't harte mede
àl de kalmte en àl den vrede
   van dit stille Kempenland,
met zijn taaiheid, met zijn vroedheid,
met zijn uiterlijke zoetheid
   en zijn diepen zielebrand.

WOLUWE-DAL

Van alle gulden heuvelkammen kentelen
lijnen, die lenig naar elkander wentelen
   te zamen vloeiend in het dal,
als fijne ideeën, die heur draden mengelen,
uit elke geesteshoogte, en samenstrengelen
   tot één harmonischen gedachtenval.

Van alle verre kruinen wellen wateren,
die speelsch in spiegelklare beken klateren,
   saamborlend in de lage kom,
als krachten, die het zwellend hart doorstroomen
uit diepte en uiteinde aderend aangekomen,
   en alle kracht opslurpend van rondom.

De vormen lijnen af de kalme krachten.
De planten groeien, vredige gedachten,
  heur stille wording onbewust;
en over de eerstigheid van alle dingen,
die, 't een naast 't andre, elkander niet doordringen,
  daalt, in geleidlijkheid, gedegen rust.

P. van Langendonck

—

Ik weet niet waar ik ga,
Ik weet niet waar ik sta,
en waar ik waar en vaar
en angstig henenstaar,
waarheen mij feller sart,
hoe lastiger het viel,
het jagen van mijn hart,
het smachten van mijn ziel.

Mijn ziel is moede en krank
en hoort geen stemmenklank,
en vindt geen vaste baan
in 't ijlend ommegaan,
en wentelt buiten 't spoor,
door 's Eeuwgen hand geleid,
gelijk een dwaalster door
de onpeilbare eeuwigheid.

Mijn God! erbarmen! God,
met dit ellendig lot,
en blusch dien stagen brand
van 't schroeiend ingewand.
Uit d'afgrond van de pijn,
waarin ik redloos viel,
ik roep u: rèd, red mijn
onsterfelijke ziel!

HERINNERING

(Van Verrewinkel naar Ukkel)

Wij stappen, over smalle paden
  langs hel- en delling kronklend, voort
  naar 't immer ons ontvliedend oord,
ginds verre in 't scheemrig blauw aan 't baden,
  door speelschen horizon geboord...
Los parelen er jubelzangen
der lerken, die daar ievers hangen,
  onzichtbaar in de felle lucht,

P. van Langendonck

en van de heuvlen in de dalen
vloeit 't zuiver vuur der zonnestralen...
Geen bladgeruisch... geen windgezucht...

Het Brabantsch veld ligt mild te zwellen,
met vracht van schatten overlaân;
de tarwe rijpt, de gerst komt aan,
de haver schudt haar fijne bellen;
en vastgevoed en blinkend staan
ten strijde, in 't dal, de korenaren,
wier blonde en gouden legerscharen,
vol waaiend blauw en spikklen bloeds,
in 't geel gelid den rug bestijgen
der heuvlen, die zichtbaar neigen
van 't rijk geweld des overvloeds...

Lauw voelen we eindlijk d'avond dalen;
der boomen schaduw rekt zich uit
en over 's landmans rijken buit
vergloeit de zon in schuine stralen,
dauw sprenkelend op gras en kruid;
in gouden gloed ter kim gezegen,
hult ze al dien luister, al dien zegen
in haren warmen afscheidsgroet...
— En zwijgend gaan we, en ingetogen,
met al dien rijkdom in onze oogen
en al dien rijkdom in 't gemoed.

EDUARD BROM

In 't ballingsoord zag men u, strenge, gaan,
Eenzame in diep gepeins, als een veel lijdend...
De eenvoud'gen wezen, huiverend u mijdend,
Als afgedaalde in hellekolke' u aan.

Maar geen van die u zagen, kon verstaan
Der liefde licht, dien donkren man vóórschrijdend
Door helleduister en ál stijgend, wijdend
Tot hoogst-gestegene in Gods lichtbestaan!

Den dichter niet alleen het zoet bezinnen
In droom sereen... hem 't worstlend overwinnen,
Wankling door duister naar der Schoonheid feest...

Toch, worstling wordt in-ondergang-verdwijnen,
Zoo niet uit diepste ziel komt zacht opschijnen
Liefde, verwante aan Gods genade 't meest!

LOUIS COUPERUS

DIONYZOS-STUDIËN III

Nu, lachend, speuren mijn begeerige oogen
Naar iedren sater, dien ik, marmer, zie,
Beschonken, neêrgezonken op één knie,
Den wijnzak drukkende; dra zat gezogen,

Loert naar een nymf hij met zijn scheel gespie:
Zijn dronken vingers bootsen, lustgebogen,
Krampbevende haar lichaam na: gedoogen
Zal hij het nooit, dat zij hem snel ontvlie.

Zijn lach grijnst breed; zijn spitse ooren trillen,
Zijn lippen, droesemrood nog, zouden willen
Haar lippen bijten met zijn dronken zoen.

In 't marmer is zijn wil veronverwrikbaard;
Hij weet – en van voldoening spitst zijn sikbaard –
Dat Dionyzos haar geen hulp zal doen!

LODEWIJK VAN DEYSSEL

SONNET

Ik ben in eenzaamheid niet meer alleen,
Want waar mijn oogen langs de wanden dwalen
Schemert uw lach daarheen. Ontelbre malen
Hoor ik in 't klokgetik uw voeten treên.

En langzaam nadert gij, zoo ver, zoo kleen...
'k Zie dat een breede neevlenkring met valen
Lichtloozen sluier u omhult; dan dalen
Zachtjes uw lichte schreden naar mij heen.

Uw adem vaart mij aan! Gij zijt verschenen,
Ik zie uw oogen in mijn oogen gaan;
'k Hoor in den wind, die langs mijn ruiten henen

En door de schouwe klaagt, uw woorden aan,
Zóo vrees'lijk droef en teêr, dat 'k u zie staan
Met bukkend hoofd, om in mijn arm te weenen.

Een blanke hemel welft zich over 't land,
Waar stoere boeren van den arbeid keeren
En knapen zingend loopen hand in hand.

Vast in den vrede, dien geen angst kon deren,

Verdonkren de gezichten, die zich keeren
Van waar de zon nog flauw in 't. Westen brandt
Achter het hooge bergkam-woud, als speren
En bajonetten, dreigend zwart, geplant.

Nu denken die rouw-donkrë aangezichten
Om 't zacht verlichte raam in verre laan,
Om d' avondspijs, zoo vroolijk aan gebracht...

Tot bij de dalbocht plots uit vlakte-nacht
Waar, als bouwvallen, vreemd de huizen staan,
Laayende purpergloed ze komt verlichten.

HERMAN GORTER

De zon. De wereld is goud en geel
en alle zonnestralen komen heel
de stille lucht door als engelen.
Haar voetjes hangen te bengelen,
meisjesmondjes blazen gouden fluitjes,
gelipte mondjes lachen goudgeluidjes,
lachmuntjes kletterend op dit marmer,
ik zit en warm m' er.

Kijk ze nu loopen wendend om me heen,
't lijkt wel een herfst op den witten steen,
een herfst van dorre en gele kraakbladen,
engelen in wevegoudwaden,
zwevende guldvliezen,
neigende zonbiezen,
fluitende gouden zonnegeluiden,
ze leiden elkaar van uit het zuiden,
ze loopen over mijn marmersteen
in goudmuiltjes heen.
En 't lijkt of ze nu wel overal zijn,
de wereld is vol met een geelen goudwijn.

—

De stille weg
de maannachtlichte weg –

de boomen
de zoo stil oudgeworden boomen –

het water
het zachtbespannen tevreeë water.

En daar achter in 't ver de neergezonken hemel
met 't sterrengefemel.

—

In de zwarte nacht is een mensch aangetreden,
de zwarte nachtwolken vlogen,
de zwarte loofstammen bogen,
de wind ging zwaar in zwarte rouwkleeden.

't Gezicht was zoo bleek in 't zwarte haar,
de handen wrongen, de mond borg misbaar,
de nek was zwart,
een hel was 't hart,
van daar kwam het zwarte en worgde haar.

Met de wind, met de boomen en met al de wolken
is ze gekomen,
het waren rondom haar groote volken
van zwarte nachtdroomen.

Bij een groot zwart water aan zijn zoom
heeft ze heel stil gestaan,
de lang geleden geboren boom
heeft het toen geraân –

en de wind en de wolken hebben stil gestaan,
ze hadden het niet gedacht,
anders waren ze niet gegaan
en hadden haar niet hierheen gebracht,

en alle zijn ze blijven staan,
de wind en de boomeblaan
en het wolkevolk
en de zwarte golven in de kolk,

en de vaders en de voorouders
stonden omhoog

in stille wolken met hun schouders,
tot de voeten in zwarte toog,

en de kinderen die ze had willen baren,
kwamen rondom
tegen de boomen staan, ze waren
klein en stom,

en één ding dat ze in haar leven
altijd had gehad,
kwam nu heel hoog boven haar zweven
lichtend mat,

een groote vogel, een groote bloem,
een klinkende klok, haar groote roem,
haar stem waarmee ze was geboren
hing nu omhoog en liet zich hooren.

En al die kindren en die ouden
hadden het niet gedacht,
en ook niet de stem die boven de wouden
nog zong in den nacht –

die was altijd in 't leven geweest
haar eenig lam,
die blaatte nu nog als een eenzaam beest
of ze bij hem kwam.

die was het eenige vuur geweest
voor hare handen,
daar kwam ze 's avonds erg bevreesd
uit de menschelanden,

die was het droomen en lavende slaap
voor haar in 't leven geweest,
die stond nu boven, een eenzaam schaap,
een blatend beest.

Maar toch ze ging en ze sleurde mee
in een sleep,
kindren en klanken, in zwarte zee
ging alles scheep,

en 't dreef nog even, het water zwart
vonkte van diamant,
in die groote schipbreuk brak ook het hart,
alles zonk, het laatst de hand.

De boomen waren stil,
de lucht was grijs,
de heuvelen zonder wil
lagen op vreemde wijs.

De mannen werkten wat
rondom in de aard,
als groeven ze een schat,
maar kalm en bedaard.

Over de aarde was
waarschijnlijk alles zoo,
de wereld, en 't menschgewas
ze leven nauw.

Ik liep het aan te zien
bang en tevreden,
mijn voeten als goede liên
liepen beneden.

—

Ik zat eens heel alleen te spelen
op een gedachteharp, de kelen
van schemering en duisternis om mij
fluisterden liedjes, het leek tooverij.

Mijn vingers en mijn oogen teeder gleeden
langs gele snaren, boven en beneden
bleven ze langer, want ik wist niet wat
ver achter in gedachtenvlakte zat.

Een kinderbeeldje, dat is òpgerezen
zwierig in haar gewaad, ze had te lezen
gezeten in haar vreemd gedachtenboek,
nu stond ze in een gelen rimpeldoek,

Nu kwam ze dichter bij, we zijn gekomen
midden ter vlakte onder heel wat boomen,
we spraken niet, want boven zei de wind
al mijn gedachten en die van het kind.

Maar te dansen zijn we wel gegaan,
heen en weer, op en neer, een lange baan
van luchtige passen, voeten beurteling
omhoog, omlaag, als rozenbuiteling.

Te dansen zooals twee rozen gaan,
rozeroode rozen tusschen groene blaan
samen gesproten van uit éëne steel,
twee windewiegelingen, geen geheel
maar altijd twee, hoewel ze ongescheiden
het leven doordansen met hun roode beiden.

Zoo dansten wij, mijn vingers scholen in
't geelglimmende fluweel, een diepen zin
voelden ze daar van 't levende dat edel
in 't gele woonde, en de windevedel
blies uit een adem van een gele stof
zooals een zonneschijn in bloemehof.

Wij zeiden altijd niets maar sprongen om ons om –
haar gouden oogen fonkelden, haar lippen bleven stom –
de wind zei àl gedachten en de dansemaat
die fonkelde in diamant op haar gelaat.

Maar eind'lijk zei ze goeien dag en is weer weggegaan,
op hare lippen danste lach, haar kleed was als de maan
zoo flikkerend om 't dansend lijf, zoo sprong ze heel, heel ver,
zooals de gouden maan eerst, toen zooals de gouden ster.

Ik ben zooals een oosterster, zij tintelt in het westen,
wij tweeën vogels weten wel de takken onzer nesten,
wij komen nog wel weer te saam, is het niet, is het niet,
dansende liefste, liefste, liefste, op windelied?

Maar onderwijl zit ik te spelen
op een gedachteharp, de kelen
van schemering en duisternis om mij
fluisteren liedjes, het lijkt tooverij.

—

Mijn liefste was dood,
toen ben ik gegaan
alle werelden door,
ik heb gevonden, de wereld is groot,
maar zij was dood.

Ik heb veel gevonden, de wereld is groot,
er zaten veel in den nacht
met witte vingren wenkend, de macht
van mijne doode was heel groot.

Toen ben ik gekomen op eenen akker,
o mijn liefste, word wakker,
gij laagt daar neer zoo zwart,
droomasch, verbrand uw hart.

Gij hadt te lang gewacht bij het vuur,
elk nacht- en daguur
zaagt ge mind'ren de vlam
alsof een dief haar nam.

En toen het stervend was op 't hout
het roode vuur – te koud
was het – toen hebt ge 't opgestookt
met eigen ziel, het heeft gerookt,
het heeft geknetterd, het heeft de vonken
doen springen en lonken,
het vuur heeft sissend het hout gekust
als kleine meisjes – het is gebluscht,
o mijn liefste word wakker,
uw asch is zoo zwart op den akker.

En in mijn angst ben ik heengegaan
een heel eind weg, over de baan
van den akker, toen heb ik gezonden
de roode liederenmonden,
om te roepen de dagschuwe,
nachtzieke schaduwe,
haar ziel, die bij de wachtvuren
wachtte de nachturen –
of ze nog levend was,
om te rak'len in de asch,
om te lokken uit de lucht,
als ze soms daarin was gevlucht,
dat ze kwam om me toe te spreken,
langs mijn wangen haar weeke
lippen te laten gaan –
de armen om me te slaan,
met haar vingers mijn hoofd te streelen,
in mijn ooren te kweelen,
met haar stem mij te zeggen dat
ik haar altijd heb liefgehad –

Deze monden zijn gegaan,
ik hoorde ze als klokken slaan:

Roode gewaden, roode zij
ligt nu klaar, een groote wei

van roode zijde, kom o kom,
liefste, zijn liefste, ik bid er om.

Rood satijn voor 't rood lichaam,
roode bloemen voor het haar,
roode bladen als om 't raam
wingertgeblaar –
we hebben het allemaal klaargestrooid,
we hebben de wereld uitgerooid
van al het niet brandende, al het niet rood,
ge kunt nu keeren, arm en bloot.

Roode papavers, roode tulpen
vallen rondom de breede fulpen
spreiding van het rood fluweel –
een rood lied zingt er uit de keel
van roode vogelen, vijver wijn
purpert het marmer, in karmijn
zit hij alleen met heete lippen
roode jonkvrouwen houden de slippen
van zijnen mantel, kom die hij wacht –
rondom duistert de purpere nacht.

Rondom duistert de purpere nacht,
kom keer weer, o kom die hij wacht,
ik ben zijn trouwe roode trompetter,
om en om ga ik, één gedacht
waait mij voort en dreunt geschetter
uit mijnen rooden mond die lacht,
lacht van de weerpijn die zijn hett' er
brandt in mijn rooden armen mond,
'k wilde dat ik u weder vond –
kom keer weer, zijn liefste, hij wacht
in purperrooden gloenden nacht.

Die roode kersen, die roode drank
stroomde en viel vergeefs, die rank
bleef eenzaam in den dorren nacht
heeft den vogel niet weergebracht.

De avond aâmt nu haar goudgroene licht,
waar ìs uw gezicht, waar ìs uw gezicht?
op aarde staat een altaar opgericht,
groenige takken branden rook en licht,
waar is uw gezicht, waar is uw gezicht?
De avond ademt om goudgroene boomen,
zult ge nu komen, zult ge nu komen,

het kopren mos brandt, aan hun groene toomen
en trenzen schudden al de waterstroomen,
zult ge nu niet komen, zult ge nu niet komen?

Groene ruiters gaan in draf,
rappe hoefklinkers, hoogten af,
        avondhoogten. –

Groene jachtstoeten rijden op
zwaarbestamden heuveltop
        in de hoogte.

Ze blazen daar hoog hun kopren klaroenen,
groene vaandels dragen baroenen,
staan allemaal in avondlicht,
blazen orkest naar het West gericht –
de wereld lavend
gaan zon en avond
dood, o dood – waar is uw gezicht? –
het wordt zoo donker onder de boomen,
zult ge nu komen, zult ge nu komen,
waar is uw gezicht?

De ruiters zijn naar huis gekomen
elk naar zijn slot in de oude boomen,
de nacht heeft hen in hun sloten gedekt,
de avond had haar niet gewekt.

De zon heeft toen zelf een lied gezongen,
ik had mijn handen gewrongen
omhoog, mij was zoo erg, erg bange,
ik was zoo flauw en zoo moe van verlangen.
Ik heb hem gevraagd te lachen,
zelf kon 'k niet wagen,
mij dacht ze zou komen op zijn verlangen.

„Ik ga zelf op en kom gereden aan,
prachtige stralen vliegt nu af en aan,
regenwolken regent nu daarneer,
regenboog span u over het zeemeer.

Regen verguld u tot een gouden net,
wereld spreid u tot een goudzijden bed,
zeeën omvalt met een goudwaterval
gouden appel der aard van overal.

Regenwolken nu niet meer,
regenbogen gaat nu ver
kleurige sluiers uiteen scheuren,
wereld ontsluit de hooge deuren,
goudene ruimten opent u –
gouden licht, goud schaduw.

Komt tot mij al wie vergieten
ziel in goud in grooten stoet,
stralen die het leven lieten
nu terug mij tegemoet. –
gaat nu allen achter mij,
breede vleugels, mij ter zij,
staat hier boven alle wolken,
regenbogen, en de volken
van mijn dienaars, luide schreeuwt,
gouden stemmen uitgesneeuwd.

Winden, vliegt aan
sneeuw belaan,
aan alle daken
die er raken
woeste sterren ongezien,
zoekt het kind en
gaat te vinden
waar ze ooit heeft kunnen vlien."

Hij stond te wachten
in zijn pracht en
staat nu nog, ze keerde niet –
keerde weer het sneeuwelied.

Mijn liefste is dood, ik ben gegaan
alle werelden door –
ik heb gevonden, de wereld is groot,
maar zij was dood.

De wereld is groot, een regenboog
heb ik mijn reizen gemaakt,
die staat te branden hemelhoog –
ik rijs daarop brandend naakt.

Mij brandt dit eene groote verdriet,
ik kan niet vinden,
wie eens om mij het leven liet,
die jonge hinde.

dat jonge kindje, die jonge bloem,
die ochtendwolk, die nachteroem,
die witte ster, die bloemewinde,
die jonge hinde.

Ik ben gegaan de werelden door,
ik kan 't niet vinden
waarin ze schuilt die ik zoo minde,
zij is te loor.

Zij was de zon en ik de regen,
zij scheen door mij –
en van ons beide is opgestegen
een kleurenrij.

Die hangt nu boven in de lucht
met wereldvlucht,
de wereld is groot, eindloos groot
maar zij is dood.

—

De lente komt van ver, ik hoor hem komen
en de boomen hooren, de hooge trilboomen
en de hooge luchten, de hemelluchten,
de tintellichtluchten, de blauwenwitluchten,
trilluchten.

O ik hoor haar komen,
o ik voel haar komen,
en ik ben zoo bang
want dit is het siddrend verlang
wat nu gaat breken –
o de lente komt, ik hoor hem komen,
hoor de luchtgolven breken
rondom rondom mijn hoofd,
ik heb het wel altijd geloofd,
nu is hij gekomen.

Goud is het in de lucht als goude heiligen,
in labberlichtkleeden, de zeilige
die nu de aarde bevaren, bezeilen,
over de luchte meeren
met het zachtgladde kleed scheeren
en blijven wijlen
en komen keeren,
het zachte hoog luchtkleed trillende zeilen
ze heene en weer wiegelende

en blikken zich spiegelend
in de blauwe verwarmde waterevlakken.

O hoor je haar komen
met je zachte warme vingeren
hoog trillende in de bloeme-
luchten die rondom klingelen?
met je vlottend haare
met het licht gebaren
van je blauwe vervlietende oogen
in het aller,hooghooge
het hoogheilige luchtige goudluchtere licht?
hoor je 'm komen teederstil licht?

Laten we nu lachen
lachen lachen lachen
in zijn gezicht dat daar dagen
dagen doet in den dag,
laten we tranen weenen
weenen weenen weenen,
hij weent ook over ons henen
in zijn sneeuwglinsterdag.

Lentelicht is nu gekomen,
eindelijk is het gekomen,
o laten we toch lachen
lachen zoo licht als dagen,
want hij is er, hij is,
en gij onz' droefenis
val toch in tintellichttranen
als bleeke vallende manen
stil in de lichternis.

Wij voelen als twee
hooge, op stengel verhoogde lenteroodbloemen
midden in de lichtzee –
de lente is gekomen.

—

HET regende in de stad,
toen kwam er wat
muziek van straatmuzikanten,
die bliezen naar de kanten.
Toen voelde ik den leugen
van vroolijkheid in 't geheugen,
die men als kind eens heeft,
te dansen omdat men leeft.

—

Ik was toen een arme jongen
met te groot verlangen.

Lange luchten kwamen gevaren
als lichte zeeëbaren
over mijn hoofd, over mijn hoofd –
mijn licht weenend hoofd.

Op rezen zonnen, vergingen
op hunne goudvurige zwingen,
moe viel mijn oog in mijn hoofd.
Mijn lichaam was toen zoo wonderlijk,
elk lid afzonderlijk
leefde, ik zag het aan,
ik wist niet waar te gaan.

En lentenen kwamen met ademen,
sleepluchten in sleeplichte wademen,
en lichte groene groenblondende schroomen
licht lichtlijk straalvingerend om boomen
en glansplekkende wateren
en uitgestrekt klateren
des eeuwigen hemels,
en ernstige kemels
van wolken, onderwijl hoog over de lucht –
mijn jeugd, mijn jeugd, vlucht, vlucht,
vlucht niet te gauw voorbij,
maar blijf bij mij.

En donkere nachten
met purperblauw gedachten
en woorden uit omlage stad –
ik zat, ik zat
duisteromfonkeld, nachtoogbelonkeld,
omhoog tegen mijn kussen
gedachten te sussen
en wiegelen in mijn armen –
dat maakte zoo warme
mijn borst en adem langs mijn hals.

En dan de verlangenweeën
naar de schitterlichtzeeën,
naar het teere vingrige spelen,
naar het ongehoord tintelgekwelen,
naar het strepend fellichtend ooglichtblauwen,
naar het lichtezwemen van vrouwen,
naar omtrekken licht die vallend kwijnen,

waar lichamen lijnen schijnen,
ver weg, ver weg –
terwijl hier ver weg
tranen neervallen, lachen opschijnen,
en 't leven in lichte treinen
lachend voorbijgaat alsof het leeft –
zie vèr, vèr geeft
zich de een na de ander op als golven,
golven, golven bedolven
de een na de ander, alles is lichten,
wit, wit verlichten,
en scheem'rend schijnen,
vlekken en lijnen...;
dat is de koninklijke dag
dien een arm kind zag,
lang geleden, lang geleden,
verlangende, toch tevreden,
niet wegdurvend uit verlangen,
lange, lange, lange.

En altijd weer dagen
goudzonspreidingvlagen
en mijn naakte armen omhoog in het licht
en mijn hoofd achterover naar 't licht,
en altijd wachten
wat in gedachten
geheel niet meer was dan wit licht.

—

Toen bliezen de poortwachters op gouden horens,
buiten daar spartelde het licht op 't ijs –
toen fonkelden de hooge boometorens,
blinkende sloeg de Oostewind de zeis.

Uw voeten schopten omhoog het witte sneeuwsel,
uw oogen brandden de blauwe hemellucht,
uw haren waren een goudgespannen weefsel,
uw zwierende handen een roôvogelvlucht.

De oogen in u die fonkelden jong-goude,
het bloed in u vloog wentel-roowiekend om,
de oogen der lucht die antwoordden zoo goude,
boven dreven ijsschuimwolken om.

IJskoud was het – lagen de waters bezijen
klinkklaar van ijs niet, spiegelend onder zon,

schreeuwde het heete licht niet bij 't overglijen,
omdat het snelvoetig de kou niet lijden kon.

De bolle blauwwangige lucht blies in zijn gouden
horenen omgespannen met zijn vuist –
de lucht kon 't wijd weerklinken niet meer houden,
berstte en brak en blauwe sneeuw vloog vergruisd.

De wereld was een blauwe en witte zale,
daar stond een sneeuwbed tintelsneeuw midde' in,
uw goudhoofd naar zwaanveeren ging te dalen –
lachende laagt ge, over het veld, handblanke, blanktande, trantele koningin.

—

Mijn handen zijn zoo heet –
mijn oogen branden zoo moe
diep in mijn hoofd, ik weet
niets meer, ik ben zoo moe.

Er zijn stemmen op straat,
wind en hemellicht –
om me is droog gepraat,
mijn gehoor zwicht.

En er is niets in mij over
dan het arme hongrig' verlang –
ik heb het zoo lang, zoo lang,
het wil niet meer over.

—

Ik wilde ik kon u iets geven
tot troost diep in uw leven,
maar ik heb woorden alleen,
namen, en dingen geen.

Maar o alzegenend licht,
witheerlijk, witgespreid licht,
daal op haar en laat haar nooit zijn
zonder uw zaligen schijn.

Zij is zoo stil en zoo zacht
als gij en niet onverwacht
zijt ge voor haar – zóó is
het water voor een zwemvisch.

Ik weet niet of zij u maakt
licht, als haar monde slaakt

adem, of dat zij door
u werd en uit u bevroor.

Zij is als de gouden zonmiddag,
een herfstige laatste biddag
van boomen en het graskruid
tot 't zonlicht, hoog boven ze uit.

Zij is het zilveren zwevende
het teere licht blozende gevende
licht, dat hemelhoog is,
goudeeuwig als 't herrefst is.

Haar oogen gaan wijd en zijd
boven mijn starend hoofd uit,
gouden en zilveren lichten
brengt ze op menschengezichten.

Ze weet haar licht niet, ze is
zich zelve wel droefenis,
ik wilde ik kon haar iets geven
verlichtend het donkere leven.

—

LAAT ik nu denken hoe dat alles was,
gaat toch niet voorbij, mijn gedachten, zoo ras,
en schoone blanke stem blijf in 't zwart duister staan
wil toch niet zoo ijlings van mij weggaan.

't Was buiten de stad in de kou
van water en wei, erg rauw
blies de wind het laag land over, de boeren sliepen,
de stad was verlicht waar de wakkere menschen liepen.

De wolken weenden soms, verder
gingen ze, zonder herder
van zelve als menschen doen
die doelloos, aarzelend spoen.

Zwart glansden mijne oogen,
mijn mond werd zwart in 't droogen,
fijn spikkelden druppels neer
op 't drooge lippenbegeer.

Zacht druppelden neer de teere
nachtdruppels die dorst vermeeren,
de zwarte nevelvlam

sloeg om me stil en klam
onder de wolken zwart van glans,
beglommen alsof het de schans
geharnast was van de aarde
die ze bewaarde.

Toen heb ik me stil neergezet
aan den wegrand en met
mijn oogen heb ik de stad aangekeken
die deed de lucht verbleeken,

die deed de lucht verbleeken
en de oogen schrikken,
de stad lag daar stil te branden,
het leek wel een groote warande
buiten als 't zomer is,
het donker in bosschen is.

Ik begon toen stil te rillen
en in me bang voor mijn gillen
te worden dat ik ging doen,
ik kon het niet houden toen.

—

HET witte westen en de overval
van wolken en er is een dof geweten
over de reeksen boomen van den keten
en van den ingesmolten duinenwal.

Zonder spreken staat 't duidelijk getal
van boomen voor de wijde open reten
die achter zijn en boven 't dwarsche meten,
in 't droevige nevelbegaande dal.

De dag was vol van starre pijnigingen,
verlooren loopen nu de zachte lijnen
over geboomt-bemoste zandehoogten,
die in den avond als de sterke hoogten
van droefheid in langdurig weedom zijn en
stil in de overvallende reinigingen.

—

ZOOALS de maaiers 's avonds huiswaarts gaan,
verzadigd krachtig, in het hoog gezag
des avonds met in 't oog vierkant de dag
van licht, waardoor zij zwaaiend zijn gegaan.

Zoo ga ik ook, terwijl de groote maan
kogelend voortgaat langs den stroeven dag
der nacht die 'k even koperhel òpzag,
mijn armen en mijn hoofd zijn welberaan.

Dit heb ik zóo en dit ook zóo gedaan,
mijn beenen gaan nog rustig door het werk,
mijn borst dringt voor, mijn oogen zien naar 't rusten.

De slaap heeft breed zijn dommelende kusten,
daar zal ik als op steenenblauwe zerk
slapen, de schouders moe van 't hangend gaan.

—

O HART, begeef u in de eenzaamheid, –
zooals een jongling in wien voor het eerst
de liefde ontstaat, en, verbaasd voor het teerst
nieuwe gevoel, van zich zelven wegschrijdt,

en van de jonkvrouw nog het allerverst
wezen wil, om, wat hem in 't harte leit,
te kunnen overdenken om het zeerst –
ga zoo mijn hart alleen, en laat het wijd

der wereld. Sla de oogen in u zelven,
houd wat gij daar voor waar ziet, ook voor waar,
blijf daarin en kom daar lang niet vandaan.

Laat geen verbeelding uw gezicht bewelven,
maar word u over eigen waarheid klaar,
en zie in eenzaamheid haar alleen aan.

—

REEDS is de winter ons voor goed gescheiden,
de lente ergens ver, aadmende, wacht,
de rulle sneeuw wordt van wit zwart en zacht,
en komt met ploffen van de daken glijden.

In de prikklende lucht, nu zoel als zijde,
die op de stad hangt als vochtige vacht,
komt nu een storm, die langs de breede gracht
zoet regenwater brengt, alsof hij schreide.

Zoet is de toovering van die droefheid,
waarin zoo veel beloften slapen zijn,
in dezen storm, van onbewuste vreugde.

De donkre wolk, welks regen de storm teugde,
hangt zwaar, en gaat in diep gezwollen lijn,
terwijl de doffe stad droomende leit.

—

Gij vertoont u in den nacht
Hoog in des maanlichts lach.
De zee is onzichtbaar ver,
De lage bosschen zijn ruig.
Hoog gaat voorbij
De glazen wagen der nacht.

—

Verdoemd!
Allen zijn klein.
Geen is er groot.
Beter weg in den dood
Dan verdoemd met het kleine te zijn.

G. H. PRIEM

SCHEMERING

Bij 't avondvallen alleen te staan
Midden in rosse heide!
De wolken, als vlammen, over me slaan,
Als vreemde vlammen, waarin vergaan
Hemel en aarde beide.

Ik denk aan Midians zandwoestijn,
En Mozes bij Jethro's heerde,
Toen hem op Horeb Gods cherubijn
Verscheen met verblindenden vlammenschijn
In 't braambosch, dat niet verteerde.

Geen wiekje drukt op de lucht zijn wicht...
't Is of alles wacht op een teeken:
Of een cherub in blindend wonderlicht
Zal staan voor mijn angstig aangezicht
Om 't Godd'lijk woord te spreken.

—

Ik kan niet zeggen wàt ik zing:
De klanken spelen in mijn ziel,
Een tink'len of er regen viel
Op 't stille water van den vliet,

Waar 't rozeblad zich wieg'len liet
In lichte bonte schommeling.

Ik voel mijn lied moet zonnig zijn
En vroolijk als mijn liefste lacht,
Maar 'k wil het zingen wonderzacht
En half in stille mijmering,
Uit vrees dat 't al te ras verging,
Als lentelucht en zonneschijn.

ALBERT VERWEY

ROUW OM HET JAAR

Maanden, komt, brengt bloemen aan,
De lucht is bleek met de laatste maan,
En het jaar, het jaar is dood!
Het jaar is een koud, dood man in huis,
En ik wil het begraven met zang en geruis
Van vallende bloemen...
Het jaar, ach 't jaar is dood!...
Blijde maanden van 't dode jaar,
Vollegt zachter achter de baar
Dan toen gij volgdet na elkaar,
Armvollen dragend van blijde bloemen...
Eerste en laatste maanden, treedt
Langs de baar met slepend kleed –
Uw preevlende lippen noemen
Spelend den naam van 't jaar...
Ach, 't schone jaar is dood!...

Maanden, die als maagden zijt,
Strooit rondóm hem bloemen en kruid, –
Hij was een schoon, groot man in zijn tijd,
Draagt hem met zangen en klagen uit!...
Bloemen liggen om 't schone hoofd,
Bloemen over de baar –
Maar het licht, ach het licht is gedoofd
In de ogen van 't dode jaar.

Gaat nog eenmaal rond de baar,
Komt dan weér...
Ziet nog eens naar 't dode jaar,
Dan niet meer...

Zoete Mei, die altijd lacht,
Ween niet meer met hangend haar –
Gij zijt de schoonste van ieder jaar,
Ween niet meer, maar wacht:
Wacht met uw zusters ter wederzij,
Hand in hand:
Ik hoor op mijn drempel gelach en gevlei:
't Is het nieuwe jaar en de blijde Mei
Wenkt het met bloemen naderbij –
De koude maand schuilt weg aan den wand:
't Nieuwjaar gaat háar voorbij...

—

MIJN god is enkel gloed en donkerheid,
Schoon om te zien, – een wonder te verstaan; –
Daar is niet één als Hij, – doch 'k zie u aan,
En waan dat gij Hem-zelf op aarde zijt.

En dus heb ik mijn ziele u toegewijd,
Opdat ze in uwen gloed mochte vergaan;
En stil verteren, zonder klacht, voldaan
Met zulk een liefde en zulk een énigheid.

Zoals twee vlammen spelen in den nacht,
En nijgen naar elkaar met bleker gloor,
En trillen sneller in elkanders gloed, –

Tot beî opvlammend in de lucht, in 't zoet
Verenen beven, – dan, den nanacht door,
Brandt éne grote vlam, in kalme pracht.

—

O MAN van Smarte met de doornenkroon,
O bleek bebloed gelaat, dat in den nacht
Gloeit als een grote, bleke vlam, – wat macht
Van eindloos lijden maakt uw beeld zo schoon?

Glanzende Liefde in enen damp van hoon,
Wat zijn uw lippen stil, hoe zonder klacht
Staart ge af van 't kruis, – hoe lacht gij soms zo zacht, –
God van Mysterie, Gods bemindste Zoon!

O Vlam van Passie in dit koud heelal!
Schoonheid van Smarten op deez' donkere aard!
Wonder van Liefde, dat geen sterfling weet!

Ai mij! ik hoor aldoor den droeven val

Der dropplen bloeds en tot den morgen staart
Hij me aan met grote liefde en eindloos leed.

—

ALS de gedachten van een gans geslacht
Profetisch dromen van een nieuwen naam,
Dan leest een knaap dit boek, waarin uw faam
Als in een schoon graf slaapt en 't waken wacht.

En hij zal 't àl begrijpen en zijn kracht
Zal wassen als eens arendjongs, – met saam-
Gevouwen handen fluistert hij een naam,
En staart langs de aarde in enen droom en lacht.

Dan zal de wereld klinken van gezang,
En een groot licht zal over de aarde gaan,
Alsof het goede zegeviert op 't kwaad.

En dan een verre berg, een wild gedrang
Van mensen om een kruishout, en daaraan
Een knaap met dromend oog en moê gelaat.

—

HOE streeft mijn vers, zwaar met gezwollen zeil,
Diep door de golven van mijn breed geluk,
En buigt zo stout onder den blijden druk
Dier lading vol van rijk en roemrijk heil: –

De paden van mijn zang bruisen een wijl
Mij achterna en schuimen in de zon;
De hemel blauwt, ver aan den horizon
Bestijgt geen schip de waatren breed en steil.

Hoe dat ik thans alléen voor allen schijn
Machtig in zang en rijk in zoveel dicht,
Ik, die hiervóor zo arm was en zo leeg?

Immers alleen omdat ik u verkreeg;
Want thans werd zang om u mijn staêge plicht,
En u bezingen is groot dichter zijn.

GRACHT-WANDELING

De grachten van mijn deftge stad
Zie 'k weer en zie wat 'k ben geweest:
Een knaap, die in het ochtenlicht

Onder de bomen loopt en leest; –
Leest in een boekje en voelt aldoor:
Wat ben 'k gelukkig dat ik leef;
En leest dat stille en wijze vers
Van Tassoos ramp, dat Goethe schreef.

HERFSTAVOND

Op 't donkre buiten
Boomkruinen ruisen:
Stormwolken drijven:
In 't lamplicht huis en
Voor donkre ruiten,
Zit 'n dromend beeld
Woorden te schrijven,
En 't kruinenruisen,
En 't wolkendrijven,
Staat, een geluid, in
Schrift gepenseeld.

AARDE

Als 'k u zo lief niet had, mijn aarde, zou ik
Zo niet begeere' u in een droom te vieren,
Maar al uw steden en al uw revieren,
En bos en berg graag in één beeld beschouw ik.
Als kind al zocht ik u, mijn aarde, en wou ik
U kennen heel, uw hemel met zijn vieren,
Uw oceanen daar uw winden gieren,
Uw blank-zeilende wolk, zwerk zwart en rouwig;
Uw landen daardoor zilvren stromen zwieren,
Uw bergen daarop hoge pijnen razen,
Uw weiden waarop wilde kudden grazen,
Die Mexicaan aan lasso medeslieren; –
En 'k zag u heel, o aarde, en zal u hier en
Hierna vieren met kinderlijk verbazen.

—

De stilte die ik om mij voel als de avond
Om mij, mijn huis en kalme duinen staat –
Daar 't tikken van de hangklok luider gaat –
Dringt in me, heldrer mijn gedachten stavend.

De stem van mijn gedachten tokt aldoor,
Als 't boblen door de tuit van 't borlend water;

Als 't zingen van die onvermoeibre prater
Beweegt en spreekt wat ik diep in mij hoor.

Dichter, het zijn is schoon maar merk het worden.
In u is al wat ge om u heen begeert.
De schat, die zich in eenzaamheid vermeert
Zal op zijn tijd voor andren zichtbaar worden.

Wat in uw cel bij 't gele licht geschiedt
Zal eenmaal in de zon zich openbaren.
Het hoofd dat buigt over vermolmde blaren
Verliest daarmee den lach van 't leven niet.

En als u stemmen uit de doden spreken
En gij hun luistrend zelf een dode lijkt,
Schrik dan niet zeer als wen de nanacht wijkt
Een levenskreet uw lippen uit zal breken.

—

Wij dwalen als dronknen: onze daden
Bedachten we al te lang;
Nu groeien de donkre hartezaden
Om ons in wondren drang.

Ze omwarren ons hoofd: hun droeve
Bedwelming voert ons blind,
Langs den rand van meenge groeve,
Langs den sneê van steengen wind.

Wij gaan en luistren: onze oren
Trachten vergeefs verstaan:
Is 't het hart dat zich laat horen
Door 't gefluit van rondom ons de orkaan?...

—

Naar alle zijden ligt nù als een tuin
Dit Holland met zijn bloemenvolle gronden,
Terwijl de heuvels lijdzaam langs hen blonden,
Hoeven-doorhoekt, van 't zilverzande duin.

En daar de wind me omspeelt op blinke-kruin
Zie 'k dorpen voor me en meen de stad gevonden,
En voel de zee me omgaande al 't land omronden,
En hoor de brekers storten steil en schuin.

En eindloos hoog welft zich de nieuwe hemel,
Die elk jaar komt met voorjaarszang en -kleur,
En spel van zon en damp en wolkgewemel.

En altijd weer troon boven 't oud gebeur,
In nieuw verrukt zijn, op mijn hogen schemel,
Ik, dichter, die mijn land het schoonst land keur.

—

Ik zag den dag, de stad; en de oude tijden
Geweken voor een nieuwen, schoner tijd;
Ik zie dat gij voor dien geboren zijt
En dat u andre, scheidende, doen lijden.

Zo sta, laat gaan wat gaat, blijft 't nieuwe beiden.
De landen oopnen, wijken, wijd en zijd,
Een aarde als nooit – heerlijk – lag uitgebreid
Zal nieuwen oogst voor de eeuwigheid bereiden.

Wij sterven snel: een mensheid draagt ons mee,
Draagt heugnis van ons meê naar verste dagen –
Een mensheid sterft met al haar vreugde en wee.

Dan zal een roep van haar opjuichen, klagen,
Door andre sfeer, langs ongemeten zee –
Dan wordt die stem door de eeuwigheid gedragen.

DE NOORDZEE

De Noordzee doet zijn gore golven dreunen
En laat ze op 't strand in lange lijnen breken.
Zijn voorjaarswater marmren groene streken
En schuim en zwart waaronder schelpen kreunen.

Zie van 't balkon mij naar den einder leunen
Met ogen die sints lang zo wijd niet keken:
Een droom in 't hart is me eer ik 't wist ontweken
En 't oog wil buiten me op iets komends steunen.

Hoe ben ik altijd weer vervuld, verlaten:
Vervuld van liefde en hoop en schoon geloven;
Verlaten als mijn dromen mij begeven.

Maar dan komt, o Natuur, langs alle straten,
Uw kracht, uw groei, uw dreiging, uw beloven –
Hoe klopt mijn hart van nieuw, van eeuwig leven.

PASEN

Op Goeden Vrijdag
Is Hij begraven,
Niet in een graf – zijn graf was het hellevuur –,
Doch Zondagmorgen
Was Hij weer opgestaan,
Ging door de velden,
Glimlachend vredig
Naar den hemel van blinkend blauw.

De bloemen stonden,
Trossen en kelken,
Schomlend en wieglend,
Pralend en teder,
Terwijl Hij, kijkend, kwam;
De duinrand waasde,
Leeuwriken schoten –
Paarlen van klank en
Veedren van vreugde –
Door de zonnestralen
Boven *Z*ijn hoofd.

Hij wist niet beter
Of deze dag was
Voor Hem geschapen,
Een dag van de aarde,
Maar zó geheven
Boven het aardgedoe,
Dat alle wandlaars
En lange slierten
Van wielen berijdende
Knapen in gele
Kurassen van de trompetbloem
Hem schenen gezien als uit hogen hemel,
Klein en ver door de slingrende wegen
Van 't landschap, – boden
Van de éne tijding:
„Hij was begraven,
Zijn graf was het hellevuur,
Maar nu is Hij opgestaan,
Ging door de velden,
Steeg op naar den hemel:
Zie hoe Hij neerziet
Op ons en lacht".

En 's avonds daalde
Hij op Zijn duintop
En zag de velden
Veelkleurig scheemren –
Nog teder blinken –
Zag hoe de zon zich
Baadde in de golven,
Zag hoe de zee zich
Wond om Zijn aarde,
En al de sterren
Stegen en daalden
Rondom Zijn hoofd.

DE TERRASSEN VAN MEUDON

De lucht is stil: op eindloos verre heuvlen
Strekt zich de stad in blond en rozig licht –
Ik wend mij om waar lachen klinkt en keuvlen:
Daar kust een knaap een blank en zoet gezicht.

Ik zie omlaag: in vaste en strenge perken
Sombert rondom een kom een herfstge tuin.
Ik zie omhoog: een koepel, zwaar van zerken,
Stijgt, sterrenwacht, hoog boven bomenkruin.

Op trapgesteenten, broklig, maar gebleven,
Blijf ik dan peinzend en in weemoed staan, –
Want dode dingen zijn die langer leven
Dan wij die werden, welken en vergaan.

DE WEVER

Zij kloppen aan de deur: zij klagen
Dat ik niet luister.
Ik berg voor allen die mij plagen
Mijn kalmen luister.

Ik ben veel zachter en veel stiller
Dan ooit geloven
De durver, weter en bediller,
Drukken en groven.

Mijn huis een hoge en lichte kamer,
Mijn dag een morgen,

Ben ik een hemelse beramer
Van aardse zorgen.

Mijn wanden hangen vol tapijten
Door mij geweven,
Kleuren en draden die nooit slijten
En eeuwig leven.

De zon, de maan en al de sterren,
Bergen en zeeën,
Wouden en weien en den verren
Nevel beneeën.

De hellingen waarop verlichte
Steden zich spreien,
Stromen waarover de opgerichte
Mastschepen glijen,

Mensen en dieren, planten, stenen,
Talloze dingen,
Al wat doet lachen, wat doet wenen,
Dromen of zingen.

Vol is mijn huis ermee: mijn dagen
Zijn zó niet eenzaam
Of al uw klacht, al uw behagen
Is mij gemeenzaam.

Ja, lijflijk zijt ge aanwezig: mannen
Zowel als vrouwen,
Maar al uw luidheid liet zich bannen
In mijn stil schouwen.

Gij klopte aan de deur, zie ze is open.
Gij staat bewogen –
Uw wonden waar bloeddroppen dropen,
Uw schreiende ogen,

Uw haat, uw deernis, uw berouwen,
Uw vreugd, uw woeden,
De smart, de zachtheid en 't betrouwen
Van o hoe moeden,

Gij ziet, gij voelt ze en bij 't ontwaken
Uit zo schoon dromen
Ziet ge mijn deur en wilt ze raken,
Maar weggenomen

Zijn uit uw hart, zijn uit uw handen
De wilde knepen –
Mijn luister blijft daarbinnen branden,
Stil, onbegrepen.

CIRKELLOOP

Ik ben een vonk die doelloos, richtingloos,
Geworpen in 't heelal mijn vaart begon,
Toen bond me aldra aan zich een andre zon
En wentlend leef ik ongemeten poos,

Een kern van leven, in zichzelven voos,
Vol van de kracht die in en rond mij spon.
O dat ik zonder weten eeuwig kon
Wentlen in de onbegrepen stralenroos.

Oneindge wereld, onvoltooid heelal
En onbegonnen, maar waarin elk deel
Beeld van het heel is en een lichtgespeel

Langs de eeuwge banen, zeg, zal eenmaal, zal
Ooit zijn het eind van uw gestaadgen brand,
Gij diamant in 't holle van een hand?

DE MAAT

Er is geen maat die ik in u niet vind.
Gij zijt de berg en gij zijt ook het grein,
Gij zijt de aardwoning en het hemelplein,
Gij zijt de vader en gij zijt het kind.

Ik heb mijn ogen die u zien, maar blind
Zie ik u ook: in mij het bloedgedein
Is zozeer u als de eindeloze trein
Van vormen, die nooit eindt en nooit begint.

En 't vormenloze is u – niet vormeloos
Maar reinste maat van vormen-mooglijkheid –
Ik ben daarin, een kern, gezaaid door u.

Zo is van u tot mij geen toen, geen nu,
Geen rechts, geen links, maar volheid mateloos,
Die ik – maar droom te zijn, doch die gij zijt.

HET MISDRIJF

Gij zijt mijn Heer, mijn Vader en mijn Vriend.
Als ik misdreef dan deed ik het door u.
Ik die misdreef, die van mijzelven gruw,
Ik heb misdrijvend u alleen gediend.

Ik die misdreef en die, uw straffen ziend,
Staan zal gelijk uw zoon, niet blind, niet schuw,
Straf mij en duld dat ik als eenmaal, nu
Vóór u zal staan, wel bevend, niet ontvliênd.

Ik hief mijn Beeld zo hoog dat gij alleen
Eraan kunt raken. Brijzel, 't is uw recht.
Of duld dat ik, uw kind, het recht en slecht

U overgeef, hoewel verspeeld, toch gaaf.
Ik buk het hoofd: ik ben uw knecht, uw slaaf.
Gij zult het nooit, nooit in het stof vertreên.

HET BLIKSEMVUUR

Omdat uw huis niet op den weg van den bliksem lag
Maar juist daaraan, schrikt ge op en stierft gij niet.
Dit zijn de verborgen wegen, de heerbanen van 't hemels vuur
Waaraan wij spelen, sluimren, omstrenglen elkander, ontwaken.

Wat ware mij 't leven als het niet zó was: dreiging en duisternis,
Gloed en angstwekkend geratel en daar ikzelf in,
Dromend en peinzend, sluimrend en liefde bedrijvend,
Zittend met wijd-open ogen in 't ontzettendste ogenblik,
Op den rand van het bed, d'arm om den hals der geliefde.

Eén ding schoner: de Dood als hij gulden aankwam,
Staaf van gesmolten goud die ons beiden saamklonk
Onwetend slapende op den weg van dien Machtigste.

—

Bedenk hoe schoon wanneer wij zijn gestorven
De aarde zal zijn die dan naar ons niet vraagt.
Gij weet dat ze altijd eendre vreugden draagt
Als waar wijzelf ons aandeel van verworven.

Wij hebben vaak haar blijde gaaf bedorven
Door zorg die om den dag van morgen klaagt.

Door eigen ondank langer niet geplaagd
Zien wij door andren haar geluk bëorven.

Hoe ligt zij nu zo rein in 't laatste licht.
Alleen gelaten, nieuwen bloei verhopend.
Is dit de droom waarnaar ik mijn gezicht
Van kindsbeen hief en de ogen heb gëopend

Aldoor, alsof ik hem op aarde vond?
o Droom van nieuwen aardsen morgenstond.

DE BERGBRIES

De bergbries rilt door 't water voort
Dat rint door beek en rotsge spleet,
Mos groeit op blok en vochtge boord,
De varen wiegt, de spar stijgt heet
In zon: haar wortel, kronklend, schoort
De rechte stam, het naaldrijk groen,
En eik en beuk hun weidser dracht
In 't bos blinken en welken doen,
Tot waar in dag-doorschimde nacht
De drop weer glinstert en de vaart
Van 't water vonkt plast en bedaart
En schiet langs gladbegroende steen,
Licht in, licht uit, door weiden heen.
En waar de bomen schaduw wuiven
En als kwikzilver 't razend nat
De wiegelende bloem bespat,
Buigt zich de wandlaar warm en mat
Van 't stijgen, knielt en drinkt zich zat
Aan 't leven dat de stroom bevat,
Dat vóór den stroom de wind bezat,
Dat uit den ether hem gegeven
Een vlaag is van het eeuwig leven,
Verschonken voor den moeden mond
Van mens die het, verdorstend, vond
En altijd weer en altijd meer
Begeert – wat niemand ooit ontbeer' –
Den etherdronk, die ziel van 't Al,
Die bries, die drop, die water-val,
Die vonk van zon-gelijke koelt
Die zilvrig door de wereld spoelt
En kelen trekt en krachten wekt
In 't lichaam dat langs de aarde trekt
En op zijn eeuwig-vreemde reis

Begeert dat hem die vloeistof spijz'
Die meer dan vaste vrucht en dier
Hem vult met aards, en hemels, vier.

DE FORELLENVISSER

Werp uw snoer op den stroom en vertrouw dat de buit
Bijt, door de gunst van een god.
Of hij de angelroe spant – vier de koord verder uit! –
Haal hem aan of geef schot.

De morgen blinkt fris op het golfgrage meer,
De berken staan groen aan den rand,
De boot schiet vooruit, wiegelt zacht heen en weer,
Waar het zuigt, eer het stort, houdt ze stand.

Als een vlinder die boven hem lokkenden mond
Van een bloem, zich zwevend houdt,
Zijn angel dan boort naar den zoeten grond, –
Rover die roerloos schouwt –

Zo hangt ge en uw hakende snoer snelt weg
In de kolkende kloof, in de voor,
Waar de vlugge forel rond uw kloek overleg
Dartelt en spoedt in zijn spoor.

Zwier uit nu de lijn, als de middag genaakt:
Zij kringt in bevalligen boog
Over 't glad-stille vlak, tot ze in 't klotsen geraakt –
De golf om u heen spat hoog.

De wind wakkert aan en een daavren begint
Waar de stroomval den schietstroom verzelt.
Waar de spar met zijn wortels granietblokken bindt
Vaart ge in het botsend geweld.

Op en neer, hoog en laag, tot ge 't steken ontschuil'
Van de zon die zijn hitte op u blaakt.
Zie, een kleine forel, in dien koeleren kuil,
Verliefd op uw lokaas geraakt.

Werp hem weg: hij zal, zij 't met doorboorde lip,
Vrolijk zijn visse-bestaan
Genieten, een kleurige flonkerstip
Langs donkre en bewogen baan.

Vaar voort: in de nachten van 't noorden zijn
De heemlen als dagen hel,
Zij houden aldoor hun zilvren schijn
En bevende stralenspel.

Vaar voort: als 't geschal van den val u verrast
En de sparren duistren naarvoor,
Houdt alleen met uw handen de angelroe vast,
Zit rustig en leen uw oor

Aan alle geluiden, zonder dat
Uw hart één even trilt:
Achter u zit wie 't waterpad
Kent en geen woord verspilt,

De Roeier die heel de Kumene:
Stroomval, versnelling en meer,
Kent, en dat meer gelijk een zee,
Waar ge komt, en waart weleer.

De Roeier voor wien ge een werktuig zijt,
De boot, gij, hengel en snoer.
Hij stuwt en stuurt met sterk beleid,
Hij, even wijs als stoer.

Wees onvervaard: als op den dag,
Zwart en katogen-groen,
Het water kolkt: zijn valse lach
Zal u geen hinder doen.

Als mot en vleermuis rond u zwermt,
Een oboe krijt van ver,
Gediert uit bos en kreken kermt, –
Vergeefs zoekt ge éne ster, –

Rust dan in hem: hij brengt u wel
Langs afgrond, kolk en kaap, –
Ge zijt uit op de vangst van de grote Forel
En ge vangt hem, half in slaap.

DE ROERGANGER

Zal ik zijn als gij mij wenst,
Varend tussen weerzijds banken,
Als een schok de schuit doet wanken
En het schuim de plecht beplenst,

Leer mij dan altijd uw oog
Boven mij te zien en onder,
Als een weerzijds lokkend wonder,
Afgronddiep en hemelhoog.

Want de dreiging om en om
Kan ik dan getroost verduren,
Als door rechts of links te sturen
Ik bij u te lande kom.

DE REGEL

Kind van man en vrouw begeren
Meisje een knaap en knaap een meisje, –
Ons zolang we 't vers hanteren
Neurt in 't hart hetzelfde wijsje:

Lang gescheiden, laat gevonden,
Eindlijk één, hoe lang zal 't duren?
Die in liefde elkander bonden
Wonen elk voor zich als buren.

Zaagt ge nooit van gaan en komen,
Ebbe en vloed de vaste regel,
Nu in harten, dan in stromen?
Want dat schonk een god op zegel,

Koopbrief van uw tijdgedragen,
Etherhel en bloedwarm leven.
En als wolken wolken jagen
Zo is nooit een ding gebleven,

Maar ook nooit een ding verzonken
Dat niet elders weer zou rijzen
Van eenzelfden adem dronken
Eender op oneindge wijzen.

De verscheidnen storten samen
En doordringen en beminnen,
Tot de huivring van hun namen
Eén wordt in ons wetend zinnen,

En niet de enen en niet de andren
Maar de stroom van hun verening
Maar de storm van hun verandren
Wiekt als lachen, waait als wening

Door de woorden die wij uiten,
Die elkaar hun wissling spieglen,
Die zich tot een keten sluiten,
Hun schakeringen doen wieglen

Tot ze ongrijpbaar gelijk water
Wijken, deinen, vloeien, blinden,
En in fluistring of geklater
Geen de droppen zal hervinden,

Geen de oorspronkelijke woorden
Die hun zielbeladen snellen
Dreven door dezelfde boorden
Tot één wellen en één zwellen...

Of het wonder plotsling stolde?
Want de wind van mijn ontroering
Die zijn flonkringen ontrolde
Als van parelen de ontsnoering,

Legt zich en als koude kralen
Die zijn hartklop niet doen haasten
Telt de kenner van veel talen
Woorden die hij zich wil naasten.

Wat hun zin en hun verband schijnt
Tekent hij zich in zijn lijsten,
Wat hem dwaasheid, wat verstand schijnt; –
Want zichzelf acht hij den wijsten.

Blijft van dat zo dood ontlede
Iets voor laatre volken achter?
In een volgende eeuw alrede
Zit een hopenshelle wachter.

Voor zijn ogen is het vonken
Herbegonnen- voor zijn oren
Heeft het als voor ons geklonken –
En in onzen droom verloren

Trilt zijn hart in hem als 't onze
Als die snaar aanstonds zal luiden,
Stijgend schalle of donker gonze,
Krijgt door hem een nieuw beduiden

Wat uit ons zich eenmaal klaarde.
't Andre ontstond en toch hetzelfde

Waar 't gescheidene eindlijk paarde
En een nieuwe schoot zich welfde.

DROOMTIJ

Hoe is de hemel zo nabij!
Ben ik in hem of hij in mij?

Laat los! Mijn vaartuig, nu voor stroom,
Voelt zich getrokken naar de Droom.

Gij spreekt tot mij, gij ziet mij aan –
Ik zie u in de verte staan.

Ik leef al in een ander land –
Van d'oever wuift voor 't laatst uw hand.

MEIDAG

Hoe nabij,
Hoe als eerst,
Glanst het bosje en straalt de wei,
Schalt de leeuwrik die met zang de lucht beheerst.

Zorgenvol
Liep ik uit,
Eer ik 't wist kwam Lente en zwol
De ogen vol met groen me, de oren vol geluid.

Wie bleef jong?
Wie werd oud?
Lente lachte en *mijn* hart zong
De eigen tonen over die ze een knaap vertrouwt.

—

HET JONGE GROEN

Al dat jonge groen
Als een koele zoen
Op mijn ogen...
En mijn hart bewogen
Zoals toen...

—

Waar duizendvormig bladgewemel
Wiegt in een stralend blauwe hemel
Omvangt ons tent van zand en groen.
In zoete en orgelende tonen
Slingren de vogels die hier wonen
Hun liedren door 't verrukt plantsoen.

In 't eindloos spel van zang en luister
Stemt in zijn eigen schemerduister
Ons hart aldoor zijn zelfde snaar.
Vormen en volten worden dromen
En in één glimlach opgenomen
Van uw gelaat, Alzegenaar.

—

DE WIL EN ZIJN WERELD

Elk leven wil in 't ongemeten,
Maar met dat het zijn duur begint
Voelt het de ruimte in 't rond bezeten
Door leven waar 't zijn grens aan vindt.

En gij die niet een enkel leven
Maar van elk ding het leven zijt,
Hebt ge u een eigen grens gegeven,
Uw tijd een ruimte, uw ruimte een tijd?

Of zien we u in die twee maar dolen?
Zijt ge enkel ons zo toegewend?
Wordt ge in vergankelijkheids symbolen
Gezien, en nochtans niet gekend?

Wie is er die dit raadsel leze:
Er is Wie ruimte- en tijdloos leeft
En nochtans zich alleen in deze
Aan mensen te beleven geeft.

—

Waar in de laagten mensen wonen
En ploegen 't land en hoeden 't vee
En brengen dochteren en zonen
Naar de avond van hun leven meê,

Daar is de volheid, de voltooiing
Waar aarde en hemel om bestaan,
De rijkdom zonder de verstrooiing,
De toekomstdroom van schijn ontdaan.

Daar zien ze op gouden horizonnen
Al naar 't seizoengeviert verloopt
De in d'ochtend van 't heelal begonnen
Arbeid waaraan het feest zich knoopt.

Daar is 't een derven en verwerven
Niet anders dan van 't eerste paar,
En schoon als 't leven komt het sterven
Voor mens en dier als voor het jaar.

DE SCHONE WERELD

Iedre morgen na het nachtlijk slapen
Ligt mijn wereld nieuw door mij geschapen.

Iedere dag heb ik haar weggegeven,
Telkens één dag meer van 't eigen leven.

Telkens een kortstondiger bewoner
Zie ik haar belanglozer, dus schoner.

Schoonst zal ze eenmaal zijn als ik ga scheiden
En de grenslijn wegvalt van ons beiden.

TOEKOMSTIGE LENTE

Nu de winter komt en mijn gedachten
Loofloos staan als ginds de zwarte hagen,
Heb ik minder aan mijzelf te dragen,
Sta ik vaster in mijn stil verwachten

Van een nieuwe ongeëvenaarde lente.
Want ik weet dat midlerwijl een kweker
Mij besnoeide en, van mijn gaafheid zeker,
Op mijn stam een eedler vruchttwijg entte.

EEUWIGE EINDER

Klaarheid van mijn einder: ik bemin
Zó te staan dat de Afstand koning blijft
Boven u en mij elkaar niet naadrend.
Uit de volheid drong ik naar 't Begin
Met zijn licht de werelden dooraadrend,
Heel de kreis die 't open oog beschrijft.

Al mijn werklijkheid en al mijn dromen
Zijn in die Figuur nu opgenomen.

DE GERICHTE WIL

Wanneer ik stierf en zij die mij beminden
Rondom mijn baar staan en de een d'andre vraagt:
Wat hadt ge lief in hem: zijn menslijkheid,

Zijn dichterlijke gaaf, zijn trouw aan vrinden,
De zachtheid van een kracht die draagt en schraagt,
Of de onafhanklijkheid van zijn beleid, –

Dan hoop ik dat een zeggen zal: wij weten
Dat hij als mens, dichter en vriend, als kracht
En leider 't zijne deed, maar nu de spil

Van 't denken stil staat en in zelfvergeten
Zijn mond zich sloot, zien wij zijn sterkste macht:
Een op de onsterflijkheid gerichte wil.

DE ZIEL EN DE LIEFDE

Zult gij mij ooit verlaten,
Duld dan dat ik mij wend –

„Mijn kind, er gaan geen straten
Die ge niet als mijne kent."

Gij zijt de dag, mijn koning.
Achter mij ligt de nacht.

„Ik ben de deur tot de woning,
Liefste! die u wacht."

TOPZIEKE RUPS

Topzieke rups, in 't stijgen
Van blad op blad, van steel op stam,
Denkt ge eindlijk te verkrijgen
Het veld van blauw, de witte vlam?
Te hoog! Ge kunt niet keren!
Hangende aan de hoogste top,

Geeft ge, in verdwaasd begeren,
Nog eens u op.

LANGS HEIDELBERG

Naar Heidelberg de bergen
Gaan met een zo bevallige boog,
Bomen en velden vergen
Een zo verrukte blik van 't oog,
Dat in mijn trein bij 't naadren,
Op 't rollen van de raadren,
Mijn bloed zingt in mijn aadren
En 't lied in 't hart rijst hoog.

Mocht daar een dichter wonen
– Ik wist er een: waar ging de tijd –
Niet kransen en niet kronen
Hield ik hem op zijn feest bereid,
Maar wijn van zoetste aromen,
Maar vruchten van die bomen,
Maar vissen uit die stromen,
Maar zang, de tijd ten spijt.

Want boven de aardse ellenden
Verheft zich zegenend de gloed
Die met wetmatig wenden
Zijn krachten werkt in zaad en bloed.
De warmte van de zonnen,
De klaarheid van de bronnen:
De volheid van die wonnen
Wordt droom in het gemoed.

Vandaar dat de oude zangen,
Hoe ook de geest zich heft en breidt,
Ons altijd weer bevangen
Als over 't land het licht zich spreidt.
Hoe ook door drang bezeten
Vol van een heilig weten
De wereld te vergeten,
Lokt ons haar tijdlijkheid.

Naar Heidelberg de bergen
Gaan met een zo bevallige boog,
Bomen en velden vergen
Een zo verrukte blik van 't oog,
dat in mijn trein bij 't naadren

Op 't rollen van de raadren,
Mijn bloed zingt in mijn aadren
En 't lied in 't hart rijst hoog.

—

God die voltooit, ik roep u aan
Ik weet dat gij de doodsgod zijt.
Wie is er die u kan ontgaan...
Ik roep u aan: ik ben bereid.

Gij die begont, gij die voleindt,
En weet niet wat voleinden is
Noch wat begin, en nooit verschijnt
Dan als beeld en gelijkenis,

Ik roep u aan, niet als ik sterf,
Maar al de dagen van mijn jaar,
Bij dood en leven, duizendwerf:
Mijn God, maak mij uw raadsel klaar.

WEDERZIEN

Het was een helder ogenblik
Zoals eens Saulus overscheen
En zoals hij toen stond stond ik.

Gij hadt gezegd: nu ga ik heen.
De Dood zei: en zij gaat met mij.
En gij: nu laat ik u alleen.

Maar ik, in 't licht, stond klaar en vrij
En zei: wij zien elkander weer.
De Dood heeft macht noch heerschappij.

De Dood mag doen naar zijn begeer,
Hij staat in 't teken van de tijd,
Hij weet van keer noch wederkeer.

Maar ik – dit is mijn zekerheid –
Ik leef, en weet van toen noch nu.
Ik ben een zoon van de eeuwigheid

En waar ik kom, daar vind ik u.

Toen was ik jong, nu ben ik oud.
Wat is het onderscheid gering.
De maand valt in hetzelfd seizoen,
Het middaguur is nog als toen,
En ik zit hier, die saamspraak houd
Met hen en met mijn mijmering.

Nog altijd volg ik in de lucht
De wolk, op aard de vaste grond,
En mijn gedachten zijn vandaag
Nog even vast, nog even vaag:
Gewaringen door taal getucht,
Maar elke een onbegrepen vond.

Hoe vreemd dat de gedachten gaan
En spreken zich volkomen uit
En dat hun zin, hoe openbaar,
Toch anders is, en even klaar
Op een ook thans weer onverstaan,
Een nooit ontraadseld weten duidt.

De duizend stemmen om mij heen
Betogen daaglijks hoe ik ben,
En de een zegt zus en de ander zo.
Ik luister, en versta hen nô,
En denk: of ik mijzelf dan ken?
En denk en glimlach: zeker, neen.

En toch deed ik dit wezen kond,
Dit wezen dat ik niet versta.
En het geloof verlaat mij nooit
Dat het zich eindlijk heel ontplooit,
Zodat de vraag: is dit zijn grond?
Wordt beantwoord met een juichend: ja!

Maar 't kan niet zijn. Op 't effen doek
Van uw verbeelding teken ik
De schaduw die dit brandend vuur
Werpt door mijn zichbare natuur,
Ik dwaas die vuur in schaduw zoek
En eeuwig in een ogenblik.

De beelden die mijn eeuwig licht
Op tijdlijk wisselen verwon,
Die laat ik u en 't is genoeg.

Ik weet dat ik geen schaduw joeg,
Maar ook dat tot geen oog de zon
Zijn onverhulde stralen richt.

PLOTSELINGE DOOD

De Dood zat in u en ge wist het niet,
Hij scherpte 't mes al en ge wist het niet –
Gij en uw jonge vrouw, gij schertste en lachte –
Hij mikt naar 't hart u en hij mist het niet.

SCHUIF OP NAAR 'T GRAF

Schuif op naar 't graf: uw huis moet leeg.
Een nieuw bewoner staat ervoor.
Hij is nu jong en gij zijt veeg.
Zijn voet volgt in uw spoor.

Benijd hem niets: de tijd is kort.
Een ander volgde alweer zijn stem.
Ge ligt nog nauwlijks of hij stort
U na en wacht op hèm.

GESCHEIDEN

Als onder de aard, met opgestoken voeten,
Ik slaap, mijn Wereld, blijft uw schoonheid achter,
Uw morgen zal de ontwaakte mensen groeten,
Maar in het graf wekt geen de stille wachter

Die woud en zon en zee zo warm beminde
En meende dat zijn liefde schoonheid leende
Aan u, verzekerd dat zich nooit ontwinde
Zonlicht en ooglicht, waar 't in lachte of weende.

Nu zijn die beide dan voor goed gescheiden:
Uw bossen ruisen en uw droppen blinken;
En mij die slaap, zijn onder donkre heiden
De lippen open die uw duister drinken.

DELFSE VERMEER, ZIENDE NAAR DELFT ZOALS HIJ HET ZAL SCHILDEREN

„Een stad aan de overkant,
Met torens, poorten, daken,
Walschoeiingen en aken,
Wolkschaduw, zonnebrand.

Wij zien van de overzij
Het voegschrift in haar muren,
Haar koele kleurglazuren,
Haar verte en haar nabij.

Hoe overtreft haar glans
Haar spiegelschijn in 't water! –
Straalt zo de Godsstad later
Tot schijn mijn stad van thans?"

HET SONNET

Sinds ik eerst in reeksen van sonnetten
Vrede vond voor mijn ontroerd gevoel,
Tot daarna, ontred aan 't mensgewoel,
Ik mijn hart gedurig meer ging zetten

Op de Onzichtbre die naar vaste wetten
Zich verzichtbaart, en mijn enig doel
Werd zijn klaarheid, die mijn denken spoel
Van de oorspronklijk aangehechte smetten,

Was het altijd deze eenvoudige lijn,
't Zestal verzen na 't herhaald kwatrijn,
Die me als koord van rust ten anker lokte.
De eigen drang die eertijds Milton dreef,
Toen hij Samson Agonistes wrokte
En zijn eindkoor in sonnetvorm schreef.

DE STERNEN

Mij was de steilte en zwaarheid van de taal
Lang eigen, daar ik woord en volzin smeedde,
Wel naar mijn aandrift, maar betoomd door zede
Van vroegre meesters: hun gevormd metaal,
Hoe ook versmolten, droeg een kern van staal
Die 't gloeien van mijn oven niet ontleedde,

Neen, die ik eerde, als van zijn schijn ontklede
Blijvende vorm, al brak hij duizendmaal
De vlucht en vlijing van mijn eigen spreken.
Nu – laatste illuzie van mijn kunst – verlang
Ik zo te schrijven, dat alle eeuwge kernen
Mij blijven, maar niet anders dan de drang
Van de eerste vogels in de vleugelstreken
Van – op het Texels strand – de wilde sternen.

HET LAATSTE GERICHT

De tijd, die rover,
Heeft hij me ontnomen
Iets van mijn dromen?
Liet hij niet over
Na 't vallend lover
De sterke bomen,
Wachtend het komen
Van de eeuwige klover?
Die zal ze splijten,
Hij de tijdloze.
Die zal ze branden
Als goede en boze
De wereldwanden
Als doek zien rijten.

DICHTER-WONDER

Het wonder dat ik heb beleefd
Is juist dat ongestoord verband
Waarin zich vers met vers begeeft,
Somtijds als vingers aan een hand,
Somtijds als blaren aan een plant.

J. B. SCHEPERS

UIT BRABANT

Melancholiek is 't klinken van de bellen
Aan 't haam van 't paard, dat stapvoets sloft in 't zand,
Het opgeschoffeld stof zweeft naar de kant
En gansche zwermen vliegen vergezellen

Het beest, dat scheukt en kopschudt van hun kwellen.
De kop omlaag, door 't kwastig net omrand,
Zoo trekt het dier langs 't hooge dorre land
De tweewielskar en blijft eentonig schellen.

En naast hem loopt de man, zijn evenbeeld,
In 't grauwe kleed met sjokkig loomen gang.
Verweerd zijn hoofd en haar, de hand vereelt;
Staag klapt de zweep, doch maakt zijn paard niet bang:
Zij hebben saam te lang hun werk gedeeld
En sukklen samen voort hun leven lang.

ALFRED HEGENSCHEIDT

ONMACHT

I

Ik weet het niet wat van mij worden moet
Na al dit rustloos pogen, nimmer slagen;
'k Heb vruchteloos een beeld in mij gedragen,
Ik heb den adem niet die 't leven doet.

En geest en hart, zij waaien droeve vlagen
Van kille leegheid in 't verdord gemoed;
En de aarde kwijnt; met haar gij, 't laatste goed
Waaraan 'k mij klamp, gedenkend vroeger dagen.

Waarom moest gij dan komen in den nood,
Ik riep u niet; wat dood moest zijn, wás dood,
En voor de rest, – ik had het ook gedragen, –

Gij hielpt toen goddelijk dit leven schragen;
Maar ziet gij niet, nu gij mij wilt verlaten,
Dat ik het weer, maar meer dan ooit, moet haten?

II

Ik heb geboet toch, lange, lange jaren,
De schoonste die een God me weigren kon,
Ik zag ze vloei'n, bij andren, als de bron
Van 't hoogst geluk dat zij hier konden garen.

Ik zag 't en ging mijn weg, wars van gebaren,
Mijn weg, waarop slechts éénmaal blonk de zon,

– 't Was een laaie oogenblik, – maar ik verwon
Ook dien, en de andren die er achter waren.

O nieuw geluk, aan mij geopenbaard
Met al de jeugd die 'k nog niet had geleefd,
'k Heb wel voor uw te grootsche macht gebeefd,
Toch was die dag wel jaren boete waard.
Nu voel ik weer den nacht me stil besluipen
En de uren traag den leêgen tijd doorkruipen.

III

Is dat het leven, 't slingren tusschen polen
Die, zich verwijdrend steeds, mijn ziele spannen?
Reikhalzend zoekt mijn gansche kracht te bannen
Die eeuwige onrust achter hen verscholen.

O altijd uitzien naar dat uur van rust
Dat toch niet komt en 'k weet, niet komen zal;
Waarom, mijn leven, jaagt gij door 't heelal
Zoo 't innigst wezen dat toch niemand kust?

Gij zelf, o woord, ik prees in u 't geluk,
Het steunpunt van een al te zalig leven,
Zijt gij een brok te meer slechts in het stuk
Dat ik hier speel? – Waart gij me dan gegeven
Opdat ik u op rijm en mate zet,
En 't tragisch leven boei in een sonnet?

VOLKER

Omdat ik riep, in vrees, in nood,
Toen vast en vaster 't leed me omsloot
  Noch 't werd vernomen,
Toen ik het ál verloren dacht,
Stondt gij weer naast me, een stillen nacht,
Stil tot die droef was weergekomen.

Toen werd het licht. In moeite en drang
Had ik gezocht, zoo lang, zoo bang,
  En kon niet vinden;
Mijn goed vertrouwen was gevlucht
Als vooglen vlien bij najaarslucht
Het bijten van de booze winden.

Gij kwaamt – en zoet herinnering
Gelijk de bloemen openging
  Aan lentetwijgen,
En klokken klonken, hel en fijn,
En 'k zag in blauw en zonneschijn
Bij stijgrend lied den leeuwrik stijgen!

O, waar gij weder kwaamt in 't lest,
Zij nu de korte tijd die rest
  Mij niet verloren:
'k Wil luisteren naar u alleen,
En door 't gedruisch van 't leven heen
Uw heimweezoete stemme hooren.

Gij zijt de rust, gij zijt de vree,
Gij deelt aan 't hart uw vrede mee
  In 't bitterst lijden,
Hebt deernis met elk menschenkind
En weet waar 't heul, waar 't troost in vindt
Bij iedere klacht, op alle tijden;

Gij sluit, zijn de oogen mat en moe,
Ze met uw koele handen toe
  En doet ons droomen
Van 't beetre land, waar warmer zon
Dan weemoed hier genezen kon
En milder lucht ons tegenstroomen;

Gij maakt de smart tot lied en zang,
Tot troost het woord, tot vree den drang,
  Tot droom de dagen,
Tot 't hart niet meer zal klagen om
't Verleen of beeft voor d' ouderdom,
En 't eenzaam zijn maar leert verdragen.

Dus spreekt tot mij, en ieder woord
Sluit 'k in mijn hart, wil immer voort
  Eén trouw bewaren.
Dan ban 'k mijn leed en breek mijn druk
En bouw 'k eens sprookjes van geluk
Voor hen die eens gelukkig waren.

—

Die, door des harten drang
Geweken van de lang
  Gebaande wegen,
Wat hem als recht of waarheid scheen

Wil drijven, stroeven onwil tegen
Of door het laf ontveinzen heen,

Hem zullen spot en haat
Doen groeven vroeg 't gelaat,
  In 't liefste treffen,
En daar hij voor 's volks waan niet boog
Zal 't zich in doffen toorn verheffen
En wraken, die het niet bedroog.

Eén gang de wereld gaat;
Wil niet dat tegenstaat
  Des enklen pogen,
Zelfs die in d'aanvang met hem stond,
Als de eerste hope is vervlogen,
Zal koel verbreken elk verbond.

Maar sterk in de eigen kracht,
Waar hij geen steun verwacht
  Van vreemd of magen,
Zal vlekkeloos den volke voor
Zijn hooger ideaal hij dragen
De dreiging van het leven door.

Hij zal die derven 't graan
Door d'akker zaaiend gaan
  Dat God doe rijpen;
En zal met immer kwist'ger hand
Zelfs 't laatste van zijn rijkdom grijpen
En wijduit werpen over 't land.

MARIE METZ-KONING

VOLBRACHT

Laat mijn oogen toe
En mijn handen stil...
Ik ben doodlijk moe;
Of ik sterven wil.

Steek nu lichten aan
Want de nacht is blind...
En kom bij me staan
Al die 'k heb bemind.

Lui dan lang en luid
In de lentenacht:
Lui mijn leven uit!...
Het is àl' volbracht...

Laat mijn oogen dicht
En mijn handen saam...
Straks het morgenlicht
Door mijn open raam...

O... het stille licht
Door mijn open raam
Op mijn dood gezicht,
Op mijn handen-saam...

STORM OP DE HEI

De hei ligt te huilen,
Ruig opengeborsten
Aan kieren en kuilen
En schrompige korsten;

Met plotsige schokken
Uit gaten en naden;
Met bonkige nokken
Uit narvige paden.

En boven, de wolken,
Die drommen en draven,
Als donkere volken
Geklonkene slaven.

'Wijl wind, in zijn woede,
Bij 't ijzeren drijven,
Blind geesselt ten bloede
Hun trotsige lijven.

JACQUELINE VAN DER WAALS

MOEDER

Moeder naar wier liefde mijn verlangen
Sinds mijn kinderjaren heeft geschreid,
Ach, hoe zult gij mij zoo straks ontvangen
Na den langen scheidingstijd?

Zult gij me aanstonds als uw kind begroeten,
Als 'k ontwaken zal uit mijnen dood?
Zal ik nederknielen mogen voor uw voeten
Met mijn hoofd in uwen schoot?...

Maar wat dan? Wat zult gij tot mij zeggen,
Bij het ver gegons van de engelenschaar,
Als ge uw jonge, blanke hand zult leggen
Op dit oude, grijze haar?

DE DOOD ALS VERLOSSER

Kom nu met uw donker, diep erbarmen,
Eindelijke Dood.
Laat dit pijnlijk lichaam in uw armen
Rusten als het kind op moeders schoot.

Laat mij veilig door de schaduw uwer groote
Vleugelen gedekt
Slapen gaan, het moede oog gesloten
En het lichaam pijnloos uitgestrekt.

FRANS BASTIAANSE

KOEKOEK

Als de vroege koekoek roept
En de lijster, onder 't fluiten,
Van de roode bessen snoept,
Loop ik ook mijn woning uit en
Fluit in zonnige' ochtend buiten,
Waar ik zoeter luiden zoek
Dan de lijsters kunnen fluiten,
Dan de koekoek roept: Koekóék!

Koekoek vroeg in 't koele bosch,
Lijster in de groene struiken,
Roep de blauwe blinden los
Die een venster hóóg beluiken,
Waar de wingerdranken sluiken
Bleek van blaren, teer van tros,
Lijster in de groene struiken,
Koekoek roep de blinden los!

KILLE REGEN

Kille regen ruizelt stille
Over 't bleekend zomer-loover,
Morgen drijft de zomer over,
Daar het najaar nader toog.

Ik zou wel, berustend, willen
Lichteloozen dag verduren
Als uw hoofd maar enkele uren
Zich tot mijnen schouder boog.

Maar ik zag de nachtgetijen
Veler jaren gaan en komen
Zonder dat gij van mijn droomen
Maakte uw leven deelgenoot;

En ik hoor de regen schreien
Door de twijgen, triestig liedje
Bij dit menschelijk verdrietje
Dat zoo klein is... en zoo groot.

—

Niet dan de sterren omhoog
En de donker bevrorene aarde...
En de steden zijn uitgedoofd
En de lichten der menschen gebluscht.
En die duizlende hemelboog,
Waar de diepte de diepte ontwaarde
Is je lichtende stralende hoofd,
Dat zich buigt naar het mijne en mij kust.

Niets dan de wijd-wilde vloed
Van onstuimig bewogen gedachten,
Die – als een bergstroom stort
In een ongrondelijk meer –
Daalt, met verterenden gloed
Die in eeuwig eeuwig verwachten
Nimmer bevredigd wordt,
Naar den afgrond der lippen neer,

Tot hij het hart overstroomt,
Dat, zoo diep als de hemel daarboven,
Eindlijk ontvangt wat het wil:
Heel een leven, één enkele stond'...
En, als de droom is gedroomd
Zijn de sterren maar éven verschoven,

Even het menschenhart stil,
Daar het zocht wat het vond.

F. Bastiaanse

G. C. VAN 'T HOOG

DE TIJD

Zwaardreunend bonst de moker van den tijd;
Geen enk'len steen, dien hij op de and're laat,
Geen grootheid, die hij niet ternederslaat,
Geen rots zóó hard, die zijn gebeuk niet splijt.

En de uren fladd'ren angstig, wijd en zijd,
Hun vlinderleven in de vlucht vergaat!
Gestorven vallen ze in het stof der straat,
De tijd vertreedt ze en staag hij verder schrijdt.

Wij zien als kindren 't fladd'ren van al de uren,
We jagen na ze en als we dan één vangen
Met mooie vleugels, bidden we om het duren...

Maar och, terwijl we zeggen ons verlangen,
Versterft de vlinder voor ons hoopvol turen,
Wat stof alleen blijft als herinn'ring hangen!

GIZA RITSCHL

ACH! welk diep lijden
om te moeten zwijgen.
Maar het verbrijzelde
maakt het gevoel stijgende.
Daarom stil hoog zweven
en in zich gekeerd leven.

—

DE maan hoog en licht.
De boomen van bladeren dicht.
Een vogel er in zingende,
Ik er onder van angst rillende.

—

GELIJK van eene meeuw de wieken uitgeslagen,
Die dan, vliegende, glijdt over de zee,
Zoo wijd en zijd zend ik mijn klagen,
Klagende ach en wee.

Mijn hartebloed bruist wild in mij.
Daarom, gaat van mijne wegen, gaat;
Want dreigend stijgt het kwaad in mij,
't Bittere kwaad van den haat.

—

Aan Sebestyén

Eens danste ik in een Csárda,
Op de Puszta te Hortobágy.

De muziek klonk wild, mijn hartstocht steeg
In de Csárda op de Puszta te Hortobágy.

De glazen rinkelden, wijn en passie maakten mij dronken
In de Csárda op de Puszta te Hortobágy.

En o, wel duizend liedjes klonken
In de Csárda op de Puszta te Hortobágy.

Nu zit ik hier en droom
Van de Puszta te Hortobágy.

En telkens welt in mij op het schoone,
Van de Puszta te Hortobágy.

In een Fata Morgana zweeft mijn gedachte
Naar U, mijn Puszta te Hortobágy.

En naar de lieve Csárda waarin ik danste en lachte
Op de Puszta te Hortobágy.

—

De ramen staan open, de wind
waait zoel.

Ik wil stil hopen, dat er komt
wat ik voel.

Ik doel op 't geluk, dat
mij bedreigt.

Ik bedoel mijn ziel,
maar ach, zij zwijgt.

—

ONDER het gevoel van zwaar lijden,
En groote kwellingen kom ik tot U.
En ik schaam mij niet te belijden,
Dat ik in mijn eenzaamheid ween,
En mijn handen wring, en tot U
Smeek om mij te helpen, want alleen
Gij mijn almachtige kunt mijn strijd,
Mijn leed en mijn smarten verlichten;
En mij weer moed en sterkte geven,
Om dan weer te wandelen in het licht,
En in een beter en vreugdevoller leven.

G. Ritschl

HENRIETTE ROLAND HOLST

OVER HET ONTWAKEN MIJNER ZIEL

De volle dagen komen met bedaarde
stappen schrijdend, als hooge witte vrouwen
uit tooversprooken: bloem in handen houen
ze en licht is om hun hoofden, goud-behaarde.
De dagen liggen open als verklaarde
geheimen tusschen vrienden die 't lang wouen
zeggen en zwegen, lang: tot hun vertrouwen
vol-groeid was en elk zijn ziel openbaarde.

Dagen als bloemen, open-volle nachten
daartusschen, als in maanlicht blanke tuinen
en midden tusschen deze vele ga ik
met stralende oogen levens-op. Nu sta ik
me dunkt, als opperste van rijen duinen
en zie wijd weg: dit is het lang-verwachte.

OVER DE GRENZEN VAN MIJN WEZEN

Niet mijn de makkelijke en onbenepen
wellende sprakingen, niet de ongestoorde
gebaren die glijen gelinde door de
ruime atmosfeer: lustig zeilende schepen.
Niet mijn van joelende en brood-dronken woorden
frazig gepraal, als wapperende reepen
feestelijk doek — en niet mijn de gegrepen
handen, de heftige oogen, de verstoorde

gedragingen, alle die on-bereik'lijk.
Maar mijn de magistrale en als kalmatie
werkende aandacht, mijn het heusch bejegene'
en volge' in willige overgang – en rijk'lijk
mijn 't straffe tegenstribb'le' en stugge tegen-
houden van 't ongewilde in serieuse statie.

OVER HET VERHEVENE VAN HET ONAFGEBROKEN LIEFDEVOLLE

't Hoogleven der momenten geeft het niet,
en niet heug'nis van weidsche aardlichtingen,
maar de onverschillige verrichtingen
en liefheden van het vrouwe-gebied
te maken tot een rei van stichtingen
– barmhartigheden, die géén sterv'ling ziet –
dat is de groote lichtschepping die giet
de konstante gelaats-verlichtingen

over die jonge' en oude' en maakt hun praten
en de kadens van hun bezorgde handen
't hart rustigend als de oogen flauwe glooi-ing,
en 't bij hun zijn en toekijken, vermooi-ing
van voele' als gaan uit ratelende straten
waar stille schepen slapen, die daags landden.

OVER HET LIJDEN DAT ONGEWISHEID IS

Schemering is het doodgaan en vertrekkend
begeven van dingen die zijn gegleden
mee met den dag, en steunde' als vertrouwdheden,
en ware' als scheidingen, wegen behekkend.
Plekkend beschenen witte heerlijkheden
van dag den morge', en onbevreesd zich trekkend
was daaraan op, 't hart dat nu is zich rekkend
uit wanhopig naar de vreemde leegheden

van den avond en zijn gemaskerd gezicht, —
maar de dingen die hem zullen behooren
houden hun oogen nog zoo vragend gericht;
en de verledenheên hebben verloren
hun glans, en liggen van al hun bekooren
leeggeloopen, met een verdrietig gezicht.

OVER HET ZICH VERKONDIGEN VAN DE ZIEL IN DE OOGEN

Henr. Roland Holst

Samenkomen van oogen is gebroken
muziek, hun roeringen zijn wonderbare;
en verschuiving van wanden onzichtbare
die weerend bouwden ziele' om zich. – 't Gesproken
wordt dan geweten 't onbeholpen zware
van poginge' ontoereikende, en verstoken
met schaamt. – Denkstralen schieten op als spoken,
beangstigend door 't onverwacht; vervaren-

brengend rijst volle erkentenis, en zeeën
ziel liggen open, sprakeloos ontbloot.
Dan, niet een lang verdragen van te groot
genot is dit, en als vermoeide armeeën
scheiden ze ontdaan en zich niet onderwinden
weer samenkomen en dit weer te vinden.

OVER DE EEUWIGE VERANDERING DER DINGEN

Zich vervormen is het wolkenbestaan,
en om na veel vervormen te verdwijnen,
en allen, zoo de grooten als de kleinen,
gingen dien gang en zullen dien gang gaan.
En de vormen van het leven, die schijnen
eeuwige en onveranderlijke aan
kortzichtige oogen, staan in zijn verschijnen
niet meer dan wolken aan de hemelbaan.

En menschen vragen, welke vorm geboren
zal worde' uit die van nu; 't oog zoekt in wolken,
en in de wijzen van 't zijnde, de geest.
Zoo gaat de tijd, onvruchtbaar en verloren:
't verwordende kan evenmin vertolken
wat het zijn zal als wat het is geweest.

OVER RUSTIGENDE VASTHEID DIE IK VOND

De menschen zijn in getwijfel gevangen,
't gezicht van een god heeft de tijd gebleekt,
nu kom ik ze vertroosten met gezangen
van wat nooit wisselt en in niets ontbreekt.
Ik kan bemoediging zijn voor de bangen,
de klare stem die altijd rustig spreekt,

Henr. Roland Holst

omdat mijn hart dat geen angstvallig hangen
aan wolken kent, ziet wat door wolken breekt.

Ik werd geboren met een aard die sterk
van zelf gaat naar de kern van alle zaken
maar veel stond tusschen mij in en mijn werk.
Groeiende, heb ik dat op zij gezet:
het werd al lichter, alle duisters braken
en ik zag liefde als de levenswet.

OVER DE ZACHTHEID DES GEMOEDS VAN HEN DIE DEN MENSCH LIEFHEBBEN BOVEN DE ABSTRAKTIE

Die helden zijn het niet, wier streelend spreken
mensche'-oogen met de zachtste tranen vult,
wen eind'loos geve' in zachtmoedig geduld
't verharde in hun komt als mei-regen weeken.
't Zijn zij, die hun hart opendoen en leken
daaruit in andrer, waar 't mede is gevuld,
die op-leve', als een hart door hen vervuld
van liefde ontbloeit, en zonder dat bezweken

aan weggedronge' en niet-verstane pijn.
En, schoon wetend welke wijsheid leert leven
leedloos, willen zij toch niet anders zijn:
't leed is hun lief, als liefde 't heeft gegeven.
Zij schreien vaak, maar blijve' in 't harde leven
der zachtheid kindren, eeuwig goed en rein.

HOE DE VERGEESTELIJKING DER DINGEN, DIE MYSTIEK GENAAMD WORDT, ONS VREDE GEEFT EN VERTROOST

Dus kunnen we alle levensangst verleeren
en omringd van begrepen oogen wonen
zoo we de dingen uit de onzek're zonen
der zinnen heffen naar de ziele-sfeeren,
als de meesters doen van de zachte tonen
die simp'le wijzen, gaande in schaamle kleeren
door de adem hunner ziele transformeeren
tot edele en volmaakte geestes-zonen.

Dat is die mystiek, waar veel hoog-gezinden
van alle tijden hun droeve en bewogen
harten heenbrachten om ze rust te geven:

die ligt boven het tijd'lijke verheven
waar 't eeuwige aanvangt en hemelsche winden
met zachte streeling aardsche tranen drogen.

Henr. Roland Holst

—

Niet heb ik meegedragen uit den slag
't gereede en blijvende ontroerd vermogen
en de kracht niet der inwendige oogen
om de volte te grijpen van den dag.
En menigeen die mij uittrekken zag,
en nu ziet, niets dan werker in de droge
karige velden van dit middelhooge
noemt me verslagen om 't arm'lijk gedrag.
Maar 'k tel mij winnend want den leegen tijd
doorstaat mijn hart standvastig als een vrome
die zijn god zonder wonderen belijdt.
en heel 't verloopen van den vollen vloed
van de jeugd-dingen die maar ééns op-komen
verdraag ik met een ongeschokt gemoed.

—

De dag kwam als een licht schip binnenzeilen
die de bewustheid weerbracht aan 't herleefde,
ik greep mij naar mijn hart hoe of het leefde
en zie, het lag een klare zee te peilen.

En 't was als gras zacht deinend vele mijlen
met niets dat ruw verbrak of wild op-leefde
maar vlak en open in zijn bloem-doorweefde
eenigheid, en een rust om aan te wijlen.

En het was vreugd te denken aan den dag
zooals die schoon zou zijn, opgaand en dalend
overal bloeiend veilig waar ik zag.
En 't was àl gekomen zonder mijn wil;
ik leefde maar, ik lag maar ademhalend:
wie maakt er in de nacht de harten stil?

—

I

Ik zie in mij tot in het diep;
ik zie en voel mij veel verlicht:
er rijst een vreugde uit dit gezicht
dat ik zoo vreesde, eer ik het riep.

Want ik voel dat het kleinste deel,
van dit verdriet dat nu zoo zwaar

Henr.
Roland
Holst

bekommert, dat ik 't openbaar
verkonde, in hoop of spreken heel

is klein gesteek van eigenmin,
omdat voorbij ging kort gepraal
van wat is als een slecht verhaal
met droevig einde, blij begin

maar meest eedlere smart en niet-
laakbaar tumult van hart en hoofd
dat wat de morgen schoon beloofd'
mij vóór den middag weer verliet;

het leeg en vreemd gevoel te staan
op dicht-bevolkten weg alleen
waar velen gaan met vaste schreên
als weten ze, waarheen ze gaan;

en allen spreken luid, en geen
lijkt niet te weten wat daar ligt
te ver, te ver voor het gezicht
dan ik alleen, dan ik alleen.

II

Het warme licht is van den dag
de koeler strakker tijd begon
die ik niet dacht dat komen kon
schoon 'k hem om andren manend zag.

Mij heugt zooals het lichte kwam:
ik stond alleen als aan een meer,
en hunkerde, en schreide zeer
tot een mij troostte en met zich nam

waar ik nooit had gedroomd te staan
– diep lag mijn leed en drang beneên –
en stemmen, strijkend langs mij heen
noemden mij bij een nieuwen naam.

Tot ik mij groot gevoelde in macht
en in de jonge roes vergat
dat niet mij toehoorde dan wat
ik had bereikt in eigen kracht.

Ik hoorde toen een groot gerucht
een groote stem droeg mij omhoog,

zoo steeg ik schoon ik niet bewoog
en zweefde in de dunne lucht,

Henr. Roland Holst

en zweefde hooger dan mijn wil,
toen komt de val die komt altijd
weer stond ik, waar ik had geschreid
en alles stil, en alles stil.

Hoe heimelijk is mijn kleine tuin,
het huis waar kind ik heb gewoond –
o beter nederig onttroond
dan hooggevoerd door eenen schijn.

Maar somtijds hoor ik weer die kreet
dalend uit heemlen die 'k verloor,
dan is het of ik toch daar hoor
en ik verga van drang en leed.

—

Op de kentering der tijden geboren
in onze oogen nog de ondergangen
van de oude werelden die verbleeken,
onze lippen geplooid ten nieuwen groet,
en in ons hart een tweedracht van verlangen
naar droomen van weleer, die wij verloren
naar de nieuwen, wier bloesems openbreken –
zoo moeten wij door bittre jaren zwerven,
het is altijd een strijd en een ontbreken:
alles in ons beweegt zich als een vloed
en somtijds zinkt het weg, alsof wij sterven.

Als een die weggevoerd wordt op een schip
naar vreemde zeeë', in wier bewogen baren
hij meenge kolk verwacht, menige klip;
en aan d'oever, hem lang vertrouwd geweest
staan de gespelen van zijn jonge jaren,
schoon en met edele gebaren sprekend,
– hij aâmt den geur van hun bekransde haren,
hun kleederen zijn licht als voor een feest –
maar al hun doen drijft hem een droom voorbij
omdat zijn hart zich niet meer tot hen rekent,
en een geluk hem wacht aan de overzij:
o makkers, zijn ook wij niet zóó gezind
die nog gevare' op ongemeten mijlen
scheiden van dat nieuw land waarheen wij ijlen,
en die het oude niet meer bindt?

Henr.
Roland
Holst

Wij hebben de geluiden van weleer
uit ons geplukt als uit een bosch de bloemen:
zij waren schoon, maar niet in hen was meer
ons eigen hart, onze eigen wereld levend.
Toen het nu leeg en stil was in onze ooren
rees daar omhoog uit diepste diepte een zoemen
en dit, voelden wij, zou ons gansch behooren:
een nieuwe plant van zang bloeit jong en teer
en van onzek're lippen nog, barst bevend
een binnenst lied: de stem van ons begeer.

—

Door den dag kunnen wij de stemmen bannen
omdat de taak al onze krachten grijpt
maar als zijn vrucht tot avond is gerijpt
voelen wij veel vragen als bogen spannen.

Wij schikken rond-om lampen half-bevredigd
en rond het haardvuur dat droefheid verslaat
heraadmend, dat de dag die is geledigd
geen droesem achterliet van erger kwaad.

Want er is altijd iets, waarvoor wij vreezen
wij zijn als vrouwen van visschers op zee
die dag aan dag water en winden lezen:
hun heel bezit deint op de golven mee.

Ons hart is ingescheept op 't wereld-woelen,
haar stormen en haar stilten doen ons aan
haar branding breekt op ons en wij gevoelen
haar rillingen door onze diepte gaan.

—

Lente vloog aan met suizende gebaren
met heftig wuiven van het groen gewaad,
haar losgewonde' en glanzend-natte haren
zwiepten achter haar aan in wilden maat. –

Droeve oogen, gaat ge nu verlangend staren
terug, naar winters strak-vertrouwbren staat
die geen jong leven wekt en 't niet wil sparen
en blad noch bloesem lokt en dàn verslaat?

Bedenk dat hoe gekweld, teruggehouden,
't jaar verder groeit naar de volmaakte dagen
van goudgeel graan hoog gras en vol gebladert...
Eens vallen alle winden alle vlagen

dan zult ge zien hoe zij de poorten bouwden
waardoor de volheid van den zomer nadert.

Henr. Roland Holst

—

De stilte der natuur heeft veel geluiden
en is toch vol van rust voor ziel en zinnen
die druppelt zacht en ongemerkt naar binnen
tot in ons hart een zilv'ren toon gaat luiden
gelijk met haar. Als we dan weer beginnen
te denke' aan wereld-dinge' en ze te duiden
merken we dat een kracht, als die van kruiden
in ons gekome' is en ons kalm doet minnen.

Er zijn nu veel, die dit geluid nooit hooren:
zij missen het aandachtige en het teere
als wie als kind geen moeder heeft gehad.

Maar de tijd die komt zal menschen weer leeren
gelukkig te zijn onder haar akkoorden
en drijven uit hun bloed de koorts der stad.

—

Kleine paden slingren over de heide
en komen aan op de hutten der armen:
zij zijn de eenigen die zich erbarmen
over 't verlatene van wie hier lijden.

Op de heide zwerven de magre schapen
zij zoeken blatend naar een nieuwe streek
van milder kruid en waterrijke beek;
honden en herders zijn vermoeid en slapen.

In de hutten zitten de menschen neer
als schapen die niet weten waar te weiden;
hun gedachten zwerven over de heide
maar vinden geen uitweg en keeren weer.

De hutten en de paden scheemren heen,
na deze komt weer een andere heide
menschen sterven na 't vreugdloos leven-lijden
andre aanvaarden 't en alles blijft een.

Heide verliest zich in de zee; de zee
verliest zich in de lucht; en in de wijde
kringen van menschelijke last en lijden
de doffe ellend' van deze armzaalge stee.

Henr. Roland Holst

MOEDER VAN VISSCHERS

Zie mij: mijn mond verleerde vroeg te klagen
mijn oog is strak gelijk een winternacht,
berusting heeft mij jong den staf gebracht
waarmee ik klim naar het eind mijner dagen.

Ik ken geen hoop, ik heb nooit iets verwacht
zonen en dochtren baarde ik om te dragen
wat ik zelf draag: toen z' onder 't hart mij lagen
heb ik, om hunnentwil, veel droefs gedacht.

Soms groeit iets in mij op in grim'ge nachten
wanneer mijn zonen huivre' op barre zee
maar daagt de morgen, ben ik het vergeten;

dan is mij of hun jonge hoofde' iets weten
te blij voor mij, of die hooplooze vreê
met mij gaat sterven en dat niets-verwachten.

OUDE ARBEIDER

Aan de tafel des levens was het dringen
zoo ruw, zoo fel, dat men mij buitenstiet
ik riep u, dood, maar gij antwoordet niet,
en ik moest gaan, als zooveel andren gingen

u zoeke' en vond u, want wie vindt u niet?
maar was 't niet hard, dat ik naar u moest dingen
terwijl mijn oogen reeds den schaduw vingen
en een wind mij verkilde uit uw gebied?

Geleid mij nu, mijn vriend, langs 't donker pad
naar dien grot waar ge woont, waar geen ontkomen
aan is, geen uitgang voor wie haar betrad.

Ga voor mij uit, o dood, tot gindsche boomen
bereikt zijn, waar ge, vreemd lachend, met loome
vingers mijn ouden dorren hals omvat...

—

HOLLAND gij hebt zwellende wolken-stoeten
uit verre hemel-velden aangevlogen,
gij hebt horizonnen, zacht òmgebogen
van oost naar west zonder eenmaal te ontmoeten

lijn die ze snijdt; en wijd-gespannen bogen
van stranden en van zeeën om ze henen
gaand tot waar zij met heemlen zich vereenen
die uw schijn van oneindigheid verhoogen.

Henr. Roland Holst

De lijnen van uw land en van uw water
wekken in ons onpeilbare gedachten
verlengen zich tot eindeloos begeeren.
Onze oogen proeve' iets groots en daarvan gaat er
een trek van grootheid door ons geestes-trachten
en zijn wij thuis in grenzelooze sferen.

—

De dag verjoeg den dag
het jaar sloot aan bij het jaar;
hun lange snoer is gewonden
door mijn dun en grijzend haar;
en o mijn dagen waar bleeft ge
en wat is er met u geschied?
ge liept door mijn vingers als water:
ik dronk u, maar proefde niet,
ik reikhalsde naar uw komst
als een meisje naar een feest,
en wat valt van u te zeggen
en van wat ge voor mij zijt geweest?

Menigmaal zag ik natuur
als een dier dat een sprong gaat doen
diep-ademend stilstaan
en dan uitbreken in groen
en bloeistorten over de wereld
dan spande verwachting haar koord
in mij, en ik werd als een beker
die gevuld wordt over den boord.
Zoo vol vreugde was ik, en meende:
„morgen zal ik weten waarom"
Maar morgen kwam en ging
met leege handen, stom,
en liet mij achter, hunk'rend
naar den nieuwen dag en zijn vrucht...
Zoo verdroomde ik mijn jeugd zelfzuchtig
omhelzend leege lucht
en zoo rijpte ik tot vollere jaren.

Wat wrocht de verandering
in mij? was het een mensch of een boek
waar ik 't eerste licht uit ving?

ik weet niet, maar ik weet dat ik merkte
mijn geest braak en ledig; klein
de horizon van mijn gedachten,
nietig de vreugde en pijn
van mijn hart – en daarnaast het groote
wat voor mij niet had bestaan:
de wereld van ernst en arbeid –
en ik mocht binnengaan...
Ja toen begon ik te leven,
toen de bloesem van jeugd was verdord
want de ziel is hierin gelijk
aan een bloem die geen vrucht wordt
eer de lieflijkheid van haar gestalte
vergaan is: en zoo met mij,
het getoover van daagraad was heen
en de morgengeur voorbij
toen de vrucht in mij ging zwellen
maar toen wist ik dit niet, want het scheen
of de nieuwe wil en de nieuwe bewustheid
een golf van jeugd schoot door mijn leên...

Ik kende de vrouwe-gedachten
dwalen om den man en het kind
ze schenen zoo vreemd, dat ik lachte,
ze schenen zoo banglijk blind
te zwermen rond dit eene; –
dat opzien, half schuw half blij
dat groote zorgen om 't kleine
een poppenspel leek het mij
en ik dacht: hun zielen kwijnen,
ze weten zelf niet, wat ze zijn:
zal ik er bij staan en 't lijden
kennend de medicijn
en dit nieuw geluk behouden
voor mij als een dief zijn buit?
ik voelde betre begeerten
en zette mijn stem wijd uit
roepend „zijt ge hierin bevredigd?
er is nog een ander bestaan"
luid riep ik het in hun leven
dat velen mochten verstaan.

Zoo roerde ik in stilstaande watren
en wekte den slapenden kring:
ik was bij de eerste werkers
in de kille dag-schemering
en ik vond wat zij vinden: wat anders,

Henr. Roland Holst

dan twijfel, en wrangen smaad
van hen waar het hart zich naar opent...
Zoo leerde ik geduld en maat
en leerde afstanden meten
want ja, iedre droom komt waar
maar we hebben te vaak vergeten:
voor het leve' is een eeuw als een jaar.

In de haast en hitte van 't dagwerk
groeiden mijn krachten; ik ging
mijn weg in de groote wereld
en voelde bevrediging
en heimlijke trots. Langzaam
en vol sloeg mijn polseklop
als van een sterk man. – Maar wat
welt voor mijn oogen op
en wat kropt in mijn keel? wat anders
dan het oud leed dat zich mengt
in de heugnis der dagen die waren.
Zoo zeker als zeewind brengt
het zilte voor tong en lippen
met de frischheid en kracht van de zee
komt dit bittermondend bekennen
met het zoet herdenken mee.
Ik leed het zoo vaak en zweeg:
nu lijd ik het nog eenmaal luid
om andren die lijden te reiken
de troost der gemeenzaamheid.

Eens zat ik, in zeldene stilte
van zomer; de avondwind zweeg
er was een rust zoo volkomen
dat elk schepsel er deel aan kreeg;
de eilanden aan de luchtzee
bleven roerloos staan:
het leek of men dingen hoorde
die men nooit had verstaan.
Toen voelde ik in mij een rijten
of iets zich losmaken wou
en als een dier dat kreunt
in een hoek van honger en kou
zoo kreunde iets diep diep onder
in mij, ver van daglicht;
zoo eenzaam als dit was geen wezen
nooit zag het een menschengezicht:
en dit was de ziel van mijn ziel
en was het binnenst gevoel

dat wist niet de vreugd van den strijd
en leefde ver weg van 't gewoel
en ver van de bewustheid
en mij werd of 'k sinds jaar en dag
aan den buitenkant dwaalde van 't leven
en hunkrend naar binnen zag.

Dat heb ik niet meer verloren
en altijd was het weer
als armlijk ture' aan een venster
en binnen is 't licht blank en teer...

Eens zag ik een vrouw op den drempel
van een hut in avondzon staan
zij speelde met haar kindje
en moedigde 't lachend aan
– want het probeerde te loopen –
en riep het, en lachte weer,
toen deed zij haar armen open
en knielde, het opvangend, neer.

En ja, ik zag den band
en zag het hart, open en zacht
als een bloem als een roos ontloken,
geurig... En in den nacht
voelde ik een handje op mijn borst
en een mondje dat dronk uit mij
en bezat u in droom mijn kind,
maar met morgenrood dreeft ge voorbij
ik hoorde de merels zingen
in het koele grijze licht
en verwonderde mij hoe te tillen
den dag en zijn gewicht.
Vreemd dat de rook van een droom
hangt over den dag zoo zwaar...

Soms bracht het leven mij samen
met de vrouwen der volgzame schaar
(zij wisten niets, voor hen was ik
de vreemde, moedige, die
durfde en deed boven hun denken)
ik nam hun kindre' op mijn knie
en beluisterde 't lied hunner dagen
maar verstond ik alles? er lag
een waas tusschen hen en mij,
een scheiding die 'k altijd zag,
en ik wist niet wanneer ze spraken:

toonden ze 't blijde niet
om mij niet afgunstig te maken
of heimlijkten ze een verdriet
en benijdden mij 't vrije en weten?
Maar hiervoor hielden we stil
want we ontweken elkaars diepste gronden
door een gemeenzamen wil.

Henr. Roland Holst

Soms zag ik omwolkt en donker
den hemel van hun oog
en hoorde den druk der dagen
in de klank van hun stem die niet loog;
hun kinderen tierden en bloeiden,
zij zagen welk en mat
of moederschap iets verschroeide
en geluk iets geschonden had;
dan dwaalden hun oogen hongrig
naar verten buiten de sfeer
van de vreugd en 't leed hunner levens
en hun hand wierp oproerig neer
het naaiwerk en preste hun hart
en nam de mijne in dank
voor een woord dat ik gesproken had
en gewaand ijdelen klank;
en ze zeiden: „dat deed ons goed
ja er is nog een ander bestaan" –
dan zwegen ze, wij
zagen elkaar niet aan...

Er waren er onder deze
– ze hadden hun ziel nooit doorzocht –
waar bestendig uit diepte der wateren
iets borlend naar boven vocht.
Zij drukten het naar beneden
zij hielden hun ooren dicht
maar wee het uur van dag of nacht
dat het flitste als bliksemlicht
dat zij den jammer doorzagen
en schraal verwaarloosd staan
wat had kunnen bloeien een wondertuin:
dan was hun vrede gedaan
en niets van wat zij bezaten
vertroostte hun vol over dit...
Moet iedre ziel, dacht ik dan, laten
de helft van haar bezit
en uitgroeien naar een zijde?
Zoo scheen het, en klaar werd mij

Henr. Roland Holst

de hand van een machtigen potter
formeert het hart als klei;
maar zoo, als geen vorm kan wezen
beker en kruik tegelijk,
is iedere ziel toegewezen
de sfeer van een eigen rijk.

Dan vlood ik naar het mijne
niet meer klagend om mij, maar eer
om hen, om wat zij derfden,
peinzend „wie derft er meer”...

Ja wie derft er meer, en welken
wordt het beste geknot? –
ik peil mijn vreugde en hun vreugden
ik meet hun lot en mijn lot,
ik blader in 't boek van mijn leven
met een vreemd verwachtend gevoel
maar ik kan niet weder vinden
het blad dat ik bedoel
waar het schoonste op werd geschreven...
of bedroog mij een lange waan
en is 't eeuwig blank gebleven?

Zie mijn dagen langs mij gaan:
hun eerbare koele gezichten
zijn schoon van zedelijk schoon
hun hoofden trots opgerichte...
maar ach! hun ontbreekt een kroon.
Zoo is het teerste bezweken
iets zeer zachts mij toch ontgaan:
heet druppen de tranen tusschen mijn vingers
om die ik zoo dor zie staan...
O het schijnt wel schoon te leven
als de grenzen worden verwijd
maar het is geen geluk te komen
op een kentering van den tijd
en een vrouw te zijn geboren:
zij komt te vroeg of te laat
want een geur van 't verleden leeft
in haar hart die niet vergaat.
Zij voelt ongetelde krachten
om licht en vrijheid vragen
en ziet beloften schittren
aan de kimmen komender dagen;
juichend vliegt ze daarheen
naar die nieuwe wereld waarin

ze zal staan als een bloem in licht
met geheel gezonden zin
maar onverwacht staat ze stil:
't is als trekt daar terug een band
als smeekt een inwendige wil:
„keer weerom mijn kind naar uw land"
dan zou ze alles willen geven
om veilig te voelen en warm
er is haar geen begeerte verbleven
dan naar een beschuttende arm...

Henr. Roland Holst

O donkere diepten van tweestrijd!

Zij waren gelukkig en wijs
de vrouwen die leefden en zongen
als in een kooi een sijs;
zij baadden de rozige lijfjes
zij traden luchtig door 't huis:
het werk hunner zorgende handen
hield hun gedachten thuis.
Zij leefden omhuifd als in schaduw
van den sterken, den willenden man;
rank en blank en wat kwijnend
want hij zoog de kracht van de zon
in zich, en drukte zijn stempel
in hun elastisch gemoed
en kneedde als was hun gedachten...
Zij voelden beheerscht zijn, goed.

En gelukkig zullen ze wezen
als de tijd die nu scheemrend begon
klaar daglicht is, waarin elk wezen,
volgroeid, zich strekt in de zon;
wij kunnen die dagen niet denken
wij weten niet wat zal zijn
de bloei van een vrouwe-geslacht
met de moedige denkings-lijn
om de lippen, en in de oogen
geen spoor meer van slaafschen trant
en toch het aandoenlijk-bewogen
moederdier in stem en hand.
Wij staan nog zoover van den zegen,
het lijkt ons een schoon verhaal
maar we weten, onze levens bewegen
om het waar te maken, eenmaal...

Wèl hen die zullen weiden
in die volle verworvenheid:
zacht mogen hun dagen glijden!
maar dit zijn dagen vol strijd.

—

Vrouw die niet waart wat g' uzelf scheen te wezen
en van bevrediging 't zoet hebt gemist,
de zin die w' in uw taal verborgen lezen
is dat ge in uw kracht u hebt vergist.

Toen de bergkammen lokkend voor u rezen
van dat land waar ge den naam nauw van wist
leek alle lieflijks voor u weggewischt
in 't heimlijk dal dat ge verliet voor dezen.

Ge vloogt de steilte op, voelend als bevederd
en daglang liept ge onverschrokken voort
ringsom het rauwe en wilde en halfgekende:
maar toen schemering viel, die 't hart verteedert
laagt ge neer, weenend, met gebroken lenden
van heimwee naar het land van uw geboort.

—

Ruik ik de reuk der bloesemende linden,
ruik ik de reuken waar ik eens van zong
toen zang en geur aanwiekte', op alle winden,

dan glijdt een vroeger zoet over de tong
dan voel ik even de bekoring weder
die toen ik vol verlangen was en jong

lag over alle wezens, hemelsch teeder.
Zoete gevleugelde herinneringen,
geurwinden die, schoon lichter dan een veder,

zwaar van het liefs voorbijgeganer dingen
klapwiekt om onze ziel, den ingang vindt,
en 't lang-geslotene doet open-springen –

ik groet u, die mij nadert wèlgezind
als eenmaal, maar ik weet het is verloren
dat u de man, gelijk de jongling, mint.

De geuren van den zomer zijn herboren,
zij brengen tijding voor wie tijding wacht,
bewegingen der ziel, binnenste koren;

mij hebben zij heugnis alléén gebracht:
het hart trilt bij de stem dier blijde boden,
maar vindt geen spraak en blijft binnenst-omnacht.

Henr. Roland Holst

Als een speeltuig, waaruit de ziel gevloden
is, zwijgt, hoe vingertoppen vleiend teer
tot zoeten klank de stomme snaren nooden,

zoo drukt ge geene melodiën meer
uit mij voortaan, geurwinden, zoete roken
die mij liefkozen komt gelijk weleer

want deze snaren der ziel zijn gebroken.

—

Tienduizend slaven, zegt men, bouwde' aan eene
van Pharaoh's pyramiden veertig jaar,
steenbrokken sleepend; staplend z' op elkaar:
door 't zware dragen stierven vele henen.

Wij richten op, van doode leem noch steenen,
maar van menschlijke wil en weten, zwaar
bei te hanteeren, eenen Bouw, die klaar
volbouwd zal staan, wanneer niet een dergenen

die thans werkt, leeft. En hoeveel jonge' en grijzen
zonken al neer, sleepend door heete mulle
zandvlakte aan zulk een vracht, te zwaar voor hen.
Zij stierven stil en stemloos, andre vullen
hun plaats in en de hooge muren rijzen:
gedenken wij zacht de gevallenen.

IN JEUGD

Nu springen donkre poorten
open met den sleutel der min;
dit is de ware geboorte,
dit is eerst levensbegin,
nu ik mij op leven bezin.

Mij dunkt de wereld blijde
als de dag is 's morgens vroeg:
O Wereld, wel zijt ge wijde,
maar mijn hart is groot genoeg
om heel uw volte te vatten;
zeg mij, waar vang ik aan,

Henr. Roland Holst

ik dorst om al uw schatten
te vinden en te verstaan.
Ik min zoo... Menschheid, mijn leven
hoort u, maar hoe meer ik geef,
hoe meer de uren mij geven,
hoe stralender jong ik leef.

Met uren en met krachten
ga ik om als een vorst met goud
die put uit oneindige schachten
en altijd overhoudt.
Als op sterke stalen veeren
vliegt overend mijn kracht;
ik heb wel eens bij het keeren
van 't getijde, aan den dood gedacht,
maar zijn zin bleef mij gesloten
als van overoud teekenschrift:
Leven, uw welige loten
verhullen mij zijn gezicht.

—

De eenheid vliedt mijn armen die zich rekken
naar haar, al verder hoe heft'ger ik jaag;
een kille nevel verbergt mij haar trekken,
haar stem versterft in verten, ijl en vaag.

En alle morgens luider, komt mij wekken
smaad en hoon, van wie ik ze niet verdraag:
nu is het tijd om de wapens te strekken
zonder veel woorden en vergeefsch geklaag.

Nu haal ik u neer, blijde vaan der hoop
die wapp'rend van de tinnen mijner dagen
zoolang levens overmacht hebt getart;

nu geef ik u op, ongelijke loop,
om van den overwinnaar niets te vragen
als stille schaduw voor 't gewonde hart.

—

Somtijds wanneer ik zit en niets verlang
buigend over de stilte in mijn gemoed,
is het of ik flauw hoor een nieuwen zang
van rijper schoonheid ruischen door mijn bloed,

Misschien dat nu het bitter en het wrang
der smart, zich daar waar klotst d'eeuwige vloed

van 't onbewuste, in verborgen lang
gemijmer puurt tot dieper teerder zoet.

Henr. Roland Holst

Misschien. – Misschien dat zooals fijnst aroom
doorgeurt de vrucht in noord'lijk land gerijpt
waar barre winter lang de sappen stremt,

zoo menschlijkheid ook meest haar volle stroom
van klaar meegevoel dat alles begrijpt
door 't hart stuwt, in smarthuiv'ring lang beklemd.

—

De zachte krachten zullen zeker winnen
in 't eind — dit hoor ik als een innig fluistren
in mij: zoo 't zweeg zou alle licht verduistren
alle warmte zou verstarren van binnen.

De machten die de liefde nog omkluistren
zal zij, allengs voortschrijdend, overwinnen,
dan kan de groote zaligheid beginnen
die w'als onze harten aandachtig luistren

in alle teederheden ruischen hooren
als in kleine schelpen de groote zee.
Liefde in de zin van 't leven der planeten
en mensche' en diere'. Er is niets wat kan storen
't stijgen tot haar. Dit is het zeekre weten:
naar volmaakte Liefde stijgt alles mee.

—

Wanneer het enkelleven gaat verglijden
en over het vertrouwd gelaat zich spreidt
als een waas van mysterie, de vreemdheid
die is de voorboô van het groote scheiden,

verschrik dan niet als ging een afgrond open
— omgeeft u niet altijd d'oneindigheid? —
en tracht niet de scheidende ziel te knoopen
in het net van haar eigen eindigheid.

Of zij opstijgt tot hoogere volmaking,
dan wel valt naar wat zij niet kan verstaan:
vernietiging, – tast niet, in 't uur der slaking
haar hoogheid met uw aarde-droefheid aan.

—

Henr. Roland Holst

ZAL de rust van het opperst evenwicht
waarnaar ik heb gezocht zoovele jaren,
waarnaar ik heb gestreefd als naar het ware
het zielsbevrijdend woord streeft het gedicht, —

zal de kristallen rust mij tegenstaren
eenmaal uit haar vergeestelijkt gezicht?
Zal mijn flikkervlam worde' een stadig licht
in de luwte van haar cypressen-blaren?

Ik denk niet, ik vraag niet, zie niet vooruit,
ik weet niet of leven mij uitverkoor
al heb ik mij in levens hand gegeven.

Aandachtig let ik op zijn groot geluid
en stamel heilge namen en voel door
mijn hart heilige huiveringen beven.

—

ALLES dof en duister,
een wereld zonder getoover...
Is van den ouden luister
geen vonk meer over?

Het innerlijk rijk ging verloren,
de wegen er heen zijn versperd...
Geen ree springt meer naar voren,
door de wouden schrijdt geen hert...
Verdwenen is wat mij gewerd
te zien en gewerd te hooren.

Wanneer zullen de nevels wijken
die mij scheiden van 't eigen gebied?
Wanneer zullen de poorte' openspringen
en de kleurige stoeten opdringen
die het hart in droomen ziet?
Zal ik ooit weer hooren het zingen
dat stijgt uit de ondere rijken,
het zoet-geprevelde lied?

Verlangen alleen heeft macht
te ontsluiten begraven pracht.
Maar de staf van welk groot verlangen
zal splijten den dorren steen
en doen bruisen weer over mij heen
den helderen stroom der gezangen,
het water waarnaar ik smacht?

Welk groot verlangen, welk zwaar verdriet?
Ik weet het, ik weet het niet.

Henr. Roland Holst

O staf, gij zijt niet te vinden
voor den zoekenden spiedenden blik.
Ge zijt de gaaf van het blinde
begenadigde oogenblik.
Ge groeit, maar ge groeit verholen,
en dan breekt ge uit als een vlam, –
ge ligt in dingen verscholen
waar denke' u niet vinden kan.
U vindt de voet na lang dolen
die keerde vanwaar hij kwam.

Dof de wereld en duister
als een bevrozen kom...
Ik buig voorover en luister...
Begint er niets, geen gefluister? –
Alles blijft stom.

—

Nu wijkt het diepe, donkre zielsverdriet;
niet uit de dingen, uit de wereld niet:
zij ligge' in duister smartelijk-verward
maar wit in luister ontbloeit verjongd het hart.

Op vreemde gronden graasde ik langen tijd;
uit vreemde kelken dronk ik bitterheid.
Gebanne' uit eigen hof, van eigen erf.
twijflend „zal ik ze weerzien eer ik sterf?"

Maar altijd zocht ik, worstelde om weer
te vinden 't eig'ne, om dat ééne zeer
vertrouwde herwinnend, na langen dool,
toch de vrucht te behoude' in levens school

gerijpt. Nu ten leste wordt mij verleend
deze genade. In mij wordt vereend
wat was gescheiden: 't eig'ne en wat ik vond
buiten mij, worden tot één vasten grond.

—

Omhuld van nev'len lagen de landouwen;
de bosschen had een sluier stil omspreid
en uit die stilte steeg een blind vertrouwen
in het weerkeeren van de vruchtbaarheid.

Henr. Roland Holst

De regen viel; zijn zacht-egale suizen
vulde de wereld en zijn spinsel hing
aan verre kimmen. In hun stille kluizen
werkten de geesten van de opstanding.

O milde lucht en gezegende regen
en moederlijke schoot die baren gaat
der aarde... o Beeld van ieder groot bewegen
dat uit stille verzonkenheid ontstaat!

Door u zijn de verstarringen geweken
en werd weer vloeibaar wat gestolten was;
in verre velden murm'len kleine beken
en een groen waas doortrekt het vale gras.

O zoete hoop die oud is als het leven
en al zijn schepselen te zamen bindt, –
gij kunt de moede harten niet begeven,
gij moeder van vertrouwen, groot en blind.

—

IK zie ze gaan, met den vermoeiden tred
van hen die moedeloos-ontkrachtigd leven,
die nooit op banen van manmoedig streven
een veerkrachtigen voet hebben gezet.

Ik zie ze gaan, met den sleependen gang
van wien niets wacht, na de doorzwoegde uren,
dan even 't kort opflikkren van de vuren
der lust, en weergalm van haar rauw gezang.

Ik zie ze willoos vallen in den nacht
en neerstorten in den slaap zonder beelden
die hun trillende lijven maakt als lood...

Heeft àl ons wete' ons dan hiertoe gebracht
en àl ons kunnen? Tot ziellooze weelde
voor weinge' en voor de velen 't leve'-in-dood?

—

KOM Geest; blaas uwen wil, uw adem in
enklen van ons, al is het er maar één.
Ziet: wij zijn murw en slap, of als een steen
geworden, log en zielloos. Kom, begin
uw dagtaak, volbreng een nieuw werk. De lucht
is dik van onheil en het doodsgevaar

nadert snel. O uit deze onze schaar
verkies éénen, Heer, maak zijn geest geducht.

Henr. Roland Holst

Grif in vuurteekens op zijn wang uw wil;
werp in zijn gebaar uw wekkende kracht;
stort in zijn reednen uit uw heilgen gloed.

Wij zijn een verzwakt en verarmd geslacht;
maak al ons klein gemurmel voor hem stil,
schenk hem Heer, schenk hem van uw overvloed.

—

WANNEER ge mij roept, nog een werk te doen,
eer ik slip uit het afgedragen kleed,
zoo bid ik, dat te morgen noch te noen
noch t' avond ge mij loslaat en vergeet.

Zie: ik ben zwakker dan ik plag te wezen,
lichter ontmoedigd, spoediger vervaard;
mijn lijf heeft, levend, veel moeheid vergaard,
en steiler is 's levens wand opgerezen.

Ik zou graag willen rusten. Maar ik weet:
ik mag niet rusten eer ge spreekt: 't is goed,
ge deedt uw deel en uw dienst is ten einde.'

Daarom bid ik: stort nog ééns door mijn bloed
een druppel van uw vuur, dat liefde heet,
en omgordt met haar kracht opnieuw mijn lenden.

—

IK denk, dat wij nu eerst lang moeten leeren
ons van 't zelfzuchtig streven te ontdoen,
dat wij nu lang, eindeloos lang, als zoen
voor zijn monstergroei, 't beste moete' ontberen:

geluk van eenwording met andre menschen;
honger en hunkeringen moeten lijden
naar liefde, vrij van zelfzuchtige wenschen.
Dan pas kan komen het nieuwe getijde.

Ik denk, dat wij lang eenzaam zullen zijn,
ons zullen voelen ver van God, verlaten,
zullen wankelen door verweesde straten,
tastend, bij een bevend-flauwe lichtschijn.

Henr. Roland Holst

Ik denk dit, omdat ik dit alles draag
in mij. Zoo heeft God mij geschapen:
het leed der menschheid laat mij vaak niet slapen,
haar schuld doorvlaagt mij als een bittre vlaag.

—

Nog wierpen 't roestig blad niet af de hagen,
de vaarten zijn nog niet van ijs bevrijd,
maar door de luchten wordt een zang gedragen,
zegezang van den held, die alle dagen
nu overwint, in den alouden strijd.

Nog draagt de grond het vale zorgenkleed;
aan heemle' is lentes kelk nog niet ontloken,
maar het licht heeft haar jongen geur geroken:
het weeft zijn zilverhelle sproke in
deze wereld van droefheid, zonde en leed.

Er is nog niets dan verlangen, verwachte' en
vertrouwen: 'eens wordt verlangen gestild', –
niets dan het spelen in de stille nachten
met het snoer van de eigen lichtgedachten,
over het licht dat wint, als melk zoo mild.

DELFIEN VAN HAUTE

WINTERAVOND

Het vriezig west is scheemrig rood,
  de hemel meetloos groot.
De grenzenlooze kim omriemen
  vergulde wolkenstriemen.
De vlakte is ijdel, doch de lucht
vol ruischend razend strijdgerucht
  vol kronkelen en kranzen
  van trage winterganzen.

Nu zinkt, witscheemrig, ver en dicht
  het landschap uit 't gezicht.
Het sprokk'lig hout staat in de dreven
  verdonkerd en versteven.
De winter glimt op weide en broek;
en om des woudlands duistren hoek
  verschijnt de gulden horen
  der mane nieuwgeboren.

De kille nachtvorst heerscht alom
en griezlend star en stom,
snoert wind en adem lucht en landen
in ijzervaste banden.
Natuur is steen en rotsgevaart;
en op een doode wereld staart
met huiverende blikken
de ziel verkleumd van schrikken.

Doch zonder sluier, eindloos klaar
en spranklend schaar bij schaar
zie 's winterhemels heerlijkheden
gezellig nadertreden.
't Heelal van zonnen brandt en blaakt.
Verrukt, verwarmd, de ziel ontwaakt
en juicht aan de aarde ontstegen
den sterrenhemel tegen.

J. H. SPEENHOFF

WAAROM...?

't Kind

Moeder, waarom heb ik honger,
Moeder, waarom heb ik kou;
Waarom lost mijn vader kolen
En ben jij een zieke vrouw?
Waarom heb ik witte koonen
Waarom is de melkkan leeg:
Waarom moeten wij hier wonen
In die nare, vieze steeg?
Waarom krijg ik nooit 'n koekje
Of een boterham met stroop;
In de winkel op 't hoekje
Is dat allemaal te koop.
Vader werkt toch alle dagen
Jij houdt hier de kamer schoon...

De Moeder

Kind, dat moet je mij niet vragen,
Vader krijgt geen hooger loon.

't Kind

Moeder, ben ik dan geen kindje
Met een lijfje en een mond?
Ik wil ook een prachtig lintje

En een manteltje met bont.
Laatst ben jij gaan zitten grienen
Toen ik om een popje vroeg,
Kan je dan niet meer verdienen
Voor ons allemaal genoeg?
Waarom zijn de winkels open?
Voor de rijke lui misschien?
Als je toch geen pop kan koopen
Waarom mag je 'm dan zien?
Waarom wordt er koek gebakken
Iedereen houdt er toch van?
Waarom mag je nu niet pakken
Wat je zoo maar nemen kan?

De Moeder

Kind, dat zal ik je verhalen,
Luister nu eens even lief:
Als je koopt moet je betalen,
Als je neemt ben je een dief.

't Kind

Moeder als we honger lijjen
Mogen we dan treurig zijn?

De Moeder

Als de rijke menschen schreijen
Doen hun tranen net zoo'n pijn.
Laat ze smullen, lachen, erven,
Iedereen heeft zijn verdriet,
Alle menschen moeten sterven.

't Kind

Moeder, dat begrijp ik niet.

SELLY DE JONG

VOOGLENSTRIJD

Zij wachten, op het kleurig grastapijtje
De muschjes, mijne vlugge, snugg're gasten,
Die tjilpend hare kleine levenslasten
Elkander mededeelen, op een rijtje.

Doch bij het nederstrooien van de kruimkens,
Vliegen zij te gelijk, naar 't rijke plekje.

Elk vogelken wordt een boosaardig vrekje,
De pluimkens geven 't blijk der kwade luimkens.

S. de Jong

Hoe overvloedig ook de kruimkens vallen,
Zij willen niet in vrede samen deelen,
Doch blijven onophoudelijk krakeelen
Soms om één enkel stuksken, met hen allen.

NAJAARSNACHT

De boomen treuren in den najaarsnacht.
Zij zagen lang hun schoonheid reeds vermind'ren,
Maar hun verval, zij konden 't met hun kracht
Toch niet verhind'ren...

Heeft zóó mijn ziel, die eer u heeft verblijd,
Haar schoon ook langzaam-aan voor u verloren?
Wee! dan voor haar geen bloei van zomertijd,
Gelijk te voren...

P. C. BOUTENS

O LIEFDE, LIEFDE

O liefde, liefde, die als lijden zijt,
Rijs in mijn oog met iedren nieuwen dag,
Dat ik de wereld en haar kindren mag
Zien in uw licht, een kind dat u belijd.

En laat mij niet alleen, maar in den nacht
Daal in de schaduw van mijn koele borst,
Dan zal ik veilig slapen als een vorst,
Die rust in 't midden van bevriende wacht.

Zoo moog ik zijn als dun albasten vaas,
Boordevol bloed van uwen rooden wijn;

In 't nachtehart als een weekgele schijn,
In donkre nis weenlichtende topaas;

Maar in den dag een levende fontein,
Die stroomt den dorstenden zijn zoet solaas.

MIJN BLEEKE DENKEN

Mijn bleeke denken dwaalt tot u door diepe nachten
Als moede schapen naar haar eindelijken stal;
Zij maken wit den nacht met schemerblanke vachten,
Weidend de duisternis van 't weligdonkre dal.

Ik troost wel iedren dag met zon en zachte praten
In eigen weide en kooi haar stomme droefenis,
Maar in den avond breekt haar leedgerekte blaten
Mijn deuren open naar de wijde duisternis.

En 'k zie haar angstig na, tot waar zij nader tijgen
Ten Leed, nu tusschen ons een breeden, dooden stroom;
Maar zie haar ongedeerd aan de' overoever stijgen
En ver verwaden in den waazgen kimmedroom.

En in den nanacht lig ik leed- en vreugdverlaten,
En schuiflen de uren zacht als door ontvolkte stad,
Tot met de morgenzon haar ongetrooste blaten
Om toegang keert en schreit op 't dauwdoorweekte pad.

SPREEK OVER DIT LEED NIET

Spreek over dit leed niet, geef het geen naam.
Hoe zou het leven in den hellen glans
Van uwer ziele goedheid? Als eens mans
Oud en verkommerd lijf zal 't zonder faam

Sterven, als een die na lang, donker trekken
Hief tot uw licht zijn brekende oogen wond,
En in het land van uw geluk maar vond
Een plaats om zijn doode voeten te strekken.

En vraagt u later iemand naar den doode,
Zeg: hij kwam langgeleên, een bleeke bode
Uit een vreemd land ver achter Westernacht,

Maar eer zijn mond zijn droeve taal kon spreken,
Sloot zich zijn oog in 't volle licht te breken,
Omdat het nooit de zon zag in haar kracht.

NU GIJ VER WEGZIJT

Nu gij ver wègzijt, komen al de nachten
Sluipen door schemerstraat, arm en gehavend,
En zij die vroeger zielsverblijden brachten,
Beedlen aan dichte deur in laten avond.

En als ik stille paden wandel, loopen
Dagen mij na met uitgestoken handen,
Dat 'k voor mijn goud hun poovren praal zal koopen,
Prijzend hun waar met stemmen van ellende.

Maar als een spreekt van u of noemt uw naam,
Als ik een balling uit dat land regaal
Waarover gij heerscht, zitten we uren saam
Pratend van u aan rijk herdenkens maal;
Needrig-aandachtig luister 'k aan zijn voet,
En leid hem uit zooals men koon'gen doet.

IN NACHTSCHADUW

In nachtschaduw
Verwacht ik u
Tusschen slapende rozen.
Mijn ziel zoekt waar uw luister is, –
Al paden gaan uit in duisternis,
De lucht staat sterbevrozen.

O mijn zon, rijs,
Eer maan in 't ijs
Van den hemel haar gulden wak breek':
Haar licht aan de kim al flonkerschreit;
Geluiden rimplen de donkerheid
Als vallende bloesems de nachtbeek...

Hebt gij gewacht
De koele pracht,
Die de maan giet uit ijzen fiolen?
Om te komen door manesneeuw ongehoord
Langs der schaduwperken donkre boord,
Die bloeien vol nachtviolen?

De teêre Nacht
Op hooge wacht
Blaast bellen van lichte stilt';
Zij zwellen en stijgen, een glazen schrik,

Als baldakijnen maandoortrild,
En breken in een snik...

O lief beloofd,
Troost mijn moê hoofd,
Dat mijn ziel mag slapen in laten nacht:
Waar al de sterren zijn
Kunt gij niet verre zijn,
O kom, ik wacht.

EENZAME NACHT

Uw oogen waren er niet,
Uw stem was zoo ver, zoo ver,
Het was een avond zonder lied,
Nacht zonder ster.

De stilte was zoo diep, zoo groot,
Boven en onder en overal,
Dat iedre windeval
Moest brengen dood.

Mijn ziel was als een bloem naar u
Grootopen,
Weerloos als doodschaduw
Ze had beslopen...

Hoe heb ik wreed verstaan
In éen stil even
De pijn van te vergaan
Uit dit schoon leven.

IN MEMORIAM

Hoe schijnt van avondstrand
Doods overkant
Lichter dan heel dit land van leven:
Zoo twee jonge oogen sterrestom
Zien klaargeheven,
Dood, uit uw schemer om.

Gij hebt in blind bestaan
Uw oud geheim verraên:
Geen kan meer in uw duisternis gelooven,
Nu ge die helle lampen stal,

Die heel de reis door schaduwdal
Niet zijn te dooven.

O ik dacht altijd wel
Menschelijk spiegelspel
Al de verschrikking van uw schijndiep duister:
Ons eigen oog ontwolkt
De vrees die u bevolkt,
Ons adem keert uit u in angstgefluister.

Mij is dit licht gezicht
Van licht tot lichter licht
Door ondiep donker onverstoord gebleven,
Voor al komenden tijd
O zoete zekerheid:
Daar is geen dood, maar enkel leven.

Voorgoed bij helder weêr
Van droefnis teêr
Aan overzij van zeeëruischend klagen,
Ligt nu verklaard doods donkre schijn
Als eng ravijn
Van zomernacht doorzichtig tusschen zomerdagen.

MORGENLIJK VERWACHTEN

De dag staat als een maal bereid.
Ik proef in 't zuivre morgenlicht
Als een nog woordeloos gedicht
Uw naë afwezigheid.

De verten zijn al luw van u,
Waar zon de laatste neevlen reeft,
Gij zijt al in het windbegin
Dat door de teêre toppen beeft...

Breng mij mijn deel van 't koel gespeel
Dat tintelwater achter wilgen doet,
Van 't luchtazuur dat als blauw vuur
Door dichte linden gloedt.

AVONDDAUW

Dauw en tranen komen
Met den avond,

Wereldwijd
Ziel en bloemen lavend
Daalt Gods heerlijkheid
Heel de dagbezonken stilte door te droomen.

Altijd vindt de dauw wel
Oopner bloemen
Diepen dorst;
Al wat God durft noemen,
Iedre menscheborst,
Voelt zijn vrede vochten in vlindervaagste vouwsel.

Zon, wier oogeluchter
Fel van boven,
Uur aan uur,
Schroeide in donker dooven,
Door teêrvocht glazuur
Vleit uw blik van oog tot oog mijn liefde schuchter.

Smart in wereldsch rouwkleed
Bits verwezen,
Droef bespot,
Nu weet ik uw wezen
Voor een kind van God,
Nu van elpen leden schijn in vouw na vouw gleed.

Keer en kom, ik deel u
Alles, 'k noodig
Arm en blij;
Niet veel hebben noodig
Twee zoo droef als wij;
Gaarne leen 'k vannacht uw moê hoofd de eigen peluw.

Heden moogt gij toeven
Heel den nacht en
Morgen ook,
'k Zal uw voetjes zwachten
In oudlinnen strook,
Raden in het donker elk vluchtigst behoeven.

Zie, mijn huis is ledig;
Het is uwer,
Zoo gij wilt;
Werelds winden luwen er
Diep in bladerstilt',
En zijn schaduw zij uw oogen koel en vredig.

Want uit Vreugde had ik
Al dees jaren
Geenen zoon,
Maar gij zult mij baren
Jongen sterk en schoon,
En om u, om u alleen (nu weet ik 't) bad ik.

Dat kind zal ons saamzijn,
Laat het leven
Uit uw schoot,
Liefdes wijding geven
Tot voorbij den dood,
En Geluk zal toch in 't eind zijn zoete naam zijn.

AFVAART

De maanlicht-overvloeide vloed
Heft 't ranke spook van vlotte bom
Boven den zwarten menschendrom
Die vlekt het zilvren zand als roet.
De ketting waar zich 't schip aan windt,
Kreunt eenzaam als nacht-wakker kind.

Geen andre klank begint of duurt.
Het koele klikken langs de kiel,
Nu 't schip in voller water stuurt,
Reikt niet tot hier. Het slank profiel
Verbreedt onhoorbaar-onverwacht
Zich met der zeilen effen pracht.

Van duistre plecht onzichtbre hand
In driemaal-op-en-neder-zwaai
Wuift licht vaarwel aan vriend en land
En heel de manelichte baai.
En donker wuift de kust weêrom
Van rijke vangst en wellekom...

Ik blijf niet langer op mijn plek
In 't avondduin. Mijn voet
Voelt onder zich het weifel dek
Van schip te deinen op den vloed.
En met nabije schaduw weet
Ik lichtste licht bekleed.

De breede ronding van de kust
Deinst lamp-bezet, maar doodsch.

Met geen signaal durft donkre loods
  De stranden roepen uit hun rust...
Waar schuilt de stille school van buit
Waar vol meê keer' de leêge schuit?

Of wordt in 't verre land en voor altoos
  Ons wild verlangen schoon en stil? –
De zee is diep en eindeloos
  Zooals vertrouwen wil
En wilde toen 't aan 't veilig strand
Te droomen zat van de' overkant.

De wind bolt uit het ruime wak.
  Het schip helt op zijn breeden streek.
Nog even maar is de einder strak
  En van kustlichten bleek...
En nu – niets meer dan heem'l en zee...
De zeilen over! Reê!

AAN DE SCHOONHEID

Kom niet, Schoonheid, eer we u zijn bereid
In ons huis, in ons te ontvangen;
Kom niet vóor de wereld openleit
Breede bedding uwer heerlijkheid;
Kom niet eerder: ons verlangen
Is sterker dan de tijd!

Niet zoolang aan aardes blonde brood
Wij ons vloek en smaadheid eten;
Niet zoolang met maat van veler nood
De overvloed der enklen wordt gemeten;
Niet vóordat ons aller jeugd den dood
Om het blijde leven kan vergeten!

Als een zuivre zelfverlichte
Zegenzware wolkkolon
Doemt gij in de diepe vergezichten
Achter zeeën maan en zon:
Geen gedachte die met felste schichten
Ooit uw glans bereiken kon,
Maar geen hart dat zich naar simple blijdschap richtte
En uw milden dauw niet won!

Van al templen u gebouwd
Uit de marmeren gedachten

Van de schooner levende geslachten,
Is er geen die u besloten houdt:
Als voor steen en goud
U de volkren offer brachten,
Vond en zong u 't eenzaam smachten
Van een kind in lentewoud!

Alwier oogen smartverklaard
Aan den einder hunner dagen
Uw bestendig weêrlicht zagen,
Vreugdes morgen over schemeraard,
Hebben vrij en onbezwaard
't Donker menschenhart gedragen: –
Al hun lijden is melodisch klagen
Dat gij niet voor allen waart.

Bidden niet en handenwringen
Lokt de goôn; –
Waar een hart het uit moet zingen,
Daalt het ongebeden loon,
Neigt de naaste van de hemelingen
Zich tot haar bestemde woon.

O wij weten wel wat lentedag
Al de stille sneeuw die gadert,
Van uw bergen dooien moet;
Dat zijn uur door de eeuwen nadert,
Dat geen hart ontbreken mag
Tot zijn gloed!

Vochte koelte zoeft door 't bruine riet;
Sappen gisten in het dor geraamte –
Overval ons niet in onze schaamte:
Schoonheid, kom nog niet!

LETHE

„Hoe over 't brandend blind bazalt
Vind ik den weg naar Lethe? –
O alles te vergeten
Eer de avond valt!

„Ik weet dat dood en donker komen
Als dit schel daglicht is gebluscht,
Maar ik wil diepe klare rust
En zonder droomen.

„Voor wie als ik van kind tot knaap,
Van man tot grijsaard derven,
Voor die is dood en sterven
Maar verontruste slaap...

„De zoete macht tot lach of traan
Gaf mij en nam mij 't leven.
Alleen mijn oogen bleven
Kijken, mijn voeten gaan.

„Hoe vaak sindsdien waar 'k zat en ging,
Is langs mijn wakende oogen
De lange trein getogen
Van aller lust herinnering.

„Wat moet ik aldoor zien wat 'k weet?
Al 't reddeloos volbrachte,
Al 't reddeloos gedachte:
Gelijk is wat ik liet en deed!

„O eer de dood mijn leden bind'
En hen voor eeuwig bedde, –
Wat zal mijn oogen redden
Van dezen droom die immer nieuw begint?:

„O blanke ziel, o roode bloed,
O hart verdwaald daartusschen, –
Wie zal in slaap u sussen
Tezamen en voorgoed?

„Mijn voet kan vóor den avondval
Nog vele mijlen reizen,
Wil één den weg mij wijzen
Naar Lethe's dal.

„Wie over 't brandend blind bazalt
Brengt mij naar Lethe? –
O alles te vergeten
Eer de avond valt!"

ZWERVERSLIED

Moest zoovele zonnedagen
Zich mijn hart onnoodig plagen,
Met Verlangen meê te jagen

In haar zwerven en haar klagen
  Om een tijdlijk huis?...
Achter open hartedeuren
Noodden duizend bonte keuren...
In der kaamren klare kleuren,
In der hoven zwoele geuren,
  Nergens vondt ge u thuis!

Langs de late schaarsbeschaûwde
Lanen huivert de eerste koude,
Dieper schijnt de teêrbeblauwde
Hemel in doorzichten gouden
  Avond van het jaar:
Ruimer haalt de ziel de luchten
Der oneindige genuchten,
Als de donkere geruchten
Van voorbije vogelvluchten
  Roepen boven haar.

Onbezwaard en ongebogen,
Vleugellicht omhoog getogen,
Die haar schatten ongewogen
In den afgrond veler oogen
  Gul en gaarne liet,
Zweeft ze uit doolhof van Verlangen
Waar in diamanten zangen
Haar versteende tranen hangen,
Weêr het oud Geluk te vangen
  In het nieuw verschiet.

Zij wier jonge en onbewuste
Blijde heimwee niet berustte,
Nooit van werelds halve lusten
Bloedelooze lippen kuste
  Aan der wegen rand,
Vindt zich uit haar lange zwerven,
Na de blinde koorts van derven
Eindeloozer toekomst erve,
Komend leven, komend sterven
  Stijgendhellen brand.

't Oog uit eigen droom geheven
Na zijn eerste blinde beven,
Groet den andren droom van Leven
Onveranderlijk gebleven,
  Even diep en groot;
Ziet in 't licht van voller jaren

Raadslen die gescheiden waren,
Zich in schooner eenheid paren,
't Lichte leven zich verklaren
  In den donkren dood.

Rapper raapt zij gouden stonden,
Luchtger streelt zij langs de blonde
Haren, kust de roode monden;
Eerder wordt het woord gevonden:
  Welkom of vaarwel;
Rijker trouwer oogen sonden,
Heelen gaver liefdes wonden
In haar eeuwige verbonden;
Weinige uitgezette ponden
  Meerderen zich snel.

Uit den breeden diepen vrede
Van de horizontsche reeden,
Uit de sterdoorstraalde steden
Van Gods blauwe oneindigheden
  Luidt de zoete wijs:
Al de wonderen van schoone
Lichtgeklaarde zuivre tonen
Die den stouten zwerver troonen...
O alleen de dooden wonen,
  Maar het leven is op reis!

GOEDE DOOD

Goede Dood wiens zuiver pijpen
  Door 't verstilde leven boort,
Die tot glimlach van begrijpen
  Alle jong en schoon bekoort,

Voor wien kinderen en wijzen
  Lachend laten boek en spel,
Voor wien maar verkleumde grijzen
  Huivren in hun kille cel, –

Mij is elke dag verloren,
  Die uw lokstem niet verneemt;
Want dit land van most en koren
  Is mij immer schoon en vreemd,

Want nooit beurde ik hier te drinken,
  't Water dat de ziel verjongt,

Of van dichtbij hief te klinken
  't Verre wijsje dat gij zongt;

Alle schoon dat de aard kan geven
  Blijkt een pad dat tot u voert,
En alleen is leven leven
  Als het tot den dood ontroert.

LIEFDES UUR

Hoe laat is 't aan den tijd?
  Het is de blanke dageraad:
  De diepe weî waar nog geen maaier gaat,
  Staat van bedauwde bloemen wit en geel;
  De zilvren stroom leidt als een zuivre straat
  Weg in het nevellicht azuur;
  En morgens zingend hart, de leeuwrik, slaat
  Uit zijn verdwaasde keel
  Wijsheid die geen betracht en elk verstaat,
  Vreugd zonder maat,
  Vreugd zonder duur...
Hoe laat is 't aan den tijd?
  't Is liefdes uur.

Hoe laat is 't aan den tijd?
  De zon genaakt de middagsteê:
  In diepte van doorgloede luchtezee
  Smoort de akker onder 't bare goud;
  De vonken sikkel snerpt door 't droge graan;
  De schaduw krimpt terug in 't hout;
  In hemel- en in waterbaan
  Geen wolken gaan;
  Alleen de wit-doorzichte maan
  Blijft louter in het blauwe hemelvuur...
Hoe laat is 't aan den tijd?
  't Is liefdes uur.

Hoe laat is 't aan den tijd?
  't Is de avond: in zijn rosse goud
  Wordt schoon en oud
  Der wereld dagehel gezicht;
  Snel aan den hemel valt het water van het licht;
  En al de windestemmen komen vrij;
  De laatste wagen wankelt naar de schuur;
  De dooden wenken aan den duistren Oostermuur;
  En boven glansbeloopen

Westersche schans in groene hemelweî
Straalt Venus' gouden aster open
Zoo plotseling en puur...
Hoe laat is 't aan den tijd?
't Is liefdes uur.

SONNETTEN

LVIII

Vader wiens strenge stem gebood of bad,
Moeder al liefde in mijn erinnering,
En broêr en zusters die uw levens schat
Steeds verder vondt van de' armen eeneling,
En al beminden die mijn later pad
Kruiste, uit wier oogen ik de seinen ving
Van dit diep licht waarnaar mijn jonkheid hing,
En die nu woont elk in uw eigen stad,

Uw stille kind, uw bleeke broêr, uw vriend
Is rijkgelukkig, zendt u kus en groet;
En als herdenken ons tezamen vindt,
Brandt tusschen aarde en hemel liefdes luchter
Zoo helder, dat gelouterd in zijn gloed
Al ons gebeden naar één God vervluchten.

LXII

Uit langen zomerdag van zonne blind
Beurt de aard haar groen en korenblond gelaat
Naar 't innig licht dat al de heemlen bindt
In schaduwloos verheerelijkten staat.

In 't ademloos geblaêrt roert de avondwind.
En in de oneindigheid die opengaat
Voor oogen van verhelderd voelen, vindt
De blijde wil den weg ter heldre daad...

O zoo te loopen door dit zalig land,
Een man die dood zich leeft in 't overmoedig
Geluk van schoonheid die niet minder wordt,
Sinds, Liefde, uw schoonheids laaie dagebrand
Ligt over aarde en hemel uitgestort
Als water in een landschap overvloedig.

Waar tijd en eeuwigheid elkaêr beroeren,
Worden de sterren in den nacht geboren,
Vuurbloemen die de rijzendranke roeren
Van donkre aardtochten naar Gods ooglicht boren.

En waar de heemlen van voor Hem vervloeren
Tot glazen glansbaan eindeloozer koren,
Lijnen der stelslen weemlende kontoeren
Door 't klaar kristal donkervermoede voren:

Door weêrzijds-open venstren als door oogen
Schijnen de heemlen in elkaêr en de aarde:
Liefde met liefde wisslen wondre waarden,
Aarddonker tegen Godslicht opgewogen...
In evenwicht van gulden ruil geheven
Wandelt de wereld vleugelloos te zweven.

NACHT

Vind ik u eindlijk, broeder Nacht?
Hoe heb ik dag en nacht gesmacht
  Naar 't water uwer oogen.
Wel viel de dauw der donkerheid,
Maar neevlen dicht en kimmewijd
  Hielden uw blik betogen.

Nu aan den open hemel staat
De vaste rust van uw gelaat
  Zoo sterrestil gerezen –
Tot grauwe dag de vooglen wekt
En met zijn floers uw glans betrekt,
  Zullen wij samen wezen.

In uwen zilvren spiegel zag
Ziel vaak den jongen blanken lach
  Van ongestild verlangen
Naar wat de dag niet geven kon –
Uw sterren en uw bleeke zon
  Koelden haar heete wangen.

Nog altijd draagt zij geen sieraad
Dat in uw ademtocht beslaat;
  Zij komt tot u getogen
Zoo naakt als toen zij alles dierf,

En de éene schat dien zij verwierf,
  Zijn haar verheerlijkte oogen.

Mijn broeder die mij nooit bedroog,
Wij zien elkander oog in oog –
  De ziel herkent van verre,
Voorgoed in haar bezit gerust,
Gelukkig en gelukbewust,
  Haar oogen in uw sterren!

WINTER-STAD

In het koele gouden bad
Van het fijne winterlicht
Rijst de groote menschenstad
Tot een droomverlucht gezicht:
  Al de gangen, al de zalen
  Waar de ziel in droom mag dwalen.

Boven glansgewasschen pleinen
Waar de stille menschen loopen,
Juichen klokken uit haar open
Torens zuiver door de reine
  Luchten naar verrukten droomer
  Al den hartstocht van zijn zomer...

Hart, wat hielp ons lange zoeken,
Daar wij toch gevonden wòrden?
Al de woorden in de boeken
Zijn als blâren die verdorden
  Voor den onvoorzienen lach
  Van den kortsten zonnedag!

NACHT-STILTE

Stil: wees stil op zilvren voeten
Schrijdt de stilte door den nacht,
Stilte die der goden groeten
Overbrengt naar lage wacht...
Wat niet ziel tot ziel kon spreken
Door der dagen ijl gegons,
Spreekt uit overluchtsche streken,
Klaar als ster in licht zou breken,
Zonder smet van taal of teeken
God in elk van ons.

DAAR IS EEN LIED...

Daar is een lied dat 'k zingen moet –
O de avondzon op 't lentegras! –
Eer de onontkoombre dood voorgoed
Mijn stille lippen vult met asch.

Wel leende ik nachten lang als knaap
Mijn hoofd aan den gesterden wand
Totdat het bloed zong in mijn slaap
Als de echo van een hemelsch land...

Wel droeg ik rijper vreugd en smart
Tot waar aan zoom van zomerzee
Het luide kloppen van mijn hart
Zong met het hart van moeder meê...

Daar blijft een lied dat 'k nog niet zong,
Dat 'k om zijn gouden zekerheid
Heb uitgesteld als een die jong
Uit hoog geluk steeds hooger beidt.

Ik weet dat ik het nergens zing
Dan hier waar ik uw hart hoor slaan
't Lied waarin alle lied verging
En elk ding beidt zijn nieuw bestaan...

Zoo laat mij nog in zaalge wacht:
Het hoogste heil is nimmer ver:
God zendt het in den slaap vannacht,
Ik zing het met de morgenster!

EEN ANDER OUD LIED

Laat nimmer af te vragen
  Uw zoeten bruidegoom:
Wat hij onthoudt bij dage,
  Dat brengt hij in den droom.
  Ook ik ging vroeger arm en blind,
  Een onbewust verloren kind, –
Ik dacht niet eens aan klagen:
Zoo licht leken de dagen!

Toch had ik niet gevonden
  Door minnen en verlangen veel
Aan zijne roode wonden

Mijn klein en eigen deel.
Daar lag ik neder in den nacht –
Hij kwam zoo stil en ongedacht
Of hij mijn ziel behoefde
Nog vóor zij zich bedroefde.

In witte-rozengaarde
Verrees mij zijn gezicht
Als boven zomersche aarde
De maan vroeg-avonds licht.
Als dauw die daalt door dorstig groen,
Als zoele regen door den noen,
Door het doorgeurde loover
Zoo boog hij tot mij over.

Gelijk een droom in droomen
Is van zijn lieflijkheid
Over mijn ziel gekomen
De volle aanwezigheid:
Geen ding is, dat de weelde van
Zoo diep geluk verbeelden kan,
Als waken nooit zal weten
En nimmer kan vergeten.

Hij kuste niet mijne oogen
Of mijnen warmen mond,
Hij heeft mijn hand getogen
Aan zijner handen wond;
Zijn voet beroerde mijnen voet;
De volheid van mijn hartebloed
Sprong, een fontein zoo blijde,
Aan zijn doorstoken zijde.

Gelijk een vrouw in baren
Zoo lag ik roereloos:
Zijn wonden in mij waren
Als doorn en roode roos.
Toen week zijn glanzend aangezicht
Als maan verbleekt in morgenlicht:
Nog rook ik hemels geuren
Toen ik den dag zag kleuren.

De vogels werden luide
Op 't scheemrend aardgezicht.
Als jongste zijner bruiden
Stond ik in 't witte licht –
De zwelling mijner zijde was

Gesloten als een zuivre vaas;
Mijn hand en voet verbleven
Uit blanke sneeuw gedreven.

Laat nimmer af te vragen
Uw zoeten bruidegoom;
Wat hij onthoudt bij dage,
Dat brengt hij in den droom.
O heimelijke heerlijkheid
Van dagen arm en onbenijd,
Die wordt éen zalig smachten
Naar zijn doorzonde nachten!

BIJ EEN DOODE

Lief, ik kan niet om hem weenen
Waar hij stil en eenzaam ligt
In het schoon doorzichtig steenen
Masker van zijn aangezicht
Dat de dingen er om henen
Met zijn bleeke toorts belicht.

Lief, ik kan geen tranen vinden
Als mijn hart hem elders peist,
Waar zijn ziel met de beminde
Sterren van den avond rijst
En ons, dagelijks verblinden,
Hooger wegen wijst.

Naar de heemlen van de lage zoden
Stijg' de gouden offervlam!
Wie kan weenen naar de vroeg vergoden
Die de dood ons halen kwam? –
Tranen, lief, zijn enkel voor de dooden
Die het leven nam.

DAAR RUIMT DE WIND...

Daar ruimt de wind en vaagt de heemlen schoon.
Vanavond nog zult gij verheerlijkt zijn
Wanneer de winden sluimren aan uw troon,
De sterren vlammen in uw baldakijn:

Als tusschen u en uw oneindigheid
De schaduw valt, en in dat klaar gewelf

Uw blank geluk dat god noch mensch benijdt,
Niets ziet weêrspiegeld dan zijn glimlach zelf:

O Ziel die alles wat uw wil bedroeft,
Van voor uw aangezicht hebt weggedaan,
Die alle schoon, zoovaak uw liefde 't hoeft,
Roept met één blik der oogen tot bestaan:

Vanavond nog zult gij verheerlijkt zijn
Wanneer de winden sluimren aan uw troon,
De sterren vlammen in uw baldakijn:
De ruime wind vaagt al de heemlen schoon.

LEEUWERIK

Blijft gij nooit één blanken uchtend,
  Leeuwrik, zingen hier beneên,
Die uw nachtlijk nest ontvluchtend
  Door de zilvren neevlen heen

Vleuglings vindt de gouden wegen
  Waar uw aadmen juichen wordt,
Tot uw zang in vuren regen
  Naar de koele vore stort;

Zingt gij nooit de roode smarten
  Van den duistren aardenacht,
Wordt het bloeden onzer harten
  Wel gestelpt, maar nooit verklacht?...

In het ijle blauw verloren
  Volgt mijn oog niet meer uw vlucht,
Maar uw antwoord dwaast mijn ooren
  Met zijn zaligend gerucht:

Steeds, uit vreugd of smart gerezen,
  Heeft de ziel uw vreugd verstaan,
En tot uwe vreugd genezen,
  Ons gemeen geheim geraên:

Alle smart omhooggedragen
  Meerdert vreugdes gouden schat:
Slechts de vleuglen die ons schragen,
  Zijn van aardes tranen nat.

Uw leed wordt schoon en stil. Daar blijft geen tijd voor wee...
De zomernacht is als een lichte dageraad
Boven den duistren vloed van uw nabije zee
Die alle smetten wischt van wereld's liefde en haat:

Onder de Noordster trekt om naar de morgensteê
Het leger van de zon langs schemergouden straat,
En in den zilvren uchtend boven de Oosterreê
Der duinen stijgt de glorie van het maangelaat...

Hoe kan verloren schoon uw aangezicht bedroeven
Vóordat doods donkre nacht der tranen schaamte dekt,
Als immer schooner schoon uw inniger behoeven
Op sterker vleuglen van vervoering tot zich trekt,

En nieuwe oneindigheden door geen aêm betogen
De diepten spieglen uwer ondoorgrondlijke oogen?

SONNET

Sponsae aeternae

Ik weet dat gij mij nog verschijnen zult,
Zoo zeker als de bloemen wederkomen:
Der dingen doove dek hebt gij genomen,
Het donkre leven dat de steden vult,

Den winterwind die klaagt door dorre boomen,
Ten sluier die uw eeuwgen glimlach hult...
Ik zou gelukkig zijn, als slechts geduld
Den slaap kon vinden om van u te droomen...

Een prins, te vroeg ontwaakt in wintermorgen,
Dwaalt als een vreemde door zijn kille huis
Tusschen de trage slaven die bezorgen
Huns heeren dag met onbeheerd gedruisch, –

Zóo moet ik waken tot gij wederkomt
En u nog eens in menschenaanschijn momt.

TERRA – VALLIS NIMIS AMOENA

Hoe scheidt nog ooit van hier,
Van 't klare zonnevier
De ziel, die wilde zwaan, nooit zat van trekken?

Uit dit haar levend huis
Waar stilte en windgeruisch
Als echo zaalgen zang of zoeter zwijgen wekken?

Haar drift die nergens went,
Die haat al wat zij kent,
En enkel leven wil van wonders verschen honing,
Vindt hier de oneindigheid
Gelijk een tent gebreid,
Verrukking eeuwig nieuw haar alledaagsche woning:

Zij ziet de starren gaan,
De wisselende maan,
Geen schoone nacht is schoonen nacht gelijk te noemen, –
Elk ander dagelicht
Verlucht het aardgezicht
Met nieuwer bloemen oogen, nieuwer oogen bloemen.

Zij groet in 't groene dal,
Gezellen zonder tal,
Als zij gevangen in lijfs schoon-doorzichte leden: –
O teêr geluk dat raadt
Door oogelicht gelaat
Der zustren schooner naaktheid in den schoonen kleede!

Alzijds heur liefde breekt
Den einder en ontsteekt
Lampen alom van zielen die haar wederminnen:
Geen hoek blijft onverlicht
In levens vergezicht,
Der zielen eindeloozen omgang voor Gods tinnen.

O wijde rondedans
Binnen de blauwe schans,
O kussen, spranken vuur in 't scheiden en ontmoeten
Hun melkweg floerst den trans
Van dag en nacht met glans,
En trekt al levens leven mede in zalig moeten!

Hoe komt dan hier vandaan
De ziel, die teedre zwaan,
En windt zich los uit de armen harer groene moeder?
Hoe hoopt haar dorst en waar
Water zoo zoet en klaar?
Waar speurt haar honger kans op eeuwger voeder?

Wat ongekend verschiet
Van hemelsch chrysolieth

Breekt stervende oogen in zoo toomeloos verlangen,
Dat de onontkoombre dood
Haar wordt tot lieven nood
Die dwingt tot afscheid waar het hart wil blijven hangen?

Ik zag er grijs en oud, –
Zij lieten kind en goud,
En vouwden de eenzaamheid van haar verlaten handen.
Ik zag er jong en blij,
Zij traden uit de rei,
Alleen verlangens licht bleef in hare oogen branden.

Ik zag haar allen gaan
Als scheidden zij van waan
Naar heerlijkheid van onvermoede zekerheden;
De schoonsten scheidden 't reedst:
Als uit een huwlijksfeest
De bruid en bruîgom gaat, zoo leken zij te treden...

Hier peilt geen wake of slaap
Zoo ver van aardes kaap
De stille diepten van der heemlen oceanen,
Dat ooit gedachte vond
Den grondeloozen grond
Dier nieuwe zaligheid waarvoor de starren tanen.

Daar is niet een die leeft
En daarvan konde heeft,
Geen stem die daarvan zingt: – al aardes stemmen klagen...
De ziel wil geen bescheid
Buiten haar zekerheid:
Het ondoorgrondlijk wonder dat lijfs oogen zagen:

Ik weet, als ik bewaar
Deze oogen diep en klaar,
Dat niets en nimmermeer hun blijdschap zal bedrukken;
Dat meest verheerlijkt gaat
Die hier het meest verlaat;
Dat vreugde keert tot vreugd, verrukken tot verrukken...

Ik weet, niets haalt van hier,
Van 't zoete zonnevier
De ziel, die rijzge zwaan, in alvergetend moeten,
Dan dat door ijlen dood
Hare oogen 't morgenrood
Van nieuwer liefde oneindgen zonneschijn begroeten!

NACHTELIJK BEZOEK

Uren roereloos vergleden
  Had ik om den slaap gevleid,
Om den droomdoorzonden vrede
  Waar gij nimmer verre zijt:
Uren roereloos vergleden
  Had ik om den slaap gevleid.

Nergens door den wand van 't donker
  Kierde schemer van uw schijn,
En geen ster liet haar geflonker
  Neder in den kuil der mijn:
Nergens door den wand van 't donker
  Kierde schemer van uw schijn.

Toen als parelen geregen
  Tot één melodieuze dracht
Zong het ruischen van den regen
  In den diepen zomernacht:
Droppelen aaneengeregen
  Tot een melodieuze dracht.

In die dauwvervloeide wade
  Zijt gij zelve neêrgedaald:
Blinde glans van uw genade
  Heeft mijn eenzaamheid doorstraald:
In die dauwvervloeide wade
  Zijt gij zelve neêrgedaald.

Violette regenbogen
  Donkerden door 't duister in:
Ziel die ademt door heur oogen,
  Dronk uw dooven luister in:
Violette regenbogen
  Donkerder door 't duister in.

Vingerspitsen streelden luiten
  In der heemlen hoogen grond:
Met de zomerbloemen buiten
  Rees de ziel gedrenkt, gezond:
Vingren streelden verre luiten
  In der heemlen hoogen grond.

Tot, uit ijverzucht gekomen,
  Slaap die nimmer komt uit plicht,
Weg ons nam naar 't land der droomen

In het nachtelooze licht,
En de schaduw is genomen
Van uw zuiver aangezicht.

OOG IN OOG

Iam habetis quod numquam vidistis

Zal ik nooit met onbetogen oogen
Het geluk zien in der dagen licht?
Zaalger tranen teêr verwischte misten
Slui'ren hun verwaasd gezicht...
Lief, toch keek ik zonder schroom in droomen
Door de paarlen poorten in Gods stad,
Minde uit der millioenen blije reien
Klaarderoogen de oogen die 'k aanbad.
Maar als hier in dags azuren uren
Naakt uw ziel ten spiegel stijgt,
Floersen zilte neevlen de oogebogen
Van de ziel die naar u overneigt...
Zal een man met wakkere oogen mogen
God zien vóor zijn aardschen dood? –
Wat onze oogen nog door waden raden,
Is reeds hier der zielen eenig brood!

NOX SERENA

Noctem sideribus inlustrem...
TACITUS

Uit den winddoorruischten dag
Steeg de nacht zoo hoog en stil –
Dus is uw verklaarde wil
Dat ik met u wijlen mag,

Moeder die mij nooit erkent,
Moeder die mij nooit verstoot,
Steeds mijn eenzaamheid uw brood
Door uw blinde boden zendt? –:

Diepe maandoorlichte zee,
Strookt de wereld aan mijn voet;
Met het murmlen van den vloed
Rijst mijn harts verrukking meê

Naar waar 'k boven heemlenver
Teeder naar mij voel gericht

In uw wolkeloos gezicht
Klare dubbele oogester,

Moeder die mij nooit erkent,
Moeder die mij nooit verstoot,
Steeds mijn eenzaamheid uw brood
Door uw blinde boden zendt:

Op mijn oogen en mijn borst
Rust de dunne koele dauw
Van uw schaduwlooze schaûw
En vermeert mijn zaalgen dorst:

Al wat ik begeer of schuw
In den lagen dooven wind,
Alles wat mijn hart verblindt
In zijn dolen ver van u,

Heel der wereld liefde en haat
Heeft uw adem weggewischt
Als een ijlen leêgen mist
Voor de rust van uw gelaat,

Moeder die mij nooit erkent,
Moeder die mij nooit verstoot,
Steeds mijn eenzaamheid uw brood
Door uw blinde boden zendt:

Wat is alle lust en leed
Bij één teug van dezen wijn,
Dit oneindig samenzijn,
Naheid die geen afstand weet?

Al wat mijn verlangen toog –
Moeder, o ik weet het wel! –
Was alleen het wisslend spel
Van den weêrschijn van uw oog,

Dat in goddelijk geduld
Nimmer vraagt en nooit verwijt,
Met verrukking hemelwijd
Onzer oogen afgrond vult...

Alle vast bezit is ver,
Of de ziel 't nabije jaagt
Als de dag den hemel vaagt,
Als de wolk staat voor de ster:

Of de wolk staat voor de ster,
Of de dag den hemel blindt,
Of mijn oog uw oog niet vindt,
Veilig weet ik u en ver,

Moeder die mij nooit erkent,
Moeder die mij nooit verstoot,
Steeds mijn eenzaamheid uw brood
Door uw blinde boden zendt.

OERANIA

De rosse zon hangt voor den purpren kimmedauw.
Het vlotte vlak der zee in strooken bleek satijn
Spiegelt de hooge weelden van smaragden schijn
Waar eenzaam schrijdt Oerania langs den hemelbrauw.

Dit is haar eigen dag, avond en morgen saam
Der uurloos eeuwige getijden van de ziel:
De korte helle wake waarheen samenviel
Wat hopen en herdenken droomt in liefdes naam.

De vlammeroode hartstocht van den zomerdag
Koelt in de zilvren kroes tot honinggouden spijs.
Daar barst de broze vorm van blond doorzichtig ijs –
Over de waatren ruischt uw jonge godelach.

O dieper om alle oogen die ik heb bemind,
O rooder om al lippen die ik heb gekust –
Uw oogen en uw lippen onder de effen rust
Van 't elpen voorhoofd waar de roos zich bloedend windt!

Brandpunt van schoonheids heimlijkheid, opperst Altaar
Waar in éen vlam versmelten toekomst en verleên, –
Uw voeten raken 't wankle opaal der golvetreên,
De hemel is een kolk van aureolen rond uw haar.

Het hooglied van uw bloed, het zingen van uw hart
Vult met muziek den horen der oneindigheid
Inniger dan de leeuwerik den morgen blijdt,
Zoeter dan nachtegaals melodieuze smart...

Wanneer reikt van uw lippen 't morgenhelle rood
Tot mijner lippen donkren eeuwenouden dorst,
En sluit de brand van uwer armen vlammen om mijn borst?...
O in dit leven niet, en nog niet in den dood!

—

Ik peins – mijn hart erkent het niet –
Hoe alle wezen eenzaam is,
Hoe uit bezit en uit gemis
Dezelfde moeheid overschiet,
Die van al wat zij heeft doorkend,
Die van al wat zij heeft begeerd,
Haar grondeloozen glimlach keert
Naar doods onpeilbaar donkren wand...

—

De gouden maan schijnt zich uit,
En de zee heeft geen geheim,
  En de nachtegaal zuit
  Haar hart in geluid
Van kristallen rijm aan rijm.

En de wind spreekt, waar hij gaat,
Met elk zonder onderscheid –
  Maar ik vind geen verlaat
  Voor harts overdaad
Van zwellende zaligheid...

O hart in geluk, dat lijdt
Uw goddelijke waan:
  Eindlijk respijt
  Van nood en strijd,
Als de wereld u mocht verstaan!

Zangzware nachtegaal,
De meinacht is veel te kort,
  En daar is geen taal
  Waar uw zuivre haal
Zijn zoet geheim in stort.

De wereld gaat doof en blind,
En de maan is een doode schijn,
  En elk bezint
  Van zee en wind
Zijn eigen harts refrein.

Het duurt langer dan uw tijd
Eer de wereld u verstaat,
  En niets dan nijd
  En bitterheid
Wint het hart dat zich verraadt:

Dat hier te zingen waagt
Geluk zoo vreemd en schoon,
  Dat zijn lied het niet draagt,
  Maar zwijkt en klaagt
Op zijn gebroken toon.

KERSTLIED

  Gij zijt nog nooit verschenen
Zoo schamel in uw heerlijkheid,
  O Zon die werelds weenen
Met uw onnoozle tranen wijdt –:
  Die kiest den schijn van eenen
Geboorling die naar 't leven schreit.

  Langs winterbleeke straten
Op 't rijzen van den avondwind
  Vergaat uw stem te blaten
Als een die nergens toegang vindt:
  Hoe komt gij dus verlaten,
Een moederloos verstooten kind?

  Wilt gij niet binnenkomen
Nog vóor den donkren nachteval?...
  Uw plek is ingenomen
In uwen armelijken stal –
  Maar hier is onderkomen
Waar grage zorg u plegen zal.

  Hier binnen dichte wanden
Is alles voor uw komst bereid:
  De gele lampen branden,
Het bed staat warm en wit gespreid –
  De huizen van ellende
Zijn overvol voor de' eersten tijd.

  De bleeke dooden hebben
Hun loome ligplaats overal;
  In al de ruwe grebben
Van veld en bosch, van berg en dal,
  In hun verkleumde krebben
Slapen zij zonder naam of tal.

  Geen windslen kunnen stelpen
Den stroom van 't jonge roode bloed...
  Wie reikt tot hongers stulpen
Het karig brood dat 't leven voedt?...

Kom gij en laat u helpen
Met onzen onnutte' overvloed...

Gij klaagt als een verloren
Ver in den ijlen schellen wind...
Gij zult niet naar ons hooren
Gelijk een eigenzinnig kind
Dat niet meer als tevoren
Vertroeteld zijn wil en bemind...

De zon gaat op en onder
En schijnt onze oogen droef noch blij,
En nooit vertraagt de donder
Die roept den ijdlen dood nabij –
En hemels lichte wonder
Gaat ons aan ledig hart voorbij.

Gij zijt nog nooit verschenen
Zoo stralend in uw schamelheid.
O Zon die werelds weenen
Met uw onnoozle tranen wijdt –:
Die kiest den schijn van eenen
Geboorling die naar 't leven schreit.

LIEDJE VAN DE STRAAT

Hoe kom ik weg van leed en lust?
Hoe vind ik één uur aan uw kust,
Vergetelheid, slaapdiepe rust?

Ik weet, mijn bed blijft daar bereid...
O om 't vertrouwde pad dat leidt
Weg uit den ban van ruimte en tijd

En wake zonder doel of baat,
Poolzon die nimmer ondergaat,
Lichtwijn die in zichzelf verslaat, –

Terwijl de onafgeloste geest
In 't eindloos boek der sterren leest
Om heul die buiten slaap geneest,

En in zijn diepen nood gepeeld,
In aandacht goddelijk verveeld
Om steeds gewaagder inzet speelt...

Dan hoor ik wel, gebarsten gong,
Slaaps wijsje zooals moeder 't zong
Vlak vóor den diepen blinden sprong:

Nog gaat het valsch met leemte aan leemt;
Maar 't klinkt niet langer schril en vreemd
Als straks de dood het overneemt.

DOMBURGSCH UITZICHT

Opeens, met één blik te overbruggen, valt verslonken
De straklazuren Roompot tot een kronkelkreek
Voor 't land van Schouwen als verheerlijkt opgeblonken
En stralend aangedreven uit zijn nevelstreek:

De witte stranden en de breede berg der duinen
Met in zijn laatste plooi het kleine dorp bekneld,
De hoeven loofgepluimd binnen haar akkertuinen,
En verre bezigheid van volk en vee in 't veld.

De vuren bal der zon, al losser en al bleeker,
Zinkt naar den zuivren zeeplas zonder avondrood;
En op uw komst gerust en van onze afspraak zeker,
Beheerscht de heldre geest zijn leven en zijn dood.

Gastvaardig open staan de stille wereldwijken
Voor dit verlangen dat nog nergens woning zocht.
Uw stem en glimlach mag mij overal bereiken
Als zonneschijn en wind op de' ongemoeiden tocht.

O korte kussen met voor gisteren en morgen
En voor- en achterland Gods grondlooze eenzaamheid,
Zoetste verlorenheid waarin wij zijn geborgen,
Steeds uit onszelf gered en tot elkaêr bereid.

HOLLANDSCHE KWATRIJNEN

III

Dees wereldgolf van duister en van licht
Vloedt door alle eeuwen op één kust gericht.
Ik hoor bij dag en nacht de verre brekers.
Maar nooit of nergens komt er land in zicht.

XII

Wat wilt ge oplossen? Wat verklaren? Konde er
Leven bestaan buiten dit hachlijk wonder,
Dit steeds vernieuwd en nooit vervuld gemis
Van dan met God te zijn en dan weêr zonder?

XXVII

Red nog uit de' opdrang van hun kuddedruk
Die 't wil verminken tot hun laf geluk,
Dit hart, een korten tijd Uw liefste speelgoed:
Berg het in Uw genade, of stamp het stuk!

XXX

De ruchtige belijders van een naam
Zijn grif ook tot verloochenen bekwaam.
Die 't onuitspreeklijke niet leert verzwijgen,
Verslingert tusschen ijdel woordgekraam.

XXXIV

Laat nog, al heb ik niets met hen gemeen,
Ditzelfde masker mij van iedereen:
Hoe zou mijn naaktheid onze liefde redden
Voor valsche aanhaligheid en eersten steen?

XXXV

Geen hart zoo wreed in werelds angst versleurd,
Door lust gebrandmerkt en door leed gekeurd,
Of 't onderkent Uw schaarsche en korte komen
Voor 't éene en eiglijke dat ons gebeurt.

LV

Dit tijdlijke waaraan ik mij verspil,
Neemt steeds den schijn aan of het blijven wil.
Wat eeuwig is en onveranderd weêrkeert,
Beleefde ik nooit dan als Uw speelschen gril.

LXVII

In onverstand hebben we U eens bezeten;
Wij waren rijk en hebben 't niet geweten.
Zooals een kind dat eens een moeder had,
Kunnen we U enkel met onszelf vergeten.

LXXV

Vergeef, vergeet wat ooit mijn lippen morden.
Stel op den reddeloozen boedel orde.

Als wie een ouden minnebrief verscheurt,
Laat alles tusschen ons weêr stilte worden.

LXXXI

Om 't even of Gij mij of andren stuurt
De kleine blijken dat Gij zijt en duurt:
Een kind aan zee geboren en getogen
Houdt vreê zoolang 't zijn zee voelt in de buurt.

LXXXVII

Gij laat mij nimmer in den steek: Uw groeten
Brengen de duizenden die mij gemoeten:
Zij weten zelf niet van hun boodschap af,
Maar woordlijk dragen ze over wat zij moeten.

LXXXXIII

Al armer en berooider wordt de schijn
Van die voorgoed in U verzekerd zijn:
Waar niemand buiten kan om meê te nemen,
Is licht te pakken en van omvang klein.

VERDOOLD

Wij staan (dank God, tezamen!) verdoold in 't labyrinth...
De schuld blijft onuitwijsbaar. Maar ik was 't oudre kind,

Dat wist van weg en boodschap het redelijkst bescheid,
En iedre uitvlucht verwijst mij naar 't eender zelfverwijt...

De grauwe wereld laaide de heemlen in plamuur.
Geen zon valt te bekennen. Ik vind noch ster noch stuur...

Daar blijft één uitweg over: het rechte pad waarlangs
Uw jonge roekeloosheid buiten al luk en kans

Mij onverbidlijk uitvond, en sloeg in zwartsten nood
Het eenig eeuwig uitzicht op leven en op dood...

Reik van uw warme lippen den kus waarop een man
In onbenard vertrouwen zich overgeven kan...

Ik mag niet meêbedenken. Met mededoogen bind
Mijn oudverschemerde oogen voor elke afleiding blind...

En doof (of laat mij dooven!) het goddelijke licht
Dat door den dichtsten blinddoek te zekerder zich richt...

Nog voeren onze voeten – o bovenaardsch devies! –
Hun luchtelijke schaatsen van aangeboren skies!

Hier is de richting alles, en open ligt de baan...
En waar wij ook belanden, wij komen samen aan!

SONNET

Ontmanteld met het donkerend getij,
Tot op het hart, tot op de ziel ontbloot,
Staan eerlijk ongeschonden, eenzaam groot
Wij winterboomen in ons star gewei...

Naar onze bloei de hemelen beschoot,
Wortelden dieper wij door zand en klei:
De haast der wereld schimt aan ons voorbij,
Die onbekommerd wachten lente of dood...

Nog houdt onze eerste lente en al haar droomen
Ons stille binnenleven ingenomen...
  Dan breekt de oneindigheid in lichternis...

Verheerlijkt slaan wij de oogen open in de
Doorzichte alziendheid van de zalig-blinden
  Wien nog op aarde God verschenen is.

SONNET

Wanneer gij thuiskeert, als gij zeker zult,
Kom niet te vroeg, niet vóor is afgedaan
De lange slommer van dit weekbestaan
In touw van zijn geduldig ongeduld.

Ik zie de late hemelen al staan
Gewasschen van verdriet, en spijt, en schuld,
En eenig met het hooge spel vervuld
Van nazon, avondster en nieuwe maan.

Tot dan is alle saamzijn maar ten halve:
Het leêg gerucht verleugent ieder woord,
En lang vervalscht is tot Gods wijn en brood...

Nog zullen wij twee-éen zijn ongestoord,
En hebben heel den avond aan onszelven,
Den nacht, den langen rustdag van den dood.

SONNET

Nu er geen plaats bleek voor uw oud karkas
In den gemeenen kuil waar ligt verbloed
Uw stout jong Holland, dat gij saam voorgoed
Opgingt in heuvlen welig lentegras –

Zit neêr, en overleef, en vind den moed
Door uwer oogen duistrend vensterglas
Uit te zien op den onverweerbren was
Van alles wat gij nog beleven moet,

Sterk eerlijk hart, dat, onbeschreven boek,
Uw warme bladen trouw hieldt toegewijd
Aan wat *gij* mocht afleven van den tijd...

Toch, niets en niemand haalt u uit uw hoek,
Of God moest u nog plagen met den vloek
Van alvermogen en alwetendheid!

SONNET

Weêr spreidt de nieuwe sneeuwval zijn damasten
Wit ammelaken in de wijde zaal;
Dan straalt de zonnelamp in winterpraal...
En nimmer volgt de tijd van toe te tasten.

De vogels als vanzelf genoode gasten,
De meeuwen in den schoonen ommehaal
Van wijdende en verengende spiraal
Begrijpen niets van deze koude vasten...

Keert naar uw leêge nest, wanneer gij 't haalt,
Om in den kristallijnen nacht te sterven.
Geen afstel schaft dit doelloos hongerzwerven.

De haard van 't leven zelf krimpt almaar doover.
De laatste simpele bereekning faalt:
De arme, die altoos deelt, heeft niets meer over.

EENZELVIG LIEDJE

Ons lange samenspraak
Die plotsling is verstomd –

Haar ver onweêr nog gromt
Bij stilste nachtewaak –

Was ze enkel aanbegin
Voor 't aangezichtloos spel
Van deze afweezge cel,
Dat viel onmiddlijk in?...

Gelijk de onhoorbre gang
Van nooit verstilde klok
Opeens door lach en jok
Zich heenslaat luid en lang,

Gaat op dit nieuw accoord –
Wie merkte iets van verlet? –
De zet en tegenzet
Van vraag en antwoord voort...

En 'k lijk een eenzaam man
Die langs de wereld gaat
En in zichzelven praat
God weet waarvan.

ANDRIES DE HOGHE

DERTIGSTE STROFE

Naamloos en ongekend,
niet meer dan eener vrouwe zoon,
zoo moge ik slapen ergens in den schoot der aarde,
naakt in het ragge purper dezer liedren,
de flarden van 't scharlaken kleed der schande,
dat nooddruft heeft aanvaard, geluk niet afgeleid:

zoo laat mij bij u zijn herdacht,
geslaafde knechten, in dees wreeden krijg
die leven heet,
gezweept door den almachtgen nuk
van onverbiddlijken onzichtbaren tyran:

zoo laat mij zijn herdacht,
een kind, een knaap die voor uw oogen viel,
voor wiens verbleekten glimlach uwe handen,
ontroerd van onbegrepen eerbied,
dolven een haastig en verloren graf.

Ik weet, als ik zal liggen in den dood,
gebonden in zijn eerste roerloosheid,
dan zult *gij* rijzen in uw lichtst gezag
gelijk de nieuwvervulde zomermaan
in 't Oosten opvaart vóor de dag verglimt.
En iedere andere aanspraak en verband,
al wat den schijn van vaste sterren won
aan onzen aardschen hemel, deinst terug
binnen den wijden opgedrongen ring
waarin de wereld-en-haar-kindren stuwt
vrees, afgunst, haat, verhuicheld zelfbehoud,
tot gaaf verbijsterde aandacht overstomd
rond de eenzaamheid en d'ongenaakbren nood
van die langs treden van geluk en leed
uitstijgen naar den opperst schoonen stand
van nooit meer te vergeten sterflijkheid
en eeuwgen naroem. Op mijn wrangen mond
zullen uw warme lippen zegelen
onze afspraak die dit leven overduurt
naar alle kanten als Gods kiemend wonder
breekt uit zijn tijdlijke verduisterdheid.
Dan voor uw oog zal mijn geloste ziel
verschieten haar rechtstreeksche helle baan
naar waar zij in de oneindigheid ontvlamt
de nieuwe vaste-lamp van haar geduld.
En voor het blinde hart dat ziet en weet,
ligt heel de duur en de afstand die ons scheidt,
als éene vaste schrede, één ademtocht...
Zoo kuste Konradijn den dooden mond
van Frederik van Baden.

J. K. RENSBURG

TREURIG, TREURIG

Regen, regen klettert strak
Op drie moesmé's, klein van voetjes
Trippend vlug op hooge klak
Wind heft van de arme bloedjes
De kimono, di nu vlak
Langs hun beenen spant, behoedjes
Huiv'ren zij bijeen in 't dak
Van hun parasols. Hun snoetjes
Nijgen saam, Ach, d'ogenlichtjes

Staan zo droef in de gezichtjes,
Nu ze' als vlinders, die verschuilen
Voor een stortvloed, druilen, pruilen.
Dribb'lend schuw langs stratenvlak
Schud het drital: klak, klak, klak.

EDMOND VAN OFFEL

LOFZANG

Ik heb mijn groot schoon Lief zoo lief
Met al mijn jonge krachten,
Met heel mijn wil, met heel de pracht
van 't schoonst mijner gedachten.

Ik heb mijn Lief zoo innig lief
Met heel mijn ernstig leven;
Zij woont gekroond van al mijn hoop
In 't duurbaarst van mijn streven.

Mijn teerheid is ze spelend kind,
En moeder voor mijn lijden;
Mijn peinzen is ze een zuster zoet,
En vrouw voor mijn verblijden.

Alwaar ze gaat, ze draagt mijn hart
In hare klare kleeren;
Alwaar zij aâmt, ze leeft in 't licht
Van eindloos mijn begeeren.

En 't bouwen, dat mijn handen doen,
Wil als mijn Liefde wezen,
Een praalpaleis van puurte en macht
Om mijn schoon Lief gerezen.

Ik heb mijn groot schoon Lief zoo lief
Met vroom mijn zieleleven;
Het diepste, 't schoonste van in mij
'k Heb alles haar gegeven.

MARIA VIOLA

SANCTA CAECILIA

Caecilia, wier luit den lof
Zong van 't gezegend hemelsch hof,

Is op den klank van stem en snaren
Ten open hemel in gevaren;
En vleit daar met muziekgerucht
Een wit-gewiekte Eng'lenvlucht
Te volgen waar haar zuiv're voeten
De heerlijkheid des Lams ontmoeten.

O maged, leid ons met uw stem
Naar 't luisterrijk Jerusalem,
Waar in Zijn zonne-lichte zalen
De Heiland heerscht, die wilde dalen
Voor ons in 't duister Bethlehem.

M. Viola

AUGUST VERMEYLEN

EEN MORGEN

Nu zijn de tijden rijp, dat zonne perelt
op elk grasbladje, en 't uitgespreid gelach
mijn oogen doopt en mijn gedachten wijdt.
Hoog staan de boomen in de jeugd der wereld
als heiligen, en heel deze eeuw'ge dag
is licht en wit, vol suiz'len wijd en zijd;
ik hoor het sap in al de planten zwellen,
en hoe, met stillen wil, de schepping groeit.

O Wonder Leven, gansch opengebloeid
rond mijn blij hoofd, dat staat in heel uw helle
wisslen gewentel, levenswil die zijt
vermeestrend en verreinend steeds uzelf,
vlam die vernielt, liefde die schept! o welle
thans uit ons borsten door de vreugd bevrijd
't hooglied omhoog onzer verwonderingen,
om 't licht Mirakel van al 't zijn te zingen,
't Geheim dat ook, in 't diepste van ons zelf,
óns vlam is, één met ál rythmen der dingen.
Thans wilde ik dat mijn lied zich hoog kon bogen
boven de menschen-rust als een gewelf;
thans wilde ik dat mijn woorden hemelbogen
van zaligheid over de wereld spanden.

Niet hij die schroomt in 't twijfelziek geweten,
maar slechts wie stérk verlangend op kan branden
en in verscheppende Al-Vreugd zich vergeten,
zal ik belijden, zegenrijken Bode
der Kunst die 'k over mijn bloedwarme landen

soms op te bouwen droom met dees' mijn handen,
de oogen gekeerd naar de onbekende Goden.

—

'k Ben als een land dat strekt in middagzon
Onmeetbaar liggende akkersvlakte en deining
Van woud en duin, tot waar de horizon
Vergaat in 't licht van eigene verreining.
En 't evenwicht der wereld koelt den gloed
Van mijn verzwarend vleesch en broeiend bloed
Tot eindloos aarderust en deining
Van krachten die geen menschhand overwon.

In stralenspel leeft met de jaargetijden
Mijn ademing, zwaar van den geur der aard'
En uit mijn borst gevloeid gaat blinkend glijden
Door 't lage land der stroomen trage vaart.
Mijn ziel beweegt in ademing en vloeden,
En groeit in 't menschdom, dat toch niets vermoeden
Zal van mijn ziel, onwankelbaar als de aard,
En breeder dan zijn lijden en verblijden.

Doch hooger dan mijn zelfgeruste vreê,
En dan mijn lichtdoorgloorde dampen zweven
– Herin'ring van welk diepvergeten wee,
Of voorgevoel van onbegrijplijk leven,
Waaruit mijne eeuwige vastheid is ontstaan,
In wiens geheim ik weder wou vergaan, –
Voel 'k over mij de reis der wolken zweven
Der groote wolken komend van de zee.

KAREL DE VISSCHER

MISANTHROPIE

Menschen zijn leelijk, met hun lijf mismaakt
Door 't zwoegen, 't droevig kleed en de eeuw'ge ziekten;
Hun geest is laf, of zij voor 't leven schrikten,
't Ondoofbare, dat rond uw schijn-zijn waakt,

Verkracht smartvleesch, dat nooit de banden braakt
Waarin u wevers van den dood verstrikten
Uit duistren nacht! Vleeschoogen die uw blik ten
Hemel nooit hieft, en maar wat stoflijks raakt!

Uw beendren zijn verkankerd door de zonde;
'k Zou, als 'k uw bleeke mom afscheuren konde,
'n Beestmuil zien grijnzen. Dóód zijt gij; gesmoord,

Dóód is uw vlam. Rondtastend draait ge, als beesten
Verplet ge elkaar, te zoeken naar één Woord,
Dat lang vergeten is uit menschengeesten.

JULIUS DE BOER

HET LICHT DER AVONDZON

Het licht der avondzon wordt fijn geweven
Op blad en tak waar 't gutsend langs de stammen,
Die mos en braam en klimveil vast omklammen,
Kleurt gulden gansch den boschrand, hoog verheven.

O, ginds op 't koorn als vele roode vlammen
In 't late licht der zon klaprozen beven,
Tot waar aan schemerende hemeldammen
Langs fulpen wouden blauwe nevels zweven.

De roode zon in telkens sneller dalen
Wordt groot en grooter, – tot ze in gruis van stralen
Voor 't laatst nog volschoon brandt, de glansen stroomen
Op 't wijde land tot aan de verste zoomen...

Dan wordt het nacht en wat nog om mocht dwalen
Langs woud en veld en horizont zijn droomen...

VICTOR DE MEYERE

Als, vóor den nacht, bij 't vallen van den avend,
een weinig goud op verre kimmen ligt,
zie 'k soms – mijn ziel aan oude droomen lavend –
in schemering uw droomend aangezicht,

zooals een oude prent waar 't stille, zachte
geadem van den tijd vervagend overging,
vervagend staâg de licht- en schaduwprachten
tot er een waas van vreemd mysterie overhing;

en droomen van mijn oog verlangend glijden
naar u en gij, gij blikt mij smeekend aan

om dan, met stillen glans, in 't alme wijde,
vol eindeloozen weemoed weg te gaan...

DE JONGE STROOM

De jonge stroom gaat fier voorbij!
Van boord tot boord gespannen, lei
hij reeds zijn blauw-doorschenen
en goud-doorglanst moireën lint...
Ginds heeft de verte een waze tint...
de stroom, hij loopt er henen!

En heel het land loopt met hem mee,
met vlakte en beemd én dorp en stee,
al-heerlijk weergespiegeld
in 't water dat in hoog-tij gaat,
al schuimend op den oever slaat
en hooger, hooger wiegelt!

O Stroom, o ziel van 't Brabantsch land,
hoe schoon weerkaatst gij te allen kant
het landschap in uw golven,
hier 't rotig broek, dààr 't polderland,
geschord, omdijkt door menschenhand
en uit u opgedolven!

O Stroom, het is zoo lang nog niet
dat door het spichtig oeverriet
uw water, hoog-geklommen,
met elke tij, het land afliep
en, als een zee, zoo wijd en diep,
uw vlakte was alomme.

Maar 't water werd er overmand
en 't is nu beemd en weideland,
waar 't water was voordezen.
En zoo, gelijk 't reeds meermaals was,
zal broek en beemd en weide ras
een bloemengaarde wezen.

En verder nog, aan de overzij,
wordt, uren wijd, de kille klei
verwerkt met duizend handen,
gemaald, gekneed en weergekneed,
gevormd, gegamd en vurig-heet
tot rooden steen gebakken.

't Is er een symfonie van rood,
bewasemd door een blauwen smook,
    die verre voort blijft zweven,
zoover men ziet; hij doet den schijn
van 't rood in 't water stiller zijn
    en legt er stiller leven.

Dat alles als mijn eigen is,
het oorbeeld, het gelijkenis
    van wat mij heeft geschonken
dit land aan goede, stoere kracht
en weeldrig bloed, door al de pracht
    die er mijn oogen dronken!

O Stroom, ik leefde, langen tijd,
de schoone, teere majesteit
    van uw naiefste dingen;
en 't koningschap van laatren tijd
doet mij nog al uw heerlijkheid
    met rijper tonen zingen.

De jonge stroom loopt manlijk voort,
strikt en omstrikt, van boord tot boord,
    zoo ver! zijn blauw-doorschenen
en goud-doorglanst moireeën lint...
Ginds heeft de verte een waze tint...
    de stroom, hij loopt er henen!

JOANNES REDDINGIUS

Hei met de wolken zoo wit
drijvend zoo rein in den hoogen,
'k ga rustig van hart en van oogen
en bid.

Heuvlen, die liggen in rij,
ver, ver, als goud-gele banken,
als duinen, ik weet nu weer klanken
nabij.

Dag zoo wijd-wijd en zoo licht,
gij gaaft het nimmer-verwachte
teer-blonde, hoog-open en zachte
gezicht.

—

J. Reddingius

Mijn lieveken open je deurken en lach
en zend tot de zon je gebed,
en een vaas met een gele mimosatak
fijn-blij voor je vensterken zet.

Die zie ik van ver als ik zingende kom
al over de heide gegaan,
die zijn lijden vergeet en zichzelf niet meer weet,
nu een lente van liefde ving aan.

Zoo wijd is de heide en de berken zoo fijn,
ze blinken in 't goudene licht,
en licht is mijn hart in den licht-blijen dag,
en licht is je lieve gezicht.

—

Hoog boven de' akker
de sterren staan,
mijn geest is wakker,
mijn voeten gaan.

Een boomgroep grillig
in duisternis,
wacht, wacht gewillig
wat komend is.

Al nachte-donker,
ik loop erin,
het stargeflonker
brengt droom-begin.

Het is een zweven
het is een rust,
geweten leven,
leed-onbewust.

Na smartlijk wanen
beveiliging:
een half-verstane
ziels-heiliging.

WIE HEEFT DE KLOK GELUID?

Wie heeft de klok geluid,
wachter in 't heidekruid,

woei door de najaarslucht,
zingend gerucht?

Fluistren de blaren nog, —
zeg het mij, zeg het toch,
woei hier muziek voorbij,
eindeloos vrij?

Zong hier een stem tot ons,
diep uit het klokkenbrons,
heb ik het goed gehoord,
klonk hier een woord?

Diep in mijn wezen leeft
liefde, die liefde geeft,
wie riep mij welkom hier,
heide vol zonnevier?

Wie heeft de klok geluid,
wachter in 't heidekruid,
zeg mij, ik weifel nog,
zeg het mij toch!

JULES SCHÜRMANN

VAARWEL

Het schrijnendst afscheid is niet als men gaat
Ver van de Liefste en de vertrouwde vrinden
Wanneer men mag gelooven wêer te vinden
De lieven, die men, zij 't voor lang, verlaat.

Wel valt 't ons zwaar, als 't uur tot scheiden slaat,
Iets scheurt in ons bij 't zien der welbeminden
Wel zullen tranen dan onze oogen blinden,
Om Eene die om ons te weenen staat.

Maar bitterst is 't vaarwel, niet uitgesproken
Doch diep doorvoeld in heel bange eenzaamheid,
't Vaarwel waarbij ons heele wezen schreit
Omdat iets heiligs in ons werd gebroken
Door wie ons lief was en wij in twee oogen
Voortaan niets vinden zouden dan een logen.

ALBERT PLASSCHAERT

VLAGGELIED

Er woei geen schoonre dan mijn purpren vlag:
schâuw-doorschoten,
wind-doortuit,
hing ze wijd op voller winde-stooten –

en in 't Zuiden dreef ze een zacht getier
van den mast; een vonkend vier
hare golven;
donkert heeft die nooit bedolven –

Tot gij kwaamt. –
                    Uw klare escadres
– uwe lach –
praaiden; roepers koop'ren riepen
– uwe stem –
zoet ging goud geschut te dond'ren
– uwe macht –
en matrozen vielen zingend
met de riemen,
water klonk –
'k boog mij waar gij stondt
op mijn dek,
mijn bevelen dwongen:
van bezaan
stralen, sinds gij kwaamt,
purpren en uw gouden-roode
saam.

JEANNE REYNEKE VAN STUWE

NAZOMER

Hooge boomen toonen 't roode loover,
  Toomloos vroolijk zich onttooiend,
  Sprookjes-schoonheid rond zich strooiend,
Ros en goud en donker-brons getoover.

  Zorgeloos heur mooi vergooiend,
Zonder schromen voor den boozen roover
Najaarsstorm, die duldt geen tooi, hoe poover...
  Sterven, zóó door dood vermooiend,

Dat wel allen dùs hun dood verkozen:
  Hooger dan in leven blozend,
Even slechts van 't vroolijk spel verpoozen,

  En coquet met zefier koozend,
Als met vlinders vlug stoeit roode rooze...
  Vluchtig, onbewust verbroozend...

J. Reyneke van Stuwe

SEERP ANEMA

WINTERNACHT

De blanke bel der Januarimaan
stoot tegen hardgevrozen duinenflanken
en stort heur zilverschat van klare klanken,
die zingend naar onzichtbre kimmen gaan.

En waar des winters hooge harpen staan,
daar zweven, sluierijl en snel als hinden,
de koude, hartstochtlooze noordewinden
en raken schel de gouden snaren aan.

Hoe zingt de nacht; — God wandelt over 't duin...

LODE ONTROP

DEEMSTERING

Heur oogen hebben de avond voorbereid, –
heur oogen, starende met weiflend schromen
hoe tot der sterren schitt'ring opgenomen
de avond rijst vol gepeins en eenzaamheid.

Heur oogen hebben de avond voorbereid. –
En van een lang verlangen weêrgekomen,
plooit, als bezwijkend onder kalme droomen,
heur zacht gelaat tot rust van eeuwigheid.

Verlaten is de dag nu en vergeten
het woelig leven, en geen oogen meten
den diepen nacht, waartoe dees' avond leidt.

Alleen heur blikken turend henenvaren,
en eindloos verre steeds heur oogen staren
als twee gedachten, éénen dood gewijd.

F. V. TOUSSAINT VAN BOELAERE

'T FLUITSPELEND GERAAMTE

Het waadloos Rif, preusch op een paal zijns weegs gezeten,
Wijl 't leêg gelaat noch vreugd noch zichtbaar leed beduidt,
Op eigen scheenbeen stug een wiss'lend deuntje fluit,
Tweetonig als alleen daimoon of sater weten.

Waar voorheen hartstocht joeg is nu de borst een keten
Die hart omvaamt noch iets dat leeft door een geluid,
Wijl de ademhaal, die keelgang spant noch kaken, uit
Welke ongeweten diepte stijgt, vrij, ongemeten.

Want staag de twee-deun klinkt... Hoor, 't hinkt en huppelt loos.
Doch éer ge denken zult „'t Is vreugd", een andre voos
Rustvol pijpt aan en klaagt en weeklaagt radeloos.

Vraagt gij, o vrouw, 't geraamt: „Waarom dit spel?" – Ik niet:
Hij minde, en Zweeg... Welk zeer en doover trots 't bediedt,
't Rif U – en mij? – thans meldt, op het gewikste riet.

—

Evenwijdig om den stam
der breedgekruinde eiken,
dood liggen de blaren thoop
die, duizendvoud van kleur,
één gouden tapijt gelijken.

Uit dien droom van gouden dood,
de eeuwige stam gestegen,
sterk en stom, door naakten tak
verkondt de droefenis
ongezien door hem gedregen.

Zóó ik, staande voetvast in
den dooden grond van gouden
liefde; zóó ik, stil en sterk
te moede; zóó ik, droef
slechts in 't Woord, niet weêr te houden...

—

Ik zei: 'k ben vreemdling, doch je krijgt een witte mantilje.
Ze zei: mijn schat, hoe lang vertoeft je nog in de stad?
Ik zei: mijn hart, tot versleten is je witte mantilje!
Ze zei: zóó kort? Want een ander kleed heb 'k niet op mijn bed.

F. V. Toussaint van Boelaere

WITTE rozen, in teergroene pulle,
ter tafel, waar oude boeken rusten,
verslensen eenzaam in dit late uur –
Zóó mijn dagen die niet keeren zullen,
vocht' ge lippen die mijn lippen kusten –
en 't naad'rend einde van mijn avontuur.

JAN EELEN

O zo te staan in 't wijde morgenlicht
en horen plots, van ver, uw helle lach
en uw heel schoon gebaar ontwaren
in zonne-dag.

Het leven zingt. – En duizend stemmen stijgen
de luchten door.
'k Verga in licht. – Mijn wekë ogleê zijgen
in al dien gloor.

IS. P. DE VOOYS

VOER nu, o tijd, omhoog mijn zwakke kracht
om ver maar licht 't beloofde land te aanschouwen;
mij zal de schoone aanblik niet berouwen,
zoo die aan mij nooit vredig leven bracht.

Want ik voel toch dit volle toevertrouwen:
dat krijgt mijn volk, waarnaar het moedig tracht;
ben ik voor zwaren strijd te zwak, te zacht,
zoo geef mij vreugd toekomst van ver te ontvouwen.

Zorg is mijn dag, vaak zonder rust mijn nacht;
mijn kind'ren zullen sterker zijn en blijder,
om wat ik zorg'lijk, droef om strijd, verwacht.

Toch wordt de wereld om mij wijd en wijder,
en kan ik zien open gelaat, dat lacht,
in stroef gezicht van tegenwoordig strijder.

OMER KAREL DE LAEY

DE BEDELAAR

Vóór de kerke, met 'n langen
paternoster in z'n hand,
is 'n blinde bedelaar ge-
zeten, op 'n hoopje zand.

Z'n gekrulde grijze lokken
vlotten, lijk gezwingeld vlas,
uit z'n mutse neder op den
krage van z'n winterjas.

Langs hem ligt 'n waterhond te
slapen, die, van tijd tot tijd,
wakker schiet, en met z'n witte
tanden naar de vlooien bijt.

De oogen van den blinde, in hunne
diepe holten, hangen stil
en verdoofd, gelijk de glazen
van 'n natbedoomden bril.

Halve dagen blijft hij daar, gezeten lijk 'n wassen beeld,
en hij luistert naar den wind, die
met z'n grijze lokken speelt.

En de Winter, die de koude
grimmig uit het Oosten zendt,
rimpelt 't grauwe vel van z'n ver-
droogden kop, lijk perkament.

CAESAR GEZELLE

LUCIS ANTE TERMINUM

De stille lucht hangt weêr
  het wijde Westen rood,
en stervend zwijgt de dag
  al zijn geruchten dood.
't Wordt ruim en eenzaam, en
  de reken boomen staan
heel ver, met lichten mist
  en stilligheid omdaan.

In zware ruste alom
   de hoeven lijnen hard
op al dat avondrood
   hun' groote plekken zwart;
gehurkt zoo zitten ze in
   hun wijde velden neêr
en 't deinend koren wiegt
   ze in slape weg en wêer.

Het dorp rust. En het volk
   ligt vóór zijne open' deur
en âamt met de avondlucht
   den veien zomergeur;
men babbelt stil, terwijl
   de kinders in het zand
schoon' hofjes bouwen en
   wêer breken overhand.

De zonne is weg, alom
   de wijde lucht ontrood;
de schemer doffelt 't licht
   in zijnen grauwen schoot,
en geen geruchte meer
   de aanstaande nachte bedriegt,
als 't zingen van een' vrouw
   die nog haar kinders wiegt.

RICHARD DE CNEUDT

HOORT GIJ DAT LIED

Hoort gij dat lied der avondklokken zuchten
en heimlijk gaan over de donkre boomen?
't Zijn dag en licht, die nacht en duister vluchten
en in het lied der klokken sterven komen;

verlangens, die den smaad der menschen duchten,
verborgen glans van teedre dichterdroomen,
staamlend gebed van simpelen en vromen –
âl aardsche klachten, die ten hemel vluchten.

Eenzame droomer, statige oude toren,
wekker der eeuwen, in hun trots bevangen,
trooster der doolaards, in hun leed verloren,

toevlucht voor aardsch en onvervuld verlangen, –
neem ook mijn ziel, geboeid in zorg en smarten,
bevrijdend mee naar de eindelooze verten.

LANGS KILLE VAART

Langs kille vaart staan slanke populieren
in rustloos drijven van bewogen luchten.
'k Hoor boven mij zwiepende takken zuchten,
winden verwoed door hooge kruinen gieren.

Bruinroode blaren zwaaien neer en zwieren,
stijgen en dalen, drijven even, vluchten
voor winden, die met wilde stormgeruchten
in donkren herfst hun woeste driften vieren,

dwarlen om 't hoofd van de verdwaalde droomers,
wekken wat heimwee van gestorven zomers,
stamelen, even, nog een oud verhaal,

en gaan, saam met den droeven, grijzen regen,
zijn lied van weemoed klagend allerwegen,
vergeten sterven in het diep kanaal.

P. H. VAN MOERKERKEN

LONDON-BRIDGE

Een oceaan van licht dreef boven Londen...
Daar daalde uit gouden lucht een stralenval
Op torens en paleizen, diep verzwonden
Onder de welving van Gods wereldhal.

De machtge Theems lag koninklijk gewonden
Met sparkelende golven langs den wal;
Maar op de bogen die zijne oevers bonden
Stuwde andre stroom zich voort met doffer schal.

Daar gaan zij allen, bedelaars en rijken,
IJlend naar oost en west, naar zuid en noord!
Maar op wat prooi hun koorts'ge blikken strijken?
Wat droom, wat demon heeft hun rust versmoord?

O spot des Doods! eens zijn 't toch allen lijken
En andren ijlen op hun schreden voort.

RENÉ DE CLERCQ

MIJN KLEEN, KLEEN DOCHTERKE

Gelijk een daske zijt ge dik,
gelijk een kwartelke van kwik,
gelijk een moorke soms zoo zwart,
mijn kleen, kleen dochterke, mijn hart!

Maar nu gewasschen je daar zit,
daar is geen engelke zoo wit,
daar is geen lammeke zoo zoet,
mijn kleen, kleen dochterke, mijn bloed!

Ik hef je op de okselkes omhoog,
ik zie een sterreke in elk oog,
en voor mijn armoê word ik blind,
mijn kleen, kleen dochterke, mijn kind!

ONDER DEN HELM

Heeten de beulen broeders,
wordt er een zwaard betrouwd,
eer nog de tranen der moeders,
eer nog de lijken koud?
Geen vriendschap, geen vriendschap,
geen vriendschap onder den helm!
Wie met hen hand in hand kan staan
Is in het hart een schelm.

Hoed u voor lange vingeren,
hoed u voor grof geschut.
Waar ze den brandel slingeren
blijve noch kerk noch hut.
Geen vriendschap, geen vriendschap,
geen vriendschap onder den helm!
Wie met hen hand in hand kan staan
is in het hart een schelm.

Komt gij ons volk beschaven,
gij, die het land verwoest?
Overal puin en graven,
overal bloed en roest.
Geen vriendschap, geen vriendschap,
geen vriendschap onder den helm!

Wie met hen hand in hand kan staan
Is in het hart een schelm.

Duitscher, ruk met uw horden
zwijgend over den Rijn,
Broeders willen wij worden,
als ge weer mensch zult zijn.

AAN DIE VAN HAVERE TOEN ZIJ VERGATEN DAT OOK VLAANDEREN IN BELGIE LAG

Wij houden van trukken noch tirelantijnen,
heeren van Havere, weet het goed!
Wij zijn Germanen, geen Latijnen,
opene harten, zuiver bloed!
Heb ik geen recht, ik heb geen land;
heb ik geen brood, ik heb geen schand;
Vlaanderen, Vlaanderen, met hand en tand
sta ik recht voor u,
vecht voor u!

Geen bondgenoot, geen band in 't Zuiden
Havere, Havere, 't zal niet gaan
dat gij het Noorden uit zult luiden
om aan onz' erve hand te slaan!
Heb ik geen recht, ik heb geen land;
heb ik geen brood, ik heb geen schand;
Vlaanderen, Vlaanderen, met hand en tand
sta ik recht voor u,
vecht voor u!

Zoo gij de meerderen doemt tot minderen,
zoo gij het brood uit hun monden rooft,
wijl gij het bloed eischt van hun kinderen,
kome dit bloed niet over uw hoofd...!
Heb ik geen recht, ik heb geen land;
heb ik geen brood, ik heb geen schand;
Vlaanderen, Vlaanderen, met hand en tand
sta ik recht voor u,
vecht voor u!

Weet de Koning, onze Koning,
dat men zijn Volk tot slaven drilt?
Vlaanderen wordt onz' eigen woning
of de Leeuw springt uit zijn schild!
Heb ik geen recht, ik heb geen land;

heb ik geen brood, ik heb geen schand;
Vlaanderen, Vlaanderen, met hand en tand
sta ik recht voor u,
vecht voor u!

ZORGE, ZORGE

Zorge, zorge, bouw mijn huis.
Timmer, timmer, timmer.
Eerst uw kruis, dan uw huis...
Ach, een huis voor immer.

Zorge, zorge, weef het kleed
dat de dagen spinnen.
Eerst het leed, en dan het kleed.
Ach, een kleed van linnen.

Zie, de nacht is zwoel en zwart.
Sluit mijn oogen, zorge.
Eerst uw oogen, dan uw hart...
Heeft mijn hart geen morgen?

C. S. ADAMA VAN SCHELTEMA

AAN MIJN PARTIJGENOOTEN

Het leven schatert in de rondte
  Zijn wilden waan,
Het stort van alle horizonten
  Tegen ons aan!

Wij zien de barre tijden klimmen,
  Wier onweer wast,
Slechts onze hand houdt aan haar kimmen
  De wereld vast!

Door nevelige sferen gaan wij,
  Waar niets meer schijnt,
Aan 't stuurrad van de wereld staan wij,
  Recht overeind!

Vóór ons zien wij de diepten deizen,
  Den dag gedoofd –
In nacht en storm twee starren rijzen: –
  Ons hart – ons hoofd!

Hun licht hangt over blinde zeeën
   Gerust gericht,
Hun stillen schijn houden zij tweeën
   In evenwicht.

De boorden en de naven stampen,
   Haar bodem kraakt –
De aarde barst uit alle rampen,
   Haar koers bewaakt!

Ons wordt de schemer der gevaren
   Eén harmonie,
Ons wordt het lied der witte baren
   Eén melodie!

Ons rijst achter de verre zwerken
   Een bleeke schijn,
Ons kan dit leven lief en werken
   Gelukkig zijn!

Als eens ons hoofd, teruggebogen,
   Ten onder gaat,
Glimlacht in onze doode oogen
   De dageraad!

Wij voelen de aarde onder ons beven,
   Wij richten haar! –
Broeders! het is zoo mooi dit leven!
   Broeders – – zoo zwaar!

LICHTE NACHT

Ik ben voor den nacht gaan staan
Met mijn lijf vol zonden –
Mijn roode hoofd hing gebonden
In de stralen der maan.

De oneindige hemel geleek
In zijn diepe beminde
Stilte een spiegel – waarin de
Eeuwigheid keek.

Als een kille zee van wijn
Dreef de hemel met stille
Golven — ik wilde mijn lippen optillen
Om te drinken en rein te zijn.

Als een dankbaar dier, zoo vroom,
Heb ik van den nacht gedronken –
Toen ben ik nedergezonken
Als een blad van een boom.

C. S. Adama van Scheltema

Over mijn volgezuchte bed
Heeft de maan geschenen –
Haar glimlach ging over mij henen
Als een gebed – als een gebed!

HEIMWEE

Moeder, toen 'k lang geleden nog „uw jongen",
Uw blijde eerstling was en nauw geboren,
Had ik u eens, voor éénen dag, verloren –
En 't eerste leed was aan mijn hals gesprongen.

Toen, weer terug, heb ik mijn hoofd gedrongen
Aan uw warm hart, gefluisterd aan uw ooren,
Om weer uw zoete moederwoord te hooren –
Toen hebt gij mij zachtjes in slaap gezongen.

Moeder, ik ben alleen in verre landen!
Ik kan niet meer in uwe oogen lezen,
Ik kan niet schreien in uw milde handen;

O! mocht ik ééns nog aan uw schoot genezen!
Nog éénmaal toeven bij die trouwe wanden –
Moeder! nog ééns uw „arme jongen" wezen!

BEDE OM SLAAP

O goede slaap
Kom aan mijn oogen!
Wieg mijn bewogen
Hart te rust – –
Spoel me in uw schaduw –
Blaas gij mij aan uw
Blinde kust –!

DE NACHTEGAAL

Door de avondwereld
Gaat geen geruisch –

Alleen één vogel
   Gaat stil naar huis.

Een purper boompje
   Staat heel alleen –
Daar vliegt op eenmaal
   Een vogeltje heen.

Dat gaat aan 't zingen –
   Dat zingt zoo hard – –
Dat zingt weer wakker
   Mijn arme hart!

DE DRALERS

Het welig licht was afgekomen
En lei zich aan de kim te rust,
De groote zee begon te droomen
En spoelde heur rozeroode zoomen
Over de stil vergulde kust.

Wij vulden met ons beider leven
De dommelige avondlucht,
Tot wij verwonderd staren bleven: –
Een stip kwam naar ons heen gedreven –
Een nevelige vogelvlucht.

De lucht hing vol van purpren vegen –
Wij voelden ons zoo vreemd te moe,
Was het een vlucht –? wij hoopte' en zwegen,
Wij meenden ze te zien bewegen –
Zij kwamen langzaam naar ons toe!

De hemel begon uit te dooven –
Met open lippen wachtten wij,
En zagen weifelend naar boven,
En bleve', en wilden nog gelooven –
Zij kwamen langzaam naderbij.

Er lag al zilver op de baren –
Verlangend hielden wij de wacht,
En bleven in den hemel staren –
Tot er alleen maar sterren waren,
En om ons heen de stille nacht.

Toen rezen wij in 't leege duister,
En daalden naar de zee omlaag –
En voor de golven en heur luister,
En bij heur eeuwige gefluister
Zweeg in ons menschenhart een vraag –.

C. S. Adama van Scheltema

DE BEUKENHAAG

Langs de' uitgetreden duistren weg
Bouwt, om de tuinen te versperren,
De oude ruige beukenheg
Haar zwarten wal tegen de sterren, –
  Het dorre hout ruischt in den nacht
  Als eene eindelooze klacht.

Van onder kaal en afgetrapt,
Vol puisten aan haar arme stammen,
Is zij aan allen kant gekapt
En wuift geen tak meer uit haar kammen,
  Van buiten is zij gladgesnoeid,
  Van binnen is zij kromgegroeid.

Maar in de stoppelen verward,
In al haar kronkelhout verholen,
Hangt, als een eenzaam donker hart,
Nog een verlaten nest verscholen, –
  Daar zat een mooien lentedag
  Een liedje in, dat niemand zag.

En elken Mei keert haar geloof
Terug aan 't eeuwig groene leven,
En vol van bloot en teeder loof
Staat zij weer in de zon te beven, –
  Doch kiemt en geurt en wuift zij weer,
  De tuinman snoeit en snijdt haar neer.

Zoo staan zij eender allemaal,
Geknipt, gekapt en afgeschoren –
En toch is elke stronk eenmaal
Uit eenen beukenboom geboren, –
  En geen van hen wordt immer groot,
  En geen van hen gaat immer dood.

En ginder staat het zwart en zwaar
Kasteel van duizend duistre twijgen,
Staat de oude trotsche beukelaar

Alleen in 't starrenlicht te zwijgen, –
  Zijn machtig mateloos gevaart'
  Droomt van den hemel en de aard.

Wij groeien op een slechten grond
Met onze machtelooze wenschen – –
O haag wij zijn als gij gewond:
Geknotte en geschonden menschen!
  Een donkre wal staan we in den nacht,
  En door ons hart huivert het zacht.

DE HEMELSPIEGEL

Als twee lichten dwalen
  Wij den hemel door,
Als de sterrestralen
Die in 't duister dalen
  Wischt de nacht ons spoor

Onze banen vonden
  Beider glanzend bed –
Sinds die lichte stonde
Schrijven zij heur ronde
  Naar gelijke wet.

Verre stemmen geven
  Ons eenzelfden naam,
Doch wij beiden bleven
Naast elkander zweven,
  Vielen nimmer saam.

Zilvren regen ruischt er
  Onze baan voorbij –
Dan weer dooft die luister
En wij ijle' in 't duister,
  Slechts elkaar nabij.

Soms zien wij de vore
  Van een stralend pad –
Blinder dan te voren
Laat ons die verloren
  Onbekende schat.

Door de stille sferen
  Gaat een weg van licht,
Aller staag begeeren

Is daartoe te keeren –
   Geen is goed gericht.

Tusschen tegenheden
   Weifelt onze vlucht,
Want de lichte steden
Fonkelen beneden
   Als de sterrenlucht.

Alle levensbanen
   Zien in haar heur beeld: –
Spiegel aller wanen,
Die met stomme tranen
   Als met sterren speelt.

Mensche' en steden sterven,
   Nijgen eens ten val –
Mensche' en sterren zwerven
Als verdwaalde scherven
   Door het diep heelal.

Zie hoe dicht bepereld
   Heel de hemel wacht:
Om ons rust de wereld
En ons harte dwerelt
   In den sterrennacht.

TH. VAN AMEIDE

WINTERSTILTE

De vorst verstijft het lichaam onzer aarde
en doet den lach van uit haar wezen slinken,
zij krimpt en barst, in starre pijnen blinken
haar oogen, die een laten glans bewaarden.

Haar zwierge tooi verstoof op alle winden,
zij huivert in haar schamele gewâan,
maar trekt zich krachtig in zich zelf te saam,
opdat de dood haar innigst hart niet vinde.

Zoovele lenten zijn met zang en klang
vreugdevol ingekeerd na langen winter,
dat zij wel weet: wie 't leven hield, die vindt er
eindlijk de ruimte weer na nauw bedwang.

Th. v. Ameide

Zoo leeft zij stil en bergt de kostbre zaden
in koestring van haar zorgenvollen schoot:
het leven, krachten zaamlend tot de dood
van buiten aflaat, dan ten groei beraden.

Haar dagen zijn een inkeer, een bereiding,
een stilte, tot een nieuwe tocht begint,
een krachtig wachten, tot een lentewind
het wachtwoord geeft voor nieuwe zelfbevrijding.

Het lichaam, dat zoo innig heeft gezworven
door al de schoonheid van zijn moeder-aard,
zoekt koestring nu van huiselijken haard,
en ziel moet leven van wat reeds verworven.

Hoe rijst dan schoon ons avondlijk gepeins,
als trouwe ziel haar eigen schat kan toonen,
verzameld stilkens uit die gulden loonen:
der vliedende getijden vromen cijns.

Na bonten tocht door op- en ondergang
van 't jaar en al zijn vlietende gezichten
gaat nu ook 't zelf zijn eigen stilte stichten
in heel die wissling en verscheiden drang.

Gelukkig zelf, dat zich te samen vouwt
over zijn volten, en in 't rondom ledig
rustig, geduldig zijn leven verdedigt
en zwijgend in zich zelf een toekomst bouwt.

Gelukkig mensch, die den volbrachten loop
mag overzien en zeggen: „zie, ik ging
hem aan een ander dan mij 't eind ontving,
ik groeide en ik vernieuwde met mijn hoop."

Want dit is, schoon bevangen in 't bewegen,
uw meerderheid, o ziel, uw eigen kracht:
der aarde loop wordt staâg in kring volbracht,
maar gij kunt groeien tot al rijker zegen.

Gij moet berusten, kunt u niet ontwinden
aan 't aardsche rhythme: om beurten ruimte en pijn,
maar elken winter kunt gij sterker zijn
en elke lente kan u blijder vinden.

KNOTWILG

Th. v. Ameide

Wie 's levens moker maar getroost laat beuken,
doch in zich 't beeld bewaart, dat eens hem blonk,
die voelt wel eindlijk in zijn ouden tronk
een vastheid groeien, die geen lot kan deuken.

Al staat hij krom en armelijk ontwricht
ergens alleen, ver van de blanke vlieten,
door iedre nieuwe lent gedreven schieten
lenige twijgjes naar het heilig licht.

Gansch uitgehold en meer dan half gekloofd,
verwint zijn taaie leven alle wonden:
zijn gulden bloesems geuren in het ronde,
een zilvren blarenkrans omstraalt zijn hoofd.

AFSCHEID VAN GUTTELING

Terwijl elk onzer met zijn eigen aard-en-lot
hard oog in oog voor zich in zwijgend handgemeen
vol stâge spanning stug den strijd des Geestes voerend
met luttel omziens – want elk oogenblik verzuim
bergt kiem van neêrlaag – toch, van verre of van nabij,
hem, onzer een, in zijn àl te ongelijken kamp
met eerbied volgen bleef, verscheen de goede Dood,
hem wenkend: nu genoeg.
                                        Wie van zijn eenzaamheid
zegt ons de worsteling? Wie in die eenzaamheid,
waar elke ziel, die leeft, gesprek voert met haar lot,
trad steunend in? Geen mensch: der zielen diepsten strijd
in 't stille ruim waar stil de onwendbre Moira spint
maakt niemand, niemand mee. Hij heeft geleefd, gewerkt,
thans rust hij uit, en wie, die weet wat leven is,
durft zeggen, dat hij nooit den Dood om uitkomst bad?
Zoo past geen meelij, geen beklag: het leeg rumoer
laat over aan de wereld, die hem, levend, kwelde,
zooals ze ons allen kwelt en eeuwig kwellen zal.
Wij weenen niet, wij hebben allen man voor man
sinds lang geen tranen meer: alleen een enkel oog,
een enkle mond kreeg weer voorgoed een strakker stand.
Wij zegge' alleen: „hij had nog heel veel kunnen doen,"
en dat maar zachtjes, want wie kent des Geestes wegen
en wien was eigen bitter-onvolkomen leven
geen daaglijksch sterven, zoo 't hem dit niet had geleerd:
de bron is niets, alles is de ondergrondsche stroom,

Th. v. Ameide

sluit zich een wel, dra boort hij elders weer door 't zand,
geens menschen leven is onmisbaar voor den Geest
en den mensch zelf, hem is een vroege, schoone dood
beter dan 't staâg verslijken van des Geestes wel
in 't langzaam sterven dat menig lang leven is.

Hij heeft geleefd, gewerkt, hem achterhaalde 't lot;
wat hem bewoog, sterft niet: de rest is zwijgen.
't Vaandel nijgt hulde en groet. Rust wel, wij moeten voort.

—

Houd mij niet al te vast,
mijn zielsbeminde,
nog ben 'k een schuwe gast:
wil mij niet binden.

Nu gij gevonden zijt,
beheerscht gij mij:
maar mijn gebondenheid
late mij vrij.

Laat mij maar zwerven,
overal heen:
alles is derven,
alles geween.

Laat mij maar dwalen,
ik ga niet te loor:
overal stralen
uw oogen door.

Laat mij, het moet:
eens komt de rust,
nu is de gloed,
nog niet gebluscht,

de kranke gloed
nog niet verwonnen:
stil, mijn gemoed
wordt al bezonnen…

Gij zijt de vaste zon
om wie ik wentel:
tot ik den regel won
duld mijn gedrentel.

NICO VAN SUCHTELEN

DE STORTSTROOM

De stortstroom die de bergen af komt springen,
Vergruist de rotse' en vult zijn bedding aan
Met zand en puin, tot hij in nieuwe baan
Zich zelven dwingt den kronkelloop te wringen.

Zoo glijden door de tijden alle dingen
Rusteloos voort en voeren al maar aan
Wat hen vervormt, en elk vernieuwd bestaan
Schept weer zichzelf uit de eigen wisselingen.

Zoo draagt een ziel en voert gedragen mee
Wat zij van 't leven brokt, richtend gestadig
Zichzelf naar wat zij stapelde in haar diep;

En zoo de volkren die hun wendloos wee
Chaotisch wentlen, tot ze eens wonder-dadig
Leven in Vreugd die 't eigen Leed hen schiep.

DE VERLATENE

Eens had ik bloemen lief en was om 't springen
Van beekjes blij zooals een eenzaam kind;
En droomend zocht, en onder spel en zingen,
Ik 't leven door naar wat ik nimmer vind.
Mijn waarheid zocht ik en ik droomde een logen;
Om 't eigen zelf heb ik mij zelf bedrogen.

Ik heb verlangd naar lippen die mij kusten,
Naar 't lachen van een diep geliefden mond;
Aan 't hart der vreugde wilde ik eindloos rusten,
Eén lust mijn leven en één enkle stond
Waarin een vreugden-god zijn eeuw'ge droomen
Verwerklijkte tot levende phantomen.

Ik heb verlangd te lijden en mijn dagen
Met rouwend weenen om mijn leed vervuld;
Een gansch heelal van weedom moest ik dragen,
Ik was een god van smarten die zich hult
In 't rood gewaad van menschelijke zonden
En 't heerlijk hoofd met doornen heeft omwonden

Ik heb verlangd en was van liefde dronken;
Der eeuw'gen schoonheid wist ik mij gewijd;
Mijn handen beefden en mijn blikken blonken
Wanneer ik bad tot uw almogendheid,
Mijn muze die mijn doodziek hart het leven
En 't leven schoonheids weerschijn hebt hergeven.

O Hart dat nu van allen troost verlaten
Noch trots, noch deemoed noch devotie voelt;
Dat niet meer liefhebt en niet meer kunt haten,
Noch weet waarheen dit eenzaam droomen doelt;
Uw zin en waanzin bei hebt ge verloren;
Wat ge verlangt is dood, of ongeboren.

ONSTILBAAR

Waar ik mij wende is heel het woud betooverd:
Onder de stammen spreidt een glanzig trijp
Van ijsmos en de ruiselende rijp
Heeft wonderlijk weer boom en struik gelooverd.

Roerlooze rust omfloerst het wit gewemel:
Kristalbosch op een dik-bevroren ruit
Gelijkt het woud, en wind noch één geluid
Beweegt de bleeke stilte van den hemel.

Den grauwen berg bestulpen witter luchten,
De nevel welt en sliert over het dal
Zijn wijden sluier welks deinende val
Verdooft de stad en haar diepe geruchten.

En peinzend, in hun zwaar bestoven vachten
Rijen de dennen langs des heuvels zoom,
Verloren in den winterlijken droom
Waaruit zij geen ontwaken meer verwachten.

Waar ik mij wende in dezer wereld wonder
Is diepe en schoone rust. Mijn hart alleen,
Mijn hart roept weenend door de stilte heen
Om een nog dieper en nog schooner wonder.

O hart dat van uw schoonsten droom bevangen
Toch niet kunt rusten en niet rusten wilt,
Maar roept en weent en tot de dood u stilt
Moet almaar leven en almaar verlangen!

DE MEREL

N. van Suchtelen

Hoe zag 'k in 't zinkend avonduur
– Een zwarte stip in bleek azuur –
O merel menigmaal

U zitten op dien dooden tak,
Die boven 't groen nog opwaarts stak
Zoo dun en dor en kaal

En trilde onder uw licht gewicht,
Terwijl ge, 't kopje omhoog gericht,
Maar klaar en kwettrend floot.

Ik hoorde uw zangen peinzend aan
En heb toch heden eerst verstaan
Wat ik zoo vaak genoot?

Waarvan ge zingt en tiereliert,
Het Leven is 't dat zegeviert
Over wat dort en sterft;

De Blijheid is 't die sterk en trotsch
Verzelt de zuivre liefde Gods,
Die nooit het hart meer derft

Dat diep en droevig heeft gesmacht,
Dat weemoedskrank hem heeft gewacht
En riep van uur tot uur,

Totdat in een verstilde stond
Het eindelijk hem wedervond
In alle creatuur.

EEUWIG EENZAAM

Alleen de droom is werklijkheid,
Alleen de dichter kent het leven
En weet dat al hem zal begeven
Wat tijdlijk streeft en strijdt en lijdt;

Maar dat, vergankljkheid ten spijt,
Het leven zelf steeds is gebleven
De duurge droom, de hoog-verheven
Schepper van tijd en eeuwigheid.

Wat klaag ik om mijn eenzaam lot,
Schoon Lief, en dat 'k u nimmer vinde
Op mijn oovral verdoolde tocht?

Gij waart toch 't Ene dat ik zocht, –
Schoon ik 't in vele vormen minde –
In d' eeuwige eenzaamheid van God.

HOOGSTE LIEFDE

Heet mij niet vals en trouweloos
Wanneer mijn arm, verdolend hart,
Van zorgen moe en blind van smart,
Een waanbeeld voor uw waarheid koos.

Ik heb u lief, nu en altoos,
En of mijn droef en moede hart
Bij andren rust of eenzaam mart
Om u: gij zijt mijn liefde, altoos.

En zagen vrouwen, wreed of teer,
De dwaze doler menig keer
In wilde aanbidding voor hen knielen;

Schoon Lief, hoe 'k hen heb liefgehad,
Het was ùw glans die ik aanbad
In aller schone vrouwen zielen.

KAREL VAN DE WOESTIJNE

WIJDING AAN MIJN VADER

O Gij, die kommrend sterven moest, en Vader waart,
en mij liet leven, en me teeder leerde leven
met uw zacht spreken, en uw streelend hande-beven,
en, toen ge stierft, wat late zon op uwen baard;

– ik, die thans ben als een die in den avond vaart,
en moe de riemen rusten laat, alleen gedreven
door zoele zomer-winden in de lage reven,
en die soms avond-zoete water-bloemen gaêrt,

en zingt soms, onverschillig; en zijn zangen glijden
wijd-suizend over 't matte water, en de weiden
zijn luistrend, als naar eigen adem, naar zijn lied...

Zoo vaart mijn leve' in vrede en waan van dood begeeren,
tot, wijlend in de spiegel-rust van dieper meren,
neigend, mijn aangezicht uw aangezichte ziet.

K. v. d. Woestijne

VOOR-ZANG

Het huis mijns vaders, waar de dagen trager waren,
was stil, daar 't in de schaduwing der tuinen lag
en in de stilte van de rust-gewelfde blaêren.
– Ik was een kind, en mat het leven aan den lach
van mijne moeder, die niet blij was, en aan 't waren
der schemeringen om de boomen, en der jaren,
om 't vredig leven van den roereloozen dag.

En 'k was gelukkig in de schaduw van dit leven
dat naast mijn droomen als een goeden vader ging...
– De dagen hadden mij de vreemde vreugd gegeven
te weten, hoe een vlucht van groote vooglen hing,
iederen avond, in de teedre zomer-luchten
die zeegnend om de ziel der needre menschen gaan,
als de avond daalt, en maalt in avond-kleur de vruchten
die rustig-zwaar in 't loof der stille boomen staan.

...Toen kwaamt gij zacht in mij te leven, en we waren
als schaamle bloemen in den avond, o mijn kind.
En 'k minde u. – En zoo 'k véle vrouwen heb bemind
sinds dien, met moeden geest of smeekende gebaren:
u minde ik; want ik zag uw kinder-oogen klaren
om schuine bloemen in de tuine', en uw aanschijn
om mijn eenzelvig doen en denken tróostend zijn,
in 't huis mijns vaders, waar de dagen trage waren...

—

'k Ben eenzaam-droef, in 't geel-teêr avond-dalen...

Door 't open venster hoor 'k den donz'gen val
van klamme bloemen in kristallen schale...

– En 'k weet niet of ik haar beminnen zal,
in 't stil en licht bewegen harer leden,
en hare goedheid in mijn vreemd bestaan...

'k Ben droef, en 'k hoor haar stille voeten gaan
en haar zacht neuren, in den tuin, beneden.

—

K. van de Woestijne

THANS is het uur dat schaûwen neigen,
en de avond, als een teeder lied,
om huize' en zielen zacht komt zijgen,
en moede durend, stil vervliet
in de open schoot van 't schemerzwijgen...

Thans is in al de zielen vreê,
en dank-gebed in al de huizen;
en zelfs wie wrange dagen leê
voelt in zijn wezen kalmte suizen
als een slaap-zware zomer-zee...

– o Pijn van her-doorleefde pijnen...
Alleen voor óns is vrede niet,
o mijn vér kind, in 't trage deinen
van 't kallem-durend avond-lied
over de dankende avond-pleinen.

DE MOEDER EN DE ZOON

De Moeder. Ik draag u aan mijn hart, al ben ik jaren-zwaar.
Voelt ge mijn adem als een vlamken op uw haar?
De Zoon. Ach, zwijg: ge zijt een vrouw langs leêge levens-straten...
De Moeder. Hoe, heb ik niet mijn zoen op uw gelaat gelaten?
De Zoon. Uw zoen is op mijn mond gelijk mijn tranen: zout...
De Moeder. Mijn zoon, mijn zoon; ik ben voor u als duister goud...
Ziet ge me niet, om u zoo troostloos-droef te wanen?
De Zoon. Mijn moeder, 'k zie u vreemd in 't licht van mijne tranen...
De Moeder. Bemint ge mij dan niet, mijn kind?... Zie hoe ge leeft
in iedren tragen traan die in mijne oogen beeft.
Ziet ge niet heel uw leve' in mijn grijze oogen leven?
De Zoon. Neen, arme moeder...
De Moeder. Noch uw wonder-dolste daên
die vrédig als een herfst over mijn lippen gaan,
mijn zoon?
De Zoon. Ik heb mijn wil een harder beeld gegeven;
een andre vrouwe leeft voor mijne onsterflijkheid...
Des ben ik droef, o vrouw die mijne moeder zijt.
Kan ik nog de' uwen zijn?
De Moeder. Helaas, de schoone dagen
om uwe liefde en vreugde in deemoed stil gedragen;...
– en thans, in uwe aanwezigheid, zoo gansch alleen...
Ziet ge niet dat ik ween?
De Zoon. ...Ziet ge niet dat ik ween?

—

K. van de Woestijne

De oude getouwen, en de smidse in blij bedrijf,
en 't zingend visschers-lied in de arme Leie-dorpen...
– God, ben ik uit den kreis van uw genâ geworpen,
dat ik zoo eenzaam bij de vreê dier needren blijf?

– De avond, gelaat van rust aan mijnen kus gelaten,
is droef der treurnis van mijn moede dierlijkheid;
en 't schamel brood, o God, dat mijne dagen aten,
werd buiten 't plegen van uw zegening bereid.

En zwaarder weegt de last van uw bestaan me, en loomer
in de oogen 't beeld van die in vredig werken staan...
— De schromple menschen gaan naar 't einde van den Zomer;
ík ben de vreemdeling die naar den Herfst moet gaan.

—

Gelukkig wie zijn drift de toomen heeft gegeven
die buigen, gracielijk, ter handen eener gâ;
hij wandelt als een peerd, verdrágend, door het leven,
dat streels een geer'ge zweep om zijne flanken ga.
Zij sliere of vleie of striem': híj stapt, gelíjk in ijver.
En zoo de bremm'ge bronst door hem zijn toortse torst,
hij weet: zijn meester kent den weg en vindt den vijver
die koele kenen bijt in zijn gezoenden dorst.
Zijn manen trest een zorg, die tallemt in 't behagen
van cierend-traag te drale' om 't rillen zijner huid;
maar hij en schudt den rug, want kent hoe zijn verdragen
hem warmere, ten stalle, en beetre rust ontsluit...
– Aldus uw lust, o vrouw, om de' ouden driften-draver
wien zoet regeeren thans de zekerheden meert.
Gelijke hand die ment, koor mild de beste haver;
eenzelfde wil die voert is die het vallen weert.

—

Vlaandren, o welig huis waar we zijn als genooden
aan rijke taaflen! — daar nu glooiend zijn de weiên
van zomer-granen, die hunne aêmende ebbe breiên
naar malvend Ooste' en statig dagerade-rooden,
dewijl de morge' ontwaakt ten hemel en ter Leie: –
wie kan u weten, en in 't harte niet verblijên,
niet danke' om dagen, schoon als jonge zegen-goden,
gelijk een beedlaar dankt om warme tarwe-brooden?

o Vlaandren, blijde van uw gevens-reede handen,
zwaar, daar ge deelend gaat, in paarse en gele wade,
der krachten die uw schoot als roodend ooft beladen,
– Vlaandren, wie weet u en de zomer-dageraden,

en voelt geen rilde liefde in zijne leden branden
'lijk deze morgen door de veie Leie-landen?

—

WANNEER ik sterven zal, vol dagen en vol lasten,
met, aan mijn tafel, de twee-broederlijke Gasten:
Liefde die glimme-lacht en Troost die woordloos treurt,
– zij zien me beiden aan bij lange wissel-beurt
aan 't laatste levens-maal dat wij gezaêm genieten
en laten, uit den kelk van hunne handen, vlieten
het welkom-water, dat het stof der reize wascht,
over de voeten van den Dood, den derden Gast, –
– Lieve, o Troost mijner ooge', en gij mijn Liefde, o Leie,
dan zal mijn hart voor 't laatst zich in uw zijn vermeien,
en zal ik, groetend, dankbaar zijn wien, ongenood,
bij 't maal zijn plaatse neemt als bedelaar: den Dood.

HET GEDICHT

De Dichter:

Mijn hand, der spâ verzwaard, heeft 't winter-zwijn gekeeld;
de toeë stal geurt zoel en zerp van zwoele vachten;
geschuurd de loome last der laatste zomer-vrachten,
rust thans mijn naarstig hoofd ter moede vinger-eelt.

Geen nijvre zorge meer die zweeg, of zwoegde, of lachte;
geen kommer die mijn dage' in hope of deemoed deelt:
het duister-wijs gelaat der tijde' is stom, dat heelt
na lange dage-taak de waak der lange nachten.

En toch en zoekt mijn oog den slaap – waar 't leven ront
in dommel, – noch en sterft me de aandacht om den mond,
noch keert me' t hoofd de droomen toe die vroom me wachten,

Want, week 't gewijde jaar van leed en arrebeid:
'k herbruike zonne en zaad, 'k herbreke daad en tijd,
'k herleve, schromend schoon, mijn leve' in u, Gedachte.

De Gedachte:

Ik ben de trage lei der beelden afgevaren,
en waar, in wolke of zon, aan beide zijde week
laag weide- aan wei-gedein dat mijn gepeins geleek,
bleef ik vergéefs ter diept mijn peilend oog aanstaren.

En thans dat, moe, mijn hoop den laatsten vaart bestreek,
(daar sliertig wier en moer, die roer en riem bezwaren,
om de oude schuite de om-gewoelde drabben gaêren,)
voer 'k géene weelden aan in de eindlijke avond-kreek...

– En gij, mijn zoon, die, wars van dádelijke prachten,
ter schaemle haven, waar ik nake in 't bronzend goud
des bonkende' avonds die zijn nacht-spelonke bouwt;

K. van de Woestijne

mijn zoon, wiens hanker leed mijn aanvaart staat te wachten:
'k en brenge u meer, uit de eêlste zeeën, ik, Gedachte,
dan op mijn armen moeder-zoen een beetje zout.

De Dichter:

Geen zomer-schaâuwe is schoon als 't beeld, in volle teilen,
der welv'ge melk die ront, van roerig licht ommaald.
Mijn schamel huis, waar zoel een geur van peren draalt,
weegt teêrder in mijn schroom dan 't heele herfst-verwijlen.

En, waar van 't winter-dak een schoone mane daalt,
en weifelt ijl een heele lente in hare wijle,
o mijn gezóende blik, en moe van eígen-peilen?
– Geen zoen is goed, dan die vergeten zórg verhaalt...

Aldus wie zijn geluk in 't nooden van een teeken
gelijk een geurig brood meewarig-blij durft breken,
en nut de zuurste zemel-korst in heil'gen waan;

om bij het heil dat weende en 't vreemde leed dat lachte,
en in de hoede van uw deemstren, o Gedachte,
éens, als een schoone vraag, glim-lachend heen te gaan.

De Gedachte:

o Gij, die 'k met de bittre borst der levens-wijzen,
die 'k voor een eeuwigheid met zwijgen heb gevoed:
wat bate? Geen die goud in uwe diept bevroedt,
noch weet op uw gelaat het uur der vreugd te wijzen...

Geen dageraad zal blijde uw blinde ruit berijzen;
geen zonne die, van vrede-wijdende' avond-gloed,
den moeden wingerd om uw drempel blij door-bloedt;
en zelfs geen vriend staakt aan uw open deur zijn reize...

– De heele dag is rein waar gij zijn wentlen doopt,
De perzik viert een vraag, dat gáaf ze, en óngenoten,
door ùwe borst gelijk een zomer is gevloten.

Maar, hoe'k voor u den angst der hoorders hadd' gehoopt:
nooit gaat uw noodend woord, 'lijk, alle deur gesloten,
de kreits des avond-lichts van lamp tot lampe loopt.

De Dichter:

Hij die den druivelaar allangs 't gelinte leê,
Hij heeft het klaar verstand de rechte brank te breken;
al moest van levend sap de kranke wonde leken,
al krenkte Hij ter ziele toé, aldaar Hij sneê...

– Uit elken heeten haat de vlamme van een beê;
voor elke vreugd vergeldens-wrange pijne smeeken:
om eens te leven als de bibberende beken
wier vrees zal schaetren in de blakend-vreed'ge zee...

Wat zoude ik klagen waar 'k miskennen heb verworven?
Hoe drage ik zelfs een zorge om zuivrend-sterken nijd?
Ik ben een druivelaar door Godes hand geleid,

die, aller vorst gekeend en te elken tak doorkorven,
te voller geurde en woog ter herfstelijke korven,
maar pijnlijk was de groei ten muur der Eeuwigheid.

—

TEN tragen heuvel-flank waar trouwe schaâuwen valen
hangt, als een draal'ge schapen-kudde, een waar'ge smoor.
En 'k voel, bezonke' in mij, 't geslonken dage-dalen,
en schouw in milde zékerheid de misten door.

Safranig komt de maan mijn schaemle vreugd vermeêren;
gemeerd is alle zorge...

– En 'k leun ten deur-post aan:
daar-binnen al mijn hoop, mijn liefde en mijn regeeren;
hier-buiten niets, o nacht, dan in uw schoot vergaan...

—

DE rozen droomen en dauwen
ten åvond, vredig-vroom;
er waart een paarsere schaâuwe
om den kastanje-boom.
De vijver blankt in dampen;
de troostlijke nacht begint.
– Ontsteek, ontsteek de lampe:
mijn angst ontwaakt, o kind.

—

GIJ draagt een schoone vlechte haar
al-langs uw lage leênen...

– Het is een trage dag voor-waar
van weiflen en van weenen.

Het is een lengende avond van
mis-troosten en mis-prijzen.
't Is of de dag niet sterven kan
en of geen nacht kan grijzen...

– Gij gaat mijn duister huis voorbij,
verlangenloos en rechte;
ik rade uw naakte, maagre dij;
ik zie uw donkre vlechte.

—

De gore kroeg geslóte' en dóod de kaars, die blaakte...
Wat schaadt u, gij wiens rust geen veêren bedden mat;
wien 't daeglijksch zeuren als weldadige assche smaakte,
en zure zeemlen u tot brood gekoren hadt?
Wat schâ, wiens luie lust de schaemle lamp verzaakte
die van zijn heul en hoop, ter laatste wieke waakte,
hem, die van duistren trots een last'ge zon vergat?

Wat schade of baat? – De kroeg is toé; het was geslónken;
het woeker-spelen om het leven te eind beleefd...
– Maar láng op slot is 't hart. En baat een laatste vonke,
wien bij zijn eigen brand ten smaad gezwégen heeft?...
– Gij zijt geréed, die keerde u-zelf, en bonk bij bonke
liet, blijder pijne, in u de nijvre vlegels ronken,
en 't kaf van gier'gen drift, een stik-walm, buiten-dreeft.

Gij zijt gereed, o gij die, sticht-vertoon der dwazen,
u 't ijzer van 't Ontkenne' in 't effen voor-hoofd drukt',
en, vóor nog snoev'ge wonde en bralle koorts genazen,
die wegen naar uw ziel met distelen heb gesnukt...
– De kroeg van 't Leven toe; de kaars der Drift geblázen...
Oh! dool dan, waar de wind des nachts om u moog' razen
die, sterkend, van uw romp de laatste lompen rukt...

De broeiend-zware wijn gedikt ter gift'ge schalen
gelijk een zon die, moede, in eigen bloed verront;
de erinnring voos; en rijp de walg der avond-malen
en 't killend aaien van een laatsten liefde-mond:
gij sloot de deur u-zelf; gij doofdet 't licht... – Oh, dwalen!
De eerbied'ge duisternis en zal om u niet smalen
die, náakt uw vlijt, 't volwáepnig geeren noest verwont.

K. van de Woestijne

Dóol! De ijz'ge nacht is goed die ijl om u zal waren
en u de fierheid van verhólen huivren laat.
Wat raákt u, dat geen dag uw zuivring zal bestaren?:
gij krijgt uw scháauw tot trouw en needrig reize-maat...
– 't Bedaren is een roze in 't nachtelijk bedaren.
En wilt ge een heugen aan uw week verleên bewaren:
bewaar op uwe wang het teeken van zijn smaad.

Dwaal! 't Wakend sterre-licht vol-staat, wien zijn gepeinzen
ten einder van den kreis der ijdelheden gaêrt.
En rill' de kilt: te beter laat vergeten dijzen
te sintel d'harde kool die wallemt in uw haard;
uw ziele-haard, wiens tong zijn bronstig rood vergrijzen
en naar aanminn'ge stilt zijn snorren liet verpeizen,
en de eindelijke spijs der vraat'ge vlamme u spaart.

o Wijze... – Want wie Stilte als stemme heeft gekoren,
hij leert te lachen, om al noodeloos gegil.
Een nieuwe morgen worde om zijn gebaar geboren:
zijn oog verbangt om elk herboren dag-geril.
– Te beter!... De aarde zwíjgt en event alle spore;
maar wie het donker peilt, hij weet hoe diep te boren
naar 't eindlijk borrlen van zijn eigenst ik: zijn Wil...

ZEGEN DER ZEE

Tot uw eeuwige lijne gekomen;
tot uw eeuwigen drift bereid;
met ons diepst-bewogene droomen
en den kalmen trots van ons spijt;

en open voor alle troosten,
en dankbaar voor elken smart:
zoo staan we voor 't goud van uw oosten
en voor 't grimmende wester-zwart.

Zoo, onder het kleed onzer wanen,
de borst van 't leven door-krauwd;
en op ons lippen 't zout onzer tranen,
maar in 't harte úw voedende zout;

Zee van brooze golve-gebouwen
en sterk van na-levenden wind;
gestrekt als een schaamtlooze vrouwe,
en naakt als een schuldloos kind;

K. van de Woestijne

o Zee, die in aarzlenden morgen
te wachte' en te wijlen ligt,
in uw schoot de stormen geborgen,
en uw wezen bleek in het licht:

zie, we zijn tot uw leven gekomen,
in den angst van onze eeuwigheid;
met ons diepst-bewogene droomen
en den kalmen trots van ons spijt...

—

'k Heb u dees heelen dag gewijd,
al weet ik dat uw mijmer-lach,
dat uw verlangen, dat uw spijt
vergeefs mijn glanz'ge komst verbeidt,
dees heelen dag.

Gij zult me alleen in 't keeren zien
der luim op 't eigen schoon gelaat
ten spiegel, en waar de oogen spiên
hoe bleek de deemstrende uren vliên
ter wijzer-plaat.

Gij zult me ontberen, droef en stil,
dees langen dag, – aan u gewijd.
En ik, die u niet zien en wil,
koor zelf den wrevel, strak en kil,
die beide' ons scheidt.

Maar als te nachte uit laag gordijn
om 't bedde u daalt een vale maan:
weet, lieve, dat dezelfde schijn
daar, waar uw spijt'ge droomen gaan,
trilt in een traan...

—

Ween aan mijn borst den schat der tranen
die rijk me maken van uw leed,
ik die van wankelende wanen
als gij het talmend smeeken weet;

ik die, mijn kind, op andren schouder
om eendre vreeze heb geschreid,
maar van elke onmacht oud en ouder,
weêr om een nieuwe hope lijd;

ik die het goud van alle transen
voor de asch van oude zonnen ken,
maar van elk glorend morgen-glanzen
de huiverende minnaar ben...

Ween uwe tranen, lange en lijze,
die van uw lijden rijk me maakt:
straks ziet ge in 't oog des levens-wijzen
hoe steeds de wanen-lampe waakt...

—

Een man die, moede en levens-mat,
en liefde-leêg, en zorgen-zat,
zijn avond-maal bereidt:
hij roert de melk, en breekt het brood, –
waar hij van leven of van dood
verlangen kent, noch nijd;

– hij ziet den gulden hemel aan,
en voor zijn stoep de sparre staan
waar 't laatste licht in straalt
één poze nog, één waar'ge poos,
'lijk in zijn hoofd het leven, broos,
een laatste lied verhaalt;

– dan eet hij 't karig avond-maal;
in hem versterft het stil verhaal;
hij glimmelacht en zucht;
en voor zijn doovende oogen zijgt
de duistre schaal, 'lijk 't welven neigt
des nachts ten vaalren lucht;

– – gelijk een man die, moede en mak,
in vreê zijn avond-korste brak
en dan de ruste beidt:
zoo heb ik, aller vreugd ten koop,
mijn eenig heil, mijn een'ge hoop
den dooven nacht gewijd.

Ik keer mijn rug de dagen toe;
te blijder vroom, te zaal'ger moe
naar elk gebeur verstomt...
Maar nog en slaap 'k, of daar ontwaakt
mijn angst, dat nauw een nacht genaakt,
of reeds een morgen komt.

—

K. van de Woestijne

Gelijk een arme, blinde hond
van allen troost verstoken,
dwaal 'k door den zoelen avond rond
en ruik de lente-roken.

Er waart – 'lijk om een vrouwe-kleed
waar oude driften in hangen, –
er waart een geur van schamper leed
en van huilend-moe verlangen.

En 'k dwale, een blinde hond gelijk,
door dralige lente-roken,
mijn hart van alle liefden rijk,
mijn hart van liefde verstoken.

—

Vervarelijk festijn voor onverzaedlijk dorsten:
zoo hebben ze u gekend, bij smaad- of smeek-gebaar,
die, donker van begeerte of heller liefde klaar,
van u besmaald misschien, misschien u tarten dorsten.

o Bralle broeiïng van het schroeiïg-heete haar
dat ge als de kromme vlam van eene toortse torschte';
uitdagend dreigement der driest-gedragen borsten;
o buik die glooit en glanst gelijk een beukelaar:

– zòo kenden ze u. En ik, waar 'k uwe schoonheid schenne,
ik, die me-zelven miek de' in vrees begeerden Man
die u bevrijden kon en sloeg in slaven-ban;

zelfs ik, uw graauwe Heer, wien geèn vrouw ooit zal kennen:
hoe bibbert op mijn lip de bede – o wrang bekennen –,
de bede, uw doem te ontvliên, en die 'k niet bidden kàn...

—

Weer staat mijn venster open op den nacht,
tusschen de kamer en haar broei'ge zwoelte
en deze wijdte en haar bewogen koelte.
En 'k sta aan 't raam, en wacht.

Ik wacht. Er is een woel'ge stilte in mij.
Er zwelt en zwijmt, deint aan en deinst Verlangen,
als zong, op golven zoelte, in schroom'ge zangen
een ongeziene rei...

– o 'k Weet: ik heb alleen in 't leed gebloeid
dat ik in 't eigen brein met zorge kweekte:

een kelder-plant van zieke en trotsche bleekte
in duisternis gegroeid;

ik ben geweest die voor zich-zelf verborg
te maklijk leve' en lieve', in vreez'ge hoede;
van de' eigen tucht weldadig-strenge roede,
voor 't eigen lijden borg...

Maar deze nacht is schoon, en goed misschien.
Misschien staan, als het mijne, ramen open,
en hoopt een andre blik hetzelfde hopen,
en tracht als ik te zien;

peilt éen als ik, en met eenzelfden schroom,
de bakelooze banen door der nachten,
of hij hem vinde die hem staat te wachten:
de broeder van zijn droom;

éen die het kommer-bed ontrees als ik,
en staat aan 't raam zijn bangend hart te prangen,
en ziet daarboven al de sterren hangen
als kindren van zijn blik;

één, die mij wachte... – En 'k wacht. En 'k voel de vaalt'
van mijn gelaat in klamme koelt' verweeken...
En hooploos-zoet zie 'k 't blaauwe licht verbleeken
der trage maan, die daalt...

—

Ik ben met u alleen, o Venus, felle star.
En, waar 'k vergeefs in mij uw stralend gloeien zoeke,
blijft leêg mijn marrend harte, en bar.

Mijn harde mond is strak aan beiden starren hoeke.
Geen vraag. En zelfs wat 't eerst me naêrt en 't laatste scheidt:
zelfs àngst en komt mijn ijlt' bezoeken.

Ik ben met u alleen, mijn oogen droog en wijd;
terwijl de wijde nacht welft mijn verlaten kilte
naar uwe gloeiende eenzaamheid.

– De venstren blind, de kaemren naakt en ijl de dilte;
het huis eens beedlaars, onbetreên en haveloos:
aldus mijn ziel in 't land der Stilte;

alwaar ge, alleen ten hemel-tuine een helle roos,
een vurig-felle roos in Stilte's donkren lande,
staêg-noodend waakt en blaakt, altoos;

en ik, met de armoê van mijn hoofd en van mijn handen,
in de armoê van mijn hart ontbere, leêg en bar,
zelfs de arme vreugd van eenzaam branden...

—

VAN alle reis terug nog voor de reis begonnen...
Wat, dat gij niet en wist, heeft de onrust u geleerd?
– Alle einders zijn ontgonnen
en elke tocht gemeerd.

Welke begeerte die, verzaad, niet heeft bedrogen,
en welke oprechte liefde ooit zonder waan beleên?
– o Dorre brand der oogen
na noodeloos geween!...

Geen bronnen meer, en geene stroomen, waar een haven
ze in de gestilde maat der strenge zee bevest.
– Gij moet u niet meer laven:
gij zijt aan walg gelescht.

—

UREN van harde macht, waar 'k in de zwartste nachten.
die heller zijn dan git,
ter ijlste hoogten, en de steilste, der Gedachte
onzichtbaar-tronend zit; –

uren van harde macht, gebore' uit trots en lijden:
hoe hebbe ik u bemind,
toen 'k Leven wijken deed, en Dood – o weidsch verblijden –
mocht koestren als een kind;

waar 'k heel mijn weze' als plots genade-weel'ge borsten,
mocht de' Onverzaadb're biên
en 't bateloos geluk mocht dulden, aan zijn dorsten
geheel tot ijlt' te vliên.

Geene begeerte meer: o vrijheid, en geen bede;
en, allen strijd beslecht,
uit diep-gerooiden drift den diep-ontgonnen vrede
van 't eindlijk eind-gevecht.

Arm als geen enkle, maar zich voelen, koel, den rijke
die, 't zwoelst geluk doorleên,

het Wezen, de eeuwigheên ontwassend, kan doen wijken
naar eendere eeuwigheên...

Uren van felle macht, hartstochtelijk negeeren
gebore' uit boete en spijt:
wat heb ik u bemind, ik die u mocht regeeren,
en – treurig ben, en lijd...

– Want zie, de aarde is den tijd nabij dat tijend streven,
al zwellend, welven gaat.
Weêr word ik als een zonne-straal die staat te beven
en, bevend, rechte staat;

weêr word ik, waar de luide bodem ligt te kenen
voor 't licht-bekroonde kruid,
gelijk de bronnen zijn die onbedaarlijk weenen
met daevrend-blij geluid.

De dag wordt rood van zon en rozen. De uren blaken
van rijk en rijp geweld.
'k Draag al het blozen van den zomer op mijn kaken
als waar' 'k een heldre held;

van al het bloed dat zoekt of blinkt in bloeme' en boomen
zijn mijne vuisten zwaar;
'k ben duister als het woud in avondlijk verloomen
en als de weiden klaar;

'k ben klaar en klapprend als de blaedren en de waetren;
'k ben gloeiend-zwart gelijk
de minnaars die elkaêr van bijten en van schaetren
bevinden goddelijk.

Maar – 'k heb te zeer geheerscht, dan dat ik niet en lijde
om zulke duld'ge heerlijkheid...
– Uren van harde macht, waarom moet ik u beiden,
nu 'k, treurend, lijd?...

—

Gij zult mij allen, allen kennen,
maar 'k zal voor allen duister zijn;
want slechts wie 'k van mijn spot zal schennen
zal lichtend van mijn luister zijn.

Slechts wie na de eêlste weelde-spijzen
zal hongren naar mijn schampren smaad,

draagt eens voor 't aangezicht der wijzen
den plooi der wijsheid in 't gelaat.

Maar hem, die mij niet heeft bekeken,
doch voor mijn hoogmoed heeft gebeên,
dien zullen eens de voeten leken
van mijn geween.

—

WANNEER ik sterven zal (o glimlach om de vreeze
en om 't begeeren dat ik eindlijk sterven zou!):
neem dan dit pijnlijk boek; wil deze verzen lezen
waarin ik u miskenne, o vrouw.

– Ik weet: gij zult er niets dan bitters ondervinden;
niets dat u om de zwaart der doode ontgoochling troost:
slechts 't hunkren naar de duizendvoudige beminde
dat zijne schroei'ge zuchten loost;

slechts om uw trouwe zorg de wroeging, te vermoeden
dat gij hem niets dan uwe schoonheid geven mocht:
den onverzaadbaar-zatte' en spijt'gen levens-moede
die aldoor heeter leven zocht;

hij die van u de dolste en wreedste gaven eischte
en die in uwen schoot het àl-bezit bejoeg,
maar, wreed en laf, tot in uw troostende armen krijschte
om de onmacht die hem sarrend sloeg.

Gij zult er niets in vinde', o vrouwe, dan de wrake
dat hij geen wonden beet dan aan uw liefde-mond,
en dan den wrok, dat naast zijn blakerende wake
hij steeds ùw angst'ge wake vond.

Gij ziet er niets, helaas, gij zult er nimmer hooren,
zelfs geen gekreun dat om uw medelijden smeekt:
slechts, waar 't de duisternis van uw getreur komt storen,
een maatlijk dropken bloed, dat leekt;

niets dat u noode naar een eindelijke stilte
gelijk van verre een bron naar lafenisse noodt:
slechts aan uw hoofd, o gij die leest, de heete kilte
der laatste koorts van vóor den dood;

slechts aan uw arrem hart den wrangen angst der vrage
wat gij dan ooit, voor wie dit dichtte, zijt geweest,

en dan – de zekerheid een eeuw'gen doem te dragen,
o gij die deze verzen leest...

En toch... – Wanneer ik sterven zal (o geerte en vreeze!)
en om uw kommrend hoofd de doode-wake fleemt,
en gij dit brallend boek, om niet alléén te wezen,
ter bleeke en moede handen neemt;

en gij zult lezen, en de bitterheid zal rijzen
in al haar strakheid aan uw mager weeûw-gelaat;
en gij zult voelen, gij die mij niet kúnt misprijzen,
het smaden dat u tegenslaat;

en gij zult verder gaan, en vers na vers zal branden
ter fellre kone en in het traanloos oog-geschrijn;
en 't boek zal worden gelijk lood in uwe handen,
die bleek en moede en machtloos zijn:

dan zult ge – armzaliger dan wie het ergste leden, –
dàn zult gij nóg, o mijne vróuw, me wezen góed.
En gij zult zien hoe 'k lig, mijn leven uitgeleden
tot bij het laatste zweet en bloed;

gij zult de graauwe lok van voor mijne oogen keeren
en zien hoe nóg de drift zwart om mijn schalen kringt;
hoe, norsch van vragen en vertrokken van begeeren,
de laatste kreet mijn lip verwringt.

Maar gij en zult geen woorden zoeken, die vergeven;
geen zoenens-tranen zelfs ter zoete tuigenis
dat deze slechte doode uit uw vernietigd leven
in eeuwigheid verscheiden is;

gij zult uw hand niet meer aan 't zwijgend hart me leggen:
gij weet hoe 't aan uw schrik zijn laatste bonzen sloeg;
want reeds, o vrouwe, hoort ge uw hart de woorden zeggen
die u de laatste zorge vroeg.

Gij zult, in nieuw ontroere', het boek ter zijde laten;
een zoet gepeinzen wekt een nieuwe teederheid;
en gij zult voelen hoe mijn doem tot niets kon baten,
omdat gij toch mijn vróuwe zijt;

gij zult het weten, en een toomelooze liefde
zal zwellen in uw borst en kroppen in uw keel,
en uit wat meest u kwelde en u het innigst griefde
wordt u het hoogste heil ten deel.

K. van de Woestijne

Want hoe ge, toen gij laast, ter borst moest voelen nijpen
de pijn van wie, miskend, zelfs om zijn onschuld treurt:
veel beter dan ik-zelf zoudt gij mijn woord begrijpen
dat nóg in trots het hoofd u beurt.

Gij, de een'ge die mijn rustloos hart hebt voelen kloppen
gelijk een zoete last aan 't eigen vragend hart:
gij weet hoe 'k machtloos weende, en – hoe de doop der droppen
U heilig miek van mijnen smart.

Omdat ik slechts aan ú mijn driften zou verzaden,
was 'k, onverzaadb're zatte, uw duld'ge schoonheid moe;
en 'wijl mijn dorre mond uw jongst'ge lip versmaadde,
ging mijn begeeren àndre toe;

maar gij alléen toch weet de kreten van mijn vreugde
al hadde ik ze in mijn waan ook àndere gewijd;
maar niemand had, wat van mijn toorn u 't meeste heugde:
ùw eigen schoone zékerheid;

de vlammen-schoone zekerheid waar de Getuigen
– hoe fel de geesel strieme en 't onbegrijpen spott',
bij de onverdiende schand waar blijde ze onder buigen,
ter hoogt' meê rijzen van hun God.

– Want gij, ge weet, mijn vrouw, de alleenige te wezen
aan wie 'k de volle maat van heel mijn wezen gaf...
Daarom, wen 'k sterven zal, wil deze verzen lezen
zoo onuitspreeklijk-droef en -laf,

– daar gij alleen, mijn lieve lieve, in u kunt voelen
hoe heel het boek van mijne en ook úw liefde gloeit,
en in úw oog alleen misschien 't geween zal zoelen
dat, wen 'k dit schrijf, mijn schale schroeit...

—

Ik vraag den vrede niet: ik vraag alleen de rust.
– o Teedere avond-glans der lippen en der lampen,
als de eêle nacht ontrijst aan lage dage-dampen:
wanneer wordt van uw zuivren gloed mijn angst gesust?

De schroeiige oogen koel tot kalmen droom gekust;
gebluscht het zwoele bloed van 't dagelijksche kampen;
en, waar ter slaap de laatste zorgen trager tampen,
de Liefde en 't Leed verzoend tot één weemoed'gen lust...

– o Teedere avond-glans der lampen en der lippen...
– Maar gij, mijn harde geest, die stoot aan alle klippen
vergééfs een onwil waar geen genster aan ontschampt...

– Ik vraag den vrede niet: ik vraag alleen te poozen;
ik vraag alleen de rust, die, maagdelijke roze,
gelijk de maan den moeden dag ontrijst, die dampt...

—

Gij menschen, die misschien me in laetren tijd gedenkt,
als deze mond, en zonder morren, heeft gezwegen,
maar, woordloos op verzaden dood open-gezegen,
de ijlte beteekent die uw vragende ijlte wenkt,

weet: als een straf heb 'k stroeve waarheid mee-gekregen;
geen krankheid, die mijn lijf niet kreunend heeft gekrenkt;
en 't spijt, dat dit mijn vers gelijk een hostie drenkt,
mag heilig op uw tong als 't leven-zelve wegen.

Ziet: dit gelaat is lood, en zorge is 't zuur dat vreet
door 't lood, en 't diepst van al de heete voren beet
om God, o mijn begeert, die borgde 't pijnlijkst beiden.

En toch: hij die dit zeide in dood-gedoemde tijden,
en, leed hij waarlijk àl te zeer wanneer hij leed,
— hij droeg 't gevoelen, nooit genoeg te mogen-lijden...

—

Leeg schelpje aan nachtlijke ebbe: ik; maar de stad
In duizend dake' als duizend diamanten.

—

Waarom te weenen in dit steenen woud?
Gij zult regeeren als gij weet te lachen.

—

Dwing uw gevuld gelaat in de engte van dit masker:
Uw vleesch zal schreien, maar gij wordt er schooner om.

—

Aan u, die 'k heb bemind om 't water van uwe oogen,
fontein die zindert in de zonne van den smart,
– gij die het martlen kent van 't dorre mededoogen
en 't hunkren naar de liefde in hoogmoed uitgetart;

Aan u, die 'k heb bemind om 't vlammen van uw handen,
– o vleiën om het vleesch dat als een beek vervliedt;

o reiken van 't gebed dat slechts in de ijlt' kan branden; *K. v. d. Woestijne*
o wegen in den schoot dien 't leven wepel liet ;–

Aan u, die 'k heb bemind om de urne van uw lenden
te zuchtend vol, helaas, of al te huilend ijl;
om uwe leên die 't leêg bedrog der reize kenden;
om uwe borst die leed de pijn van voedend heil;

Aan u, aan u vooràl, die buiten zelf-misleiden,
uw star vermogen mat aan de eige' onroerbaarheid:
schoonste, dewijl ge zelfs om schoonheid niet zoudt lijden;
hoogste, dewijl ge zelfs u-zelve onreikbaar zijt;

– Veelvuldige, die 'k, bang voor hopen en verlangen,
wou steunen als een man en troosten als een kind:
aan U, de Vrouw, 't geheim van dees verzwegen zangen,
Gij die 'k beminde; Gij die míj níet hebt bemind.

ODE

Zoo, als aan 't stellig stooten van 't getouw
dat, hoekig, kraakt van vlijt en glanst van trouw,
een wever waakt en vult den dag met werken,
waar, over 't maetlijk stompen en gestouw,
de brug der zon bindt vroege aan late zwerken;
– hij zwoegt; hij heeft een vrouw en wicht bij wicht;
maar niet voor hen alleen is 't noeste zwoegen:
zijn doek wast aan den boom, en kaatst het licht
nog langer dan de zon op zijn gezicht,
en... 't ware hem genoeg voor zijn genoegen;

zoo heb ik dag aan dag mijn taak gewrocht,
niet 'lijk ik wou, helaas, maar 'lijk ik mocht;
en iedre nacht werd warrem in mijn handen
na 't paarsen van de laatst-verlichte locht
over den damp der omgedolven landen.
Doch niet om plicht, om vrouwe niet en kind;
niet om het loon van 't dagelijksche lijden,
te lang gelijk een slechten drank bemind;
niet om wat trouw die 't oog met tranen blindt
of om wat twijfel bij te vlug verblijden;

zelfs niet om uwe gave, o vroom verhaal
dat, zuster van mijn zorge, te elken maal
naast haar ontwaakt en lacht den morgen tegen;
niet om 't gedicht waar 'k traag in adem-haal

wen de avond de' armsten dag wijdt tot een zegen;
niet om het werk alleen, in leed gebaard,
noch om het lied dat alle leed zou tarten:
om U, om U, mijn onbegrepen klaart'
die – dooven ook de kolen van den haard –
ontluikt op hoop en sluit op troost mijn harte.

Om U, die van dit mistig aangezicht
de tin tot Uw gelijknis hebt belicht;
die deze schouderen, met dood beladen
en loochening, gerecht hebt en gelicht
op de krystallen zuilen der Genade.
Om U, 't standvastig waken van 't gebouw
dat niet vergeefs van arrebeid zou ronken;
waar wind van ijlheid niet door zingen zou;
doch steeds, bij heil van kinderen en vrouw,
drempel en raam van zole en oogen blonken.

Om U. – En gij, die 'k in één liefde omvaêm,
gij, heil'ge glans van drempel en van raam,
niet vrouw en kroost alleen, maar pijne en zorge
die 'k, dankend om mijn plecht'gen schroom, verzaêm
iederen nacht voor daad en zang van morgen:
bemint mij voort, gij die mijn norschheid temt;
die, waar de zolder zwol van heimlijke aren,
waart, die den wreeden vlegel hebt omklemd,
daartoe door onbevroede Wet bestemd,
'dat ik voor God ontkeeste, o zwengelaren.

DOOP VAN DEN BEDELAAR

Wij heffen in dees heil'ge vonte
naar Uwen schuinen blik, o God,
dit Kind dat, blank en ongeschonden,
van onze liefde en onze zonde
ten zoen U weze, en ten gebod.

Zijn moeder zou 't mij smoorlijk schenken
met, schriklijk, in 't gelaat gegrift
de teeknen van mijn loenschen drift,
zooals 'k haar moest met leugen drenken
van pijnlijk vleesch en schittrend schrift.

Zij droeg het in haar ronde flanken
gelijk 't heelal zijn bollen draagt;
zijn klop in haar was als hun wanken;

en van ons bei was ík de kranke
die beeft en om verlossing vraagt.

K. v. d. Woestijne

En toen 't uit haren smart geboren
bij halos van haar dankbaarheid,
stond ik gelijk een wees verloren
waarvan geen menschen-hart zou hooren
hoe hij om doode moeder schreit.

En 't lag in zijne wolk'ge kribbe
wonder-verlaten, rood en schraal
gelijk een late, draal'ge straal,
of, aan een levens-moede lippe,
een schemer-kleurige adem-haal.

Maar neen, o God: het lag te blinken
zooals bevrijde oneindigheid;
zoo ziet men U den avond drinken
ten zoom der zee en 't zonne-zinken
als aan een beker dien gij bijt...

Dús zagen we uit ons reeuwsche geuren,
uit woeste liefde, uit norschen geest,
zich dit onnoozel kindje beuren.
– Thans staan we, God, aan Uwe deure
gelijk de hond die slagen vreest.

Zult Ge er de loome rust van wasschen
en 't hunkeren om 't beminde wee? –
Het doode water van de sassen,
dik-blikkerend van gist en gassen,
bereidt ter zuivering der zee.

Zult Gij het uit den doem verlossen
van ruimte en dorst, van walg en tijd? -
o Kreet van wien de baren drossen,
en kleuren met steeds nieuwe blossen
om steeds herhaalde mooglijkheid.

Zult Gij 't uit weifelen en wikken,
uit dom verschil dat hoopt en doodt
tot Uwe gevalligheid beschikken,
o Schutter die, na 't oolijk mikken,
in 't eigen oog de wereld schoot?

Bewuste Veger der woestijnen,
vroed Zaemlaar van het vol gevecht:

zal 't in een grijze leêgheid kwijnen,
of zal zijn aanzicht lichtend schijnen
aan een veroverende plecht?

Wij zijn de Vader en de Moeder;
wij hebben Uwen wil gedaan
bij schreeuw en zweet, bij wrok en traan.
Zult gij ons wilder en verwoeder
gaan make' om een gerechten waan?...

Maar neen: ons armen, zult Gij teistren
met deemoed, dankbaarheid en rouw;
ons wordt de vreê, bij buigend peistren,
van 't vee dat, maetlijk van gekouw,
geen wolken kent dan aan haar schaaûw.

Wij zullen, moede, nuchter worden,
na al den drift, na zelfs het leed
dat als een wroeging 't brein ons beet.
Er is geen zegen dan in de orde;
loon gaat naar wien te zwijgen weet.

Dit kind, geheven in Uw vonte
tot bittren zoen, tot wrang gebod;
dit wichtje, bleek van onze zonde:
Gij hebt het aan ons lot gebonden
als een profijt'ge straf, mijn God.

Doch – niets kan ons den droom onthouden
die de' allerijlsten nacht doorglanst,
waarin het blijde blinken zoude
zooals het luchtig kaf dat, gouden,
van uit den wan ter Zonne danst!

—

SCHADUW in den schaduw zijn
en zich-zelf vergeten,
– was daar niet van de oude pijn
nieuwe bete.

Zwijgen, 'lijk de zonne zwijgt
in de rechte halmen,
– hijgde niet 'lijk storrem hijgt
lijdens galmen.

Heel mijn lijf is droef en trotsch
in de smart geklonken.

– Gij, o God, klets uit de rots
eindlijk vonken.

—

'K BEN hier geweest, 'k ben daar geweest,
'k ben aarde en heemlen naar geweest,
en – wat heb ik gevonden?
Geen fakkel feller dan mijn licht;
geen spiegel voor mijn aangezicht;
geen zalve voor mijn zonde.

Eens bood 'k me-zelven 't lief genot
van een tafel zonder God.
– Het zout der zee gedronken,
het zout der aard doorbeten, was
'k die bij het maal der eigen asch
heb 't eigen bloed geschonken.

Hoe lange duurde wel dat feest?
Gij zijt de laatste gast geweest,
Dood: uw verwonderde oogen,
Dood: uw volstrekt-genaaiden mond
verwezen 't hoofsch-geboôn verbond
met mijne zatte logen.

Toen moest ik wel op tochten uit
naar overdrachtelijken buit,
o hongerige Jager!
En mijne huid, van vorst doorkeend
tot op de kilte van 't gebeent,
glansde geraamtlijk mager.

En – 'k ben hier geweest, en 'k ben daar geweest,
'k ben helle en hemel naar geweest.
En wat heb ik gewonnen?
Geen duister schooner dan mijn licht,
en mijn gezicht, mijn graauw gezicht,
'laas!, nog de schoonste zonne...

—

SLUIT uwe oogen op het licht:
dieper zal het branden...
Nimmer is me uw lief gezicht
liever, dan waar 't veilig ligt
binnen mijne handen.

Keer uw zinnen van den dag:
langer zal hij duren...

K. v. d. Woestijne

Rijker langend wordt uw lach
waar hij schemert door het rag
der verleden uren.

Neuren als een voorjaars-wind
bij geloken wachten...
Mondje, dat geen vraag ontbindt;
oogen zonder vrees, o kind;
en uw haren, bleek en blind
als de maan bij nachte.

—

„Zou'n wij geen glaasken mogen drinken?
Zou'n wij daarom een zat-lap zijn?"
– De droesmen van de driften stinken
nog meer dan moer van zieken wijn.

„Zou'n wij geen meisken mogen kussen?
Zou'n wij daarom een vuil-baard zijn?"
– Maar welke boezem wordt het kussen
voor deze lang-verzopen pijn?...

Als koningen kwamen we uit den Oosten
en hadden de zilveren matten aan boord.
– Wij hebben walg om ons te troosten.
Aan elke ra daar hangt een koord.

Wij werden nuchter tot bewusten
al bennen onze daden groot.
En als men moede is, kan men rusten
in uwe warme haven, Dood.

—

De meiskens uit de taveernen,
Zij hebben een malschen schoot.
Zij zien er de jongens geerne.
Zij baren haar kindren dood.

Zij dragen van vurige zijde
een keursken dat spant en splijt.
We ontwaken aan hare zijde
met den houten mond van de spijt.

De ronde zee waar wij zwalken,
die eindeloos wenkt en geeuwt,
en ons doet van begeeren balken,
en ons verre vrouwe verweêwt:

wij ankren in de taveernen
waar geniepig een rust ons smijt.
Daar wachten ons rood de deernen.
Daar raken wij 't leven kwijt.

—

„NAAR Oost-land willen wij varen":
het is er het oudste lied.
Maar monden zijn vol gevaren;
malheuren slapen niet.

Al hebben kombuizen geen lichten,
kombuizen hebben een bed.
En de reizen zijn maar gedichten.
en de slaap is 't rijkste gebed.

Slechts verlangen kan nog doorrijzen
wie daar ooit uit Oost-land kwam.
Een bokking is zeek're spijze
bij de talmende boterham.

En maakt er de geur der zwam
hier-binnen u langzaam lam:
geur der zee vol amber is broos als
bij rijzenden uchtend de vlam
die geurt der vluchtige rozen.

—

GEUR van het reeuwsche beest; geur van de beursche vrucht;
geur van de zee; geur van eene aarde zonder lucht;
– ik ben de late; ik ben de slechte; ik ben de dwaze;
ik ben de zieke hoop waarop geen hoop zal azen.

Ik ben de laatste peer in de ijlte van den boom.
Ik ben alleen ter killen herfst, en ik ben loom.
Ik ben geboden nood; ik ben vergeten have;
Ik ben de zwaarste en rijpste en zal geen kele laven.

—

IK ben de hazel-noot. – Een bleeke, weeke made
bewoont mijn kamer, en die blind is, en die knaagt.
Ik ben die van mijn zaad een duisternis verzade.
En 'k word een leêgt', die klaagt noch vraagt.

'k Verlaat me-zelf; 'k lijd aan me-zelven ijle schade.
Ik ben 't aanhoudend maal, in een gesloten kring,
van eene domme, duldelooze, ondankb're made.

Maar raak' de vinger van een kind me, dat me rade:
hij hoort mijn holte; ik luid; ik zing.

—

Neen: 'k ben (waar 't rijpend ijs de waetren heeft gezogen)
die teekent aan de ruit een rijken winter-tuil,
en 's avonds, als het huis van maan-licht is bewogen,
in de ongeziensten hoek en 't veiligst duister schuil.

Het koolken van mijn haard gaat rooden aan de ramen;
een roze ontwaakt ten bleeken ruiker van de ruit;
en kinderen, verdoold, gaan zich om 't huis verzaêmen,
en in hun oog is daar een roos die zich ontsluit.

Zal ik ze nooden? 't Brood is zuur, de melk geronnen.
– O God, mijn God, is alle minnen onbegonnen?...
– Ik voel dat ze verkleumd voor mijne deure staan.
Ik open, traag. Ze zijn al lange heen-gegaan.

—

Geven, geven! Alle vrachten
rijzen in het hoogste want,
en de leêgte legt een zachten
weemoed in de moede hand.

Geven, geven! Laat de huizen,
sluit de ramen, dek den haard:
de open heemlen zijn de sluizen
voor uw ongeduld'gen vaart.

'k Ben geleêgd; ik ben verleden;
'k worde dood: ik heb gevoed.
Al wat komt is mijn verleden,
waar 't gewerd uit mijne bede en
lacht uit mijn vergeten bloed.

S. BONN

DE AVOND

De avond verfde rood de zee
 en zwart den wijden hemel,
een late voge scheerend glee
 langs 't koperrood gewemel.

Een vreemde stem gromde van ver
en neurde zwarte klachten,
en uit der wolken zwarte vachten
glansde een bleeke verre ster.

Je adem zoemde in mijn oor
en zong er wijzen, zacht,
de zee weedroef neurde erdoor, –
...heel donker kwam de nacht.

ALEX GUTTELING

MAANNACHT

De sterren glommen stil en breeder
Als parels in der neevlen zee,
Zilver-doorvloeid was 't maanlicht weder,
Wij liepen zwijgend en tevree.

Vol was de maan, wier stralen banden
In zuivren kring de dampen grijs,
Gelijk een meer in marmren randen
Omcirkelend een hel paleis.

De wegen lijnden blank door donker.
Boomen geveld de bermen langs
Leken op eindeloos gekronkel
Van slangen bleek van schubbenglans.

En in het smallere boschpad straalden
Bemoste stammen sneeuwgelijk,
Door kruinen zilvren schimmen daalden
En dwaalden door hun sprookjesrijk.

Hun sluiers wuifden... bleeke haren...
Blanke gewaden... manegloed...
Was het de ritseling dier scharen,
Dat kilte rilde door ons bloed?

't Gehakte hout lag klaar in stapels:
Altaren, Druïden-dienst bereid.
Wuifden daarheen die bleeke rafels?
Wat vreemde zucht zwol wijd en zijd?

A. Gutteling

Ons voeten stootten donkre vormen
Als vreemd gedierte op witten grond,
En angst-ontroering kwam bestormen
Ons hart dat nergens uitweg vond.

Opeens een poort van 't woud, en heide
Lag vredig wijd... geen dampen grauw:
Helstralend maan en sterren spreidden
Hun schijnslen door het glanzend blauw.

En bij een vijver tredend schouwden
We in donkren spiegel 't maanbeeld klaar
Zuiver en rond, en de onverflauwde
Sterren, doodstil, omkringden haar.

REGISTER

REGISTER